A criação
de um papel

Obras do autor publicadas pela Civilização Brasileira

A construção da personagem
A criação de um papel
A preparação do autor
Minha vida na arte

Constantin Stanislavski

A criação de um papel

Prefácio de
Robert Lewis

Tradução de
Pontes de Paula Lima

31ª edição

Rio de Janeiro
2025

COPYRIGHT © Constantin Stanislavski, 1998

CAPA
Evelyn Grumach

PROJETO GRÁFICO
Evelyn Grumach e João de Souza Leite

CIP-BRASIL. CATALOGAÇÃO NA FONTE
SINDICATO NACIONAL DE EDITORES DE LIVROS, RJ

	Stanislavski, Constantin, 1863-1938
S789c	A criação de um papel/Constantin Stanislavski; prefácio de
31ª ed.	Robert Lewis; tradução de Pontes de Paula Lima. – 31ª ed. –
	Rio de Janeiro: Civilização Brasileira, 2025.
	320p.

Tradução de: Creating a role
Inclui apêndices
ISBN 978-85-200-0267-4

1. Representação teatral. 2. Atores. 3. Caracterização
teatral. I. Título.

CDD – 792.02

99-0285   CDU – 792

Todos os direitos reservados. Proibida a reprodução, armazenamento ou transmissão de partes deste livro, através de quaisquer meios, sem prévia autorização por escrito.

Este livro foi revisado segundo o Acordo Ortográfico da Língua Portuguesa de 1990.

Direitos desta edição adquiridos pela
EDITORA CIVILIZAÇÃI BRASILEIRA
um selo da
JOSÉ OLYMPIO EDITORA
Rua Argentima, 171 - Rio de Janeiro, RJ - 20921-380 - Tel.: (21) 2585-2000

Seja um leitor preferencial Record.
Cadastre-se no site www.record.com.br e receba informações
sobre nossos lançamentos e nossas promoções.

Atendimento e venda direta ao leitor:
sac@rrecord.com.br

Impresso no Brasil
2025

Sumário

PREFÁCIO   7
NOTA DA TRADUTORA NORTE-AMERICANA   *11*

PRIMEIRA PARTE
A desgraça de ter espírito, de Griboyedov   *15*

CAPÍTULO I
O período de estudo   *19*
PRIMEIRO CONTATO COM O PAPEL   *21*
ANÁLISE   *26*
O ESTUDO DAS CIRCUNSTÂNCIAS EXTERNAS   *30*
DAR VIDA ÀS CIRCUNSTÂNCIAS EXTERNAS   *36*
A CRIAÇÃO DE CIRCUNSTÂNCIAS INTERIORES   *43*
AVALIAÇÃO DOS FATOS   *52*

CAPÍTULO II
O período de experiência emocional   *63*
IMPULSOS INTERIORES E AÇÃO INTERIOR   *66*
OBJETIVOS CRIADORES   *72*
A PARTITURA DE UM PAPEL   *77*
O TOM INTERIOR   *84*
O SUPEROBJETIVO E A AÇÃO DIRETA   *100*
O SUPERCONSCIENTE   *104*

CAPÍTULO III
O período da encarnação física   *109*

SEGUNDA PARTE
Otelo, de Shakespeare *135*

CAPÍTULO IV
Primeiro encontro *139*

CAPÍTULO V
A criação da vida física de um papel *163*

CAPÍTULO VI
Análise *185*

CAPÍTULO VII
Aferição do trabalho executado e resumo 231

TERCEIRA PARTE
O inspetor geral, de Gogol *249*

CAPÍTULO VIII
Das ações físicas à imagem viva *253*

APÊNDICE I
Suplemento para *A criação de um papel* *295*
UM PLANO DE TRABALHO *295*

APÊNDICE II
Improvisações sobre *Otelo* *299*

Prefácio

Aqui, quase um quarto de século após a sua morte, estão mais algumas pepitas da vasta mina de ouro que foi a contínua busca de Stanislavski por um método verdadeiro e artístico de treinar atores e elaborar papéis. A substância de *A criação de um papel* é tão rica, tão provocante, que nos faz sentir a possibilidade de tomar muitas das ideias aqui apresentadas e expandi-las em ensaios ou livros.

A primeira das três partes deste volume decompõe, de modo particularmente brilhante, o processo pelo qual se deve elaborar um papel. Confirmará ou esclarecerá muitos pontos para atores e diretores que já trabalham de acordo com esta orientação. Para os que não o fazem, o estudo de como Stanislavski abordou o seu papel de Chatski em *A desgraça de ter espírito* será uma revelação. Esta parte, sem o recurso do diálogo entre professor e aluno, que é usado no resto do livro, parece-me a mais lúcida exposição dos objetivos de Stanislavski que já se fez até agora.

Temos aí uma subdivisão lógica do período de ensaio, a partir da primeira leitura. Como os "começos" são tão importantes, Stanislavski nos diz por que é aconselhável que a peça seja lida para o elenco, da primeira vez, por uma só pessoa. Mostra-nos como se deve narrar a história de uma peça em termos de atores, como analisar a peça e os papéis, tendo o cuidado de distinguir entre a análise intelectual e a artística. Ensina-nos a desenvolver um subtexto lógico para criar uma vida interior capaz de dar substância às palavras do autor. O aspecto mais importante e menos compreendido desta tarefa, a pesquisa no campo da nossa própria experiência a fim de despertar sentimentos análogos aos que o papel exige, é cabalmente ventilado.

A CRIAÇÃO DE UM PAPEL

Não creiam que só esteja salientado aí o "sentimento". Ao contrário do que fazem alguns *soi-disant* praticantes modernos daquilo que chamam de "O método" (arrogância que de modo algum se encontra nos escritos do próprio Stanislavski), não é superficial a atenção dispensada à beleza da linguagem, à leveza do verso, ao ritmo, à imaginação e a todos os meios de expressão teatrais e artísticos. Stanislavski não ignorava que, embora sendo verdade que a nossa intenção "de não perturbar os que estão lá dentro" nos faz bater numa porta com timidez, também é verdade que uma batida delicada e cuidadosa na porta produz em nós uma sensação de timidez. Ele acentua, constantemente, a escolha das "ações físicas", processo que sempre entrelaça com suas "ações internas", enquanto elabora um papel. A pergunta que sempre faz, visando obter a fidelidade do papel em relação a si proprio, é: "Que é que eu *faria* se estivesse na situação de fulano (a personagem)?" Sim, sempre a situação da *personagem*: a vida *dela,* na cidade *dela,* no tempo *dela,* e assim por diante; não a *minha* vida, na *minha* cidade, no *meu* tempo, como às vezes nos parecem estar pensando os modernos "metodistas".

No terceiro capítulo, Stanislavski fala claramente da materialização física do papel. Aí encontramos trechos como: "recursos sutis de expressão dos olhos e da face"; "use a voz, os sons, as palavras, as entonações e a fala". É verdade que ele afirma, com toda razão, que "a voz e a fala devem depender totalmente dos sentimentos interiores, pois são a sua expressão direta, exata e subserviente". Mas também conhecia a importância da voz, da dicção, do movimento etc. Caso ainda fosse preciso, eis aqui a prova que refuta o argumento de que o método de Stanislavski leva, inevitavelmente, a uma dicção desleixada e um comportamento desmazelado: "Todo organismo vivo", diz ele, "tem também uma forma exterior, um corpo físico, que usa maquilagem, tem uma voz típica quanto à maneira de falar e à entonação, um modo típico de andar, gestos, modos etc." Que grande golpe é desferido nos atores complacentes, sempre ocupados em espremer um pouquinho de sentimento particular, sem ligar a mínima para a aparência, ou para o fato de serem

PREFÁCIO

ou não ouvidos etc. Que isto responda de uma vez por todas aos que, errônea ou deliberadamente, aceitam este bando marginal de lunáticos como expoentes das teorias de um homem que, durante meio século, dirigiu de tudo com distinção, desde peças realistas até óperas, em todos os estilos. Nunca será bastante repetir que o método de Stanislavski não é um estilo nem se aplica a um estilo particular de teatro, mas é, isso sim, a tentativa de encontrar uma atitude lógica em relação ao treinamento de atores para qualquer peça, e um modo artístico de preparação para qualquer papel.

A segunda e a terceira partes de *A criação de um papel* revertem ao estilo usado em *A preparação do ator* e *A construção da personagem*.[1] Temos aquela sala de aula fictícia, com Tortsov, o professor, instruindo um grupo de estudantes. Esta forma de exposição pode parecer um pouco obscura e menos direta e cristalina do que o modo mais direto da primeira parte. Mas o fato é que nos dá a oportunidade de ver Stanislavski experimentar o seu método de ensaio em dois outros papéis: o de Otelo e o de Khlestakov em *O inspetor geral*. Mais uma vez, ele aborda esses papéis "de dentro" e "de fora", simultaneamente. Descobre, de fato, que encontrar a verdade física do papel é melhor para nutrir sua verdade interior do que *forçar* os sentimentos. Ele persegue a personagem utilizando a justificação das ações físicas do papel, colocando-se nas circunstâncias de personagem por meio do famoso *Se-Mágico*, e decompondo a linha interior do papel em objetivos lógicos. Em outras palavras, uma análise interior e exterior dele próprio, como ser humano, nas circunstâncias da vida do seu papel, sendo os seus próprios sentimentos escolhidos sempre de modo que sejam análogos aos sentimentos contidos no papel. Isso promove a "representação verdadeira da vida do papel na peça".

Particularmente interessante para os diretores é, no apêndice, uma súmula de vinte itens de um plano de ensaio, desde a primeira leitura até a caracterização final. Certas sugestões (como, por exemplo, a de perguntar aos atores em que ponto do palco eles gostariam

---

[1] Ambos publicados por esta editora.

A CRIAÇÃO DE UM PAPEL

de estar em dados momentos) são privilégio de diretores que possam dispor de teatros permanentes. No *show-business,* isto é, com produções isoladas, uma de cada vez, reunindo sempre novos grupos de atores, todos eles com antecedentes diversos, dispondo apenas de tempo limitado para os ensaios, é bem possível que o diretor queira abrir mão dessa facilidade. Através das três partes deste livro, obtemos o retrato de um verdadeiro artista em seu trabalho, fracassando às vezes, mas sem desespero, e sempre em busca de respostas verdadeiras. (Ele reformulou seu papel de Satin em *Ralé,*[2] de Gorki, depois de tê-lo representado durante dezoito anos!) Os admiradores de *A preparação do ator* e de *A construção da personagem* apreciarão muitíssimo *A criação de um papel.* Aqueles para quem a leitura deste livro constitui seu primeiro contato com os escritos de Stanislavski desejarão examinar os outros dois. Um estudo minucioso dos três livros revelará o importantíssimo ponto de como aplicar na preparação dos papéis a técnica estudada em aula.

Temos aqui, portanto, mais as palavras do mestre que as de seus discípulos. É um livro para todos os profissionais do teatro, bem como para seus estudantes. Quer concordando, quer discordando, no todo ou em algumas partes, é impossível não nos sentirmos estimulados e enriquecidos por ele.

ROBERT LEWIS
1960

---

[2]Título da encenação brasileira da peça de Gorki, também traduzida como *BasFonds* e, em inglês, *Lower Depths.* (N. do T.)

Nota da tradutora norte-americana

A criação de um papel é o terceiro volume da trilogia planejada por Stanislavski sobre o treinamento do ator. Os dois primeiros, *A preparação do ator* e *A construção da personagem,* embora publicados com um intervalo de treze anos, visavam a descrever o regime do ator jovem, mais ou menos em um período do seu desenvolvimento: enquanto treinava suas qualidades interiores de memória afetiva, imaginação e concentração, ele ia desenvolvendo também seus recursos físicos, com um rigoroso trabalho em sua voz e seu corpo, justamente os instrumentos capazes de dar forma vívida e convincentemente concreta àquilo que a vida interior pudesse desenvolver. Agora, passados doze anos, podemos publicar o projetado terceiro volume. Esta fase do ensino de Stanislavski que, segundo ele pensava, devia ser atingida pelo ator após o domínio das duas outras, é a preparação de papéis específicos, a partir da primeira leitura da peça e do desenvolvimento da primeira cena. O título em inglês *(Creating a Role)* aproxima-se o máximo possível do título russo, bem mais longo, e que literalmente traduzido seria: *O trabalho de um ator num papel.*

Durante 1929 e 1930, quando eu trabalhava com Stanislavski na França e na Alemanha na elaboração de *A preparação do ator* e *A construção da personagem* (para os quais ele tinha um contrato nos Estados Unidos), ele me falou de sua ideia de centralizar no *Otelo,* de Shakespeare, todos os seus três livros sobre a técnica da atuação. Sentia que essa peça, que durante longo tempo o preocupara, seria acessível ao estudante de muitas nacionalidades, principalmente os de língua inglesa. De fato, justamente naquele período, na França, ele estava mandando a Moscou sugestões para a pro-

A CRIAÇÃO DE UM PAPEL

dução de *Otelo,* cuja direção tivera de abandonar por causa da grave doença que o atacou em 1928. Essas sugestões são a base de *Stanislavski dirige Otelo,* caderno de notas com as suas instruções publicadas paralelamente ao texto da peça, volume de enorme valor na demonstração de como esse grande diretor trabalhava uma peça. Mas neste livro vemos como seu espírito também se voltava para *Otelo* como exercício por meio do qual os próprios atores poderiam entrar em seus papéis, para criar personagens dotadas de veracidade e de uma memorável vividez.

Stanislavski morreu em agosto de 1938: Somente *A preparação do ator* tinha sido publicado nos Estados Unidos e na Inglaterra (1936), e ainda não fora publicado na União Soviética. Ele corrigira todo o material de *A construção da personagem,* mas a Segunda Guerra Mundial fez adiar sua publicação. Agora, com o lançamento oficial em russo de todos os manuscritos de Stanislavski, verificamos que ele de fato redigiu três versões do terceiro livro. A primeira fora feita muitos anos antes (1916-1920), quando ainda não inventara a forma semifictícia do professor e seus alunos, utilizada em *A preparação do ator* e *A construção da personagem.* As outras duas situam-se na década de 1930, depois de ter aprontado para publicação *A preparação do ator* e completado o material que se intitulou *A construção da personagem.*

A primeira versão apresentou problemas. Trata, especificamente, de uma clássica comédia satírica russa: *A desgraça de ter espírito* (também chamada *A desgraça por excesso de espírito* que, após cento e cinquenta anos, ainda desconcerta os tradutores). Embora inúmeros versos dessa peça se tenham incorporado à língua russa literária, como as frases de Shakespeare se incorporaram ao inglês, nenhum tradutor pôde, ainda, transmitir os versos espirituosos de Griboyedov em nenhuma língua da Europa Ocidental. As situações e as tiradas satíricas parecem mesmo escapar à compreensão de todos, a não ser dos especialistas. Entretanto, sua humanidade torna universal essa comédia, e faz, portanto, com que ela seja uma estrutura significativa para a busca, feita por Stanislavski, dos meios capazes de ajudar o ator a aperfeiçoar sua arte. Para tornar esta

NOTA DA TRADUTORA NORTE-AMERICANA

primeira versão de *A criação de um papel* acessível aos atores de língua inglesa, recorremos a pequenos cortes e fizemos breves esclarecimentos, sempre nitidamente assinalados.

É interessante notar que, em seu trabalho com *A desgraça de ter espírito,* Stanislavski demonstra os métodos que descreveu no início de *Minha vida na arte,* dando ênfase à psicotécnica do ator, à preparação do traçado interior do papel como ponto de partida. Nas outras duas versões, baseadas em *Otelo* e no *Inspetor geral,* de Gogol, percebemos como Stanislavski estava revendo seus métodos, como era persistente a sua busca por melhores caminhos. De fato, sua atitude para com certos problemas mudou no fim de sua vida, e se ele, aqui, revê algumas das práticas adotadas em *A desgraça de ter espírito,* isso revela tanto mais exatamente o verdadeiro método de Stanislavski. Publicando todas as três versões, julgamos dar ao leitor a vantagem de ver Stanislavski elaborando vários papéis; de comparar seu sensível ajustamento ao material dado em três peças diferentes; e de compreender que o objetivo de toda a sua existência permaneceu sempre o mesmo: criar vida no palco, em função daquilo que chamava de naturalismo *espiritual.*

Estas três versões foram-me enviadas, para traduzir e publicar, pelo filho de Stanislavski, e creio que, ao prepará-las para serem usadas por atores de língua inglesa, cumpri mais uma vez a tarefa que me foi confiada pelo próprio Stanislavski, de eliminar as repetições e cortar tudo o que não tivesse sentido para atores não russos. Fizemos algumas leves mudanças na ordem das seções em cada versão, quando nos pareceu que Stanislavski teria feito o mesmo, se lhe fosse dado o tempo de rever seus manuscritos. Acrescentaram-se notas do organizador da edição norte-americana fornecendo as informações necessárias, extraídas de *A preparação do ator* e *A construção da personagem,* e proporcionando uma base que, como a sra. Popper e eu esperamos, tornará mais compensadora para todos a leitura de *A criação de um papel.*

ELIZABETH REYNOLDS HAPGOOD
NOVA YORK, 1º DE JULHO DE 1961

PRIMEIRA PARTE *A desgraça de ter espírito*,
de Griboyedov

O estudo que se segue sobre a preparação de um papel, focalizando a comédia clássica de Griboyedov, *A desgraça de ter espírito*, foi escrito entre 1916 e 1920. Constitui, portanto, a mais antiga das explorações de Stanislavski, de um tema que, em seus diversos aspectos, deveria preocupá-lo por todo o resto de sua vida. Embora ele não tivesse optado ainda pela forma semifictícia de *A preparação do ator* e *A construção da personagem*, o estudioso destas obras posteriores encontrará aqui a exposição original de muitas ideias que já lhe são familiares. Em alguns casos, essas ideias permaneceram estáveis nos anos subsequentes. Em outros sofreram uma sutil transmutação à medida que Stanislavski prosseguia lançando sobre o problema do ator a luz de sua imaginação criadora, inquieta e livre.

O COORDENADOR EDITORIAL (NORTE-AMERICANO)

CAPÍTULO I   O período de estudo

O trabalho preparatório sobre um papel pode ser dividido em três grandes períodos: estudá-lo, estabelecer a vida do papel e dar-lhe forma.

PRIMEIRO CONTATO COM O PAPEL

A familiarização com o papel constitui, por si só, um período preparatório. Começa com as primeiríssimas impressões da primeira leitura da peça. Esse momento importantíssimo pode ser comparado com o primeiro encontro entre um homem e uma mulher, o contato inicial entre dois seres que se destinam a ser namorados, amantes ou companheiros.

As primeiras impressões têm um frescor virginal. São os melhores estímulos possíveis para o entusiasmo e o fervor artístico, duas condições de enorme importância no processo criador.

Essas primeiras impressões são inesperadas e diretas. Muitas vezes, deixam no trabalho do ator uma marca permanente. São livres de premeditação e de preconceito. Não sendo filtradas por nenhuma crítica, passam desimpedidamente para as profundezas da alma do ator, para os mananciais de sua natureza, e muitas vezes deixam vestígios inextirpáveis, que permanecerão como base do papel, o embrião de uma imagem a ser formada.

As primeiras impressões são... sementes. Sejam quais forem as variações e alterações que o ator possa fazer à medida que avança em seu trabalho, ele muitas vezes é tão atraído pelo profundo efeito de suas primeiras impressões, que quer se apegar a seu papel,

A CRIAÇÃO DE UM PAPEL

como este se desenvolve. É tanta a força, a profundidade e o poder de permanência dessas impressões, que o ator deve ter especial cuidado ao travar conhecimento pela primeira vez com uma peça.

Para registrar essas primeiras impressões, é preciso que os atores estejam com uma disposição de espírito receptiva, com um estado interior adequado. Precisam ter a concentração emocional sem a qual nenhum processo criador é possível. O ator deve saber como preparar uma disposição de espírito que estimule seus sentimentos artísticos e abra sua alma. E, ainda mais, as circunstâncias externas para a primeira leitura de uma peça devem ser devidamente estabelecidas. Temos de escolher o lugar e a hora. A ocasião deve ser acompanhada de certa cerimônia; já que vamos convidar nossa alma para a euforia, devemos estar eufóricos espiritual e fisicamente.

Qualquer tipo de preconceito constitui um dos obstáculos mais perigosos para a recepção de impressões novas e puras. Os preconceitos bloqueiam a alma, como a rolha no gargalo da garrafa. O preconceito é criado pelas opiniões que os outros nos impingem. No começo, e enquanto a relação do próprio ator com a peça e o seu papel não estiver definida é estabelecida em emoções ou ideias concretas, ele corre o risco de ser influenciado pelas opiniões alheias — sobretudo pelas falsas. A opinião dos outros pode distorcer uma relação estabelecida naturalmente entre as emoções do ator e seu novo papel. Portanto, durante seu primeiro contato com uma peça, o ator deve evitar ao máximo possível as influências estranhas, que poderiam criar um preconceito e desviar suas próprias primeiras impressões bem como sua vontade, sua mente e sua imaginação.

Se o ator é forçado a buscar auxílio para esclarecer as circunstâncias externas e internas e as condições de vida das personagens da peça, deverá, de início, tentar responder sozinho às suas próprias perguntas, pois só assim poderá sentir quais são as perguntas que pode fazer a terceiros sem violentar sua própria relação individual com o papel. O ator, por enquanto, deve fechar-se em si mesmo, armazenar suas emoções, seus materiais espirituais, suas reflexões sobre o papel, até que se cristalizem seus sentimentos e

O PERÍODO DE ESTUDO

um senso concreto, criador, da imagem do papel. Só com o tempo, quando a atitude pessoal do ator para com o papel já se estabeleceu, já amadureceu, é que ele pode utilizar amplamente os conselhos e as opiniões alheias, sem correr o risco de invadir sua própria independência artística. O ator deve lembrar-se de que sua própria opinião é melhor que a de um estranho, melhor mesmo que uma opinião excelente, quando nada, porque a opinião de um outro pode apenas somar-se aos seus pensamentos, sem falar nas suas emoções.

Como, na linguagem do ator, *conhecer* é sinônimo de *sentir*, ele, na primeira leitura de uma peça, deve dar rédeas soltas às suas emoções criadoras. Quanto mais calor afetivo tiver, quanto mais palpitante e viva for a emoção que possa instilar numa peça ao primeiro contato, tanto maior será a atração exercida pelas secas palavras do texto sobre seus sentidos, sua vontade criadora, sua mente, sua memória emotiva. Tanto maior será a sugestividade dessa primeira leitura para a imaginação criadora de suas faculdades visuais, auditivas e outras, no que se refere a imagens, quadros e evocações sensoriais. A imaginação do ator adorna o texto do autor com fantasiosos desenhos e cores de sua própria paleta invisível.

Para os atores, é importante descobrir o prisma sob o qual o autor encara sua obra. Quando o conseguem fazer, a leitura os transporta. Não podem controlar os músculos da face, o que os leva a fazer caretas ou mímicas, de acordo com o que está sendo lido. Não conseguem controlar seus movimentos, que ocorrem espontaneamente. Não podem ficar quietos no lugar, vão se aproximando cada vez mais do leitor da peça. Quanto ao leitor que apresenta a peça pela primeira vez, é possível fazer-se algumas sugestões práticas.

Em primeiro lugar, não deve assumir atitude excessivamente ilustrativa, pois isso poderia impor aos atores sua própria interpretação pessoal dos papéis e das imagens. Deve-se contentar com uma clara exposição da ideia básica da peça, da linha mestra de desenvolvimento da ação interior, com o auxílio dos recursos técnicos inerentes à peça.

A CRIAÇÃO DE UM PAPEL

Na primeira leitura, a peça deve ser apresentada com simplicidade, clareza e compreensão de seus elementos fundamentais, de sua essência, da linha mestra de seu desenvolvimento e do seu mérito literário. O leitor deve sugerir o ponto de partida do escritor, o pensamento, os sentimentos ou experiências que o fizeram escrever a peça. Nesta primeira apresentação, o leitor deve impelir ou conduzir cada ator ao longo da linha mestra do desenvolvimento progressivo da vida de um espírito humano na peça.

O leitor deve aprender com pessoas de experiência literária a ir direto ao cerne da obra, à linha fundamental das emoções. Uma pessoa treinada em literatura, que estudou as qualidades básicas das obras literárias, é capaz de apreender instantaneamente a estrutura que levou o dramaturgo a escrever. Esta capacidade é muito útil ao ator desde que não interfira com sua própria capacidade de penetrar na alma da peça com sua própria visão.

É mesmo muita sorte quando o ator pode captar instantaneamente a peça com todo o seu ser, com seu cérebro e seus sentimentos. Em tais circunstâncias, felizes mas muito raras, é melhor esquecer todas as regras e métodos, e entregar-se totalmente ao poder da natureza criadora. Mas essas ocasiões são tão raras, que não se pode contar com elas. São tão raras como os momentos em que o ator capta logo uma linha diretriz importante, uma seção básica da peça, ou elementos importantes com os quais se tece ou amolda o seu alicerce. É muito mais comum que uma primeira leitura apenas deixe fixados nas emoções do ator certos momentos individuais, enquanto todo o resto parece vago, turvo e estranho. Os farrapos de impressões, os pedacinhos de sentimentos que realmente ficam são como oásis num deserto, ou pontos luminosos na escuridão geral.

Por que algumas partes de uma peça se tornam vivas e são envolvidas pelos nossos sentimentos, enquanto outras se fixam apenas em nossa memória intelectual? Por que, ao evocarmos as primeiras, sentimos excitação, alegria, ternura, euforia, amor, enquanto a lembrança das outras nos deixa insensíveis, frios e inexpressivos?

O PERÍODO DE ESTUDO

Isto se dá porque os trechos que logo são inundados de vida têm afinidade conosco, são familiares às nossas emoções, enquanto os trechos escuros são estranhos à nossa natureza.

Mais tarde, quando formos nos familiarizando e nos sentindo cada vez mais chegados à peça, que a princípio aceitávamos apenas em determinadas partes, veremos que os pontos luminosos crescem e se ampliam, fundindo-se uns com os outros, até preencherem finalmente todo o nosso papel. São como os raios do sol que, penetrando por uma estreita fresta da veneziana, projetam na escuridão apenas umas poucas manchas brilhantes. Mas quando se abrem as janelas, todo o aposento banha-se em luz, banindo a escuridão.

Raramente chegamos a conhecer uma peça com uma só leitura. Frequentemente é preciso abordá-la de diferentes modos. Há peças cuja essência espiritual está tão profundamente implantada, que é preciso um esforço enorme para desenterrá-la. Talvez o seu pensamento essencial seja tão complexo, que exija uma decifração. Ou então a estrutura é tão confusa e intangível, que só chegamos a conhecê-la pouco a pouco, estudando parte por parte a sua anatomia. Esse tipo de peça dá-nos a impressão de um quebra-cabeça, e não nos interessa muito enquanto não está resolvida. Precisa ser lida muitas e muitas vezes, e em cada nova leitura devemos guiar-nos pelo que ficou estabelecido na leitura anterior.

Infelizmente, muitos atores não percebem a importância de suas primeiras impressões. Muitos deles não as levam muito a sério. Abordam com descaso essa fase de seu trabalho, sem considerá-la parte do processo criador. Quantos, entre nós, se preparam seriamente para a primeira leitura de uma peça? Nós a lemos de corrida, em qualquer lugar, num trem de ferro, num táxi, nos intervalos dos espetáculos, e não o fazemos tanto com o desejo de conhecer a peça como por desejarmos nos imaginar neste ou naquele papel importante. Em tais circunstâncias, perdemos uma valiosa ocasião criadora — perda irreparável, porque as leituras subsequentes não

A CRIAÇÃO DE UM PAPEL

têm o elemento de surpresa, tão essencial à nossa intuição criadora. Apagar uma primeira impressão estragada é tão impossível como recuperar a virgindade perdida.

ANÁLISE

O segundo passo, nesse grande período preparatório, é o *processo de análise*. Pela análise, o ator passa a conhecer melhor o seu papel. A análise é, também, um meio de familiarizar-se com a peça toda, pelo estudo das suas partes. Como num trabalho de restauração, a análise calcula o todo, fazendo viver vários dos seus segmentos.

A palavra "análise" tem, geralmente, uma conotação de processo intelectual. É usada em pesquisas literárias, filosóficas, históricas e outras. Mas em arte, qualquer análise intelectual, empreendida por si só e como único objetivo, será prejudicial, pois suas qualidades matemáticas e secas tendem a esfriar o impulso do *élan* artístico e do entusiasmo criador.

Em arte, o sentimento é que cria, e não o cérebro. O papel principal e a iniciativa, em arte, pertencem ao sentimento. Aqui, o papel da mente é apenas auxiliar, subordinado. A análise feita pelo artista é muito diferente da que faz o estudioso ou o crítico. Se o resultado de uma análise erudita é o *pensamento*, o de uma análise artística é o *sentimento*. A análise do ator é sobretudo a de sentimento, e é executada pelo sentimento.

Esse papel do conhecimento pelo sentimento, ou análise, é ainda mais importante no processo criador, porque só com o auxílio é que se pode penetrar no reino do subconsciente, que constitui nove décimos da vida de uma pessoa ou de uma personagem, sua parte mais valiosa. Contrastando com os nove décimos que o ator utiliza por meio de sua intuição criadora, de seu instinto artístico, de seu tino supersensível, só um décimo resta para a mente.

Os propósitos criadores de uma análise são:

O PERÍODO DE ESTUDO

1. o estudo da obra do dramaturgo;

2. a procura de material espiritual ou de outro tipo, para utilização no trabalho criador, o que quer que haja na peça, ou em nosso papel dentro dela;

3. a procura do mesmo tipo de material no próprio ator (autoanálise). O material aqui considerado consiste de lembranças vivas, pessoais, relacionadas com os cinco sentidos, armazenadas na memória afetiva do ator ou adquiridas por meio de estudo e preservadas em sua memória intelectual, e análogas aos sentimentos do seu papel;

4. a preparação na alma do ator para a concepção de emoções inconscientes;

5. a busca de estímulos criadores que forneçam impulsos de excitação sempre renovados, porções sempre novas de material vivo para o espírito do papel, nos pontos que não adquiriram vida logo ao primeiro contato com a peça.

Pushkin pede ao dramaturgo, e nós pedimos ao ator, que tenha "sinceridade de emoções, sentimentos que pareçam verdadeiros em determinadas circunstâncias". Portanto, o objetivo da análise deve ser o de estudar detalhadamente e preparar *circunstâncias determinadas* para a peça ou o papel, de modo que por meio delas, numa fase ulterior do processo de criação, as emoções do ator sejam instintivamente sinceras, e seus sentimentos fiéis à vida.

Qual é o ponto de partida para uma análise?

Usemos aquela décima parte de nós mesmos que, tanto na arte como na vida, é atribuída à mente, a fim de, com o seu auxílio, podermos apelar para o trabalho de nossos sentimentos, e depois disso, quando nossos sentimentos chegarem ao ponto de expressão, tentarmos compreender sua direção e guiá-los discretamente pela verdadeira trilha criadora. Em outras palavras, que a nossa criatividade intuitiva, inconsciente, seja posta em ação com o auxílio de um trabalho preparatório consciente. Por meio do consciente, atingir o inconsciente — eis o lema de nossa arte e de nossa técnica. Como usamos o cérebro nesse processo criador? Racioci-

27

A CRIAÇÃO DE UM PAPEL

namos assim: o primeiro amigo e o melhor estimulante da emoção intuitiva é o entusiasmo, o *ardor artístico*. Que seja este, portanto, o primeiro recurso utilizado na análise. O ardor pode penetrar até no que não é acessível à vista, ao som, à consciência ou mesmo à mais requintada percepção artística. Uma análise feita por meio do entusiasmo e do ardor artístico age como o melhor dos meios para trazer à tona os *estímulos criadores* de uma peça, e estes, por sua vez, provocam a criatividade do ator. À medida que o ator se entusiasma, vai entendendo o papel, e à medida que o vai entendendo, fica ainda mais entusiasmado. Uma coisa puxa e reforça a outra.

O ardor artístico tem sua máxima expansão no momento em que se trava conhecimento com a peça pela primeira vez. Por isso é que o ator deve repetidamente apreciar e deliciar-se com os trechos do seu papel que lhe despertaram entusiasmo na primeira leitura, as coisas que lhe chamaram a atenção, e às quais ele sentiu que suas emoções reagiram desde o início. A natureza do ator reage a tudo que tem beleza artística, elevação, emoção, interesse, alegria. Instantaneamente, ele se deixa transportar pelos lampejos de talento do escritor, espalhados na superfície ou nas profundezas da peça. Todos esses trechos têm a qualidade explosiva que desperta o fervor artístico.

Mas o que fará o ator com os trechos da peça que não evocaram o milagre da compreensão intuitiva instantânea? Todos eles terão de ser estudados, para revelarem os materiais neles contidos capazes de incitá-lo ao ardor. Ora, como nossas emoções são silenciosas, o único recurso é nos voltarmos para a auxiliar e conselheira mais próxima das emoções: a mente. Que seja uma desbravadora, sondando a peça em todas as direções. Que seja uma pioneira, abrindo novas picadas para as nossas principais forças criadoras, intuições e sentimentos. Que, por sua vez, nossos sentimentos procurem novos estimulantes do entusiasmo, que instiguem a intuição a buscar e encontrar um número cada vez maior de novos materiais vivos, partes da vida espiritual do papel, coisas que não são alcançadas por meios conscientes.

28

O PERÍODO DE ESTUDO

Quanto mais o ator tornar detalhada, variada e profunda esta análise pela mente, maiores serão suas possibilidades de encontrar estímulos para seu entusiasmo, e matéria espiritual para a criatividade inconsciente.

Quando procuramos um objeto perdido, o mais frequente é encontrá-lo num lugar inesperado. O mesmo se aplica à criatividade. Temos de buscar por toda parte os impulsos criadores, deixando que nossos sentimentos, com sua intuição, escolham o que for mais adequado ao seu empreendimento.

No processo da análise, fazem-se pesquisas, por assim dizer, em toda a amplitude, extensão e profundidade da peça e de seus papéis, suas porções individuais, as camadas que a compõem, todos seus planos, a começar pelos exteriores, mais evidentes, e terminando nos níveis espirituais mais profundos, mais íntimos. Para isso, é preciso dissecar a peça e os seus papéis. É preciso sondar suas profundidades, camada por camada, descer à sua essência, desmembrá-la, examinar separadamente cada porção, rever todas as partes que antes não foram cuidadosamente estudadas, encontrar os estímulos ao fervor criativo, plantar, por assim dizer, a semente no coração do ator.

Uma peça e seus papéis têm muitos planos pelos quais vai fluindo a sua vida. Primeiro temos o *plano externo* dos fatos, acontecimentos, enredo, forma. Contiguamente, há o *plano da situação social,* subdividido em classe, nacionalidade e ambiente histórico. Há um *plano literário,* com suas ideias, seu estilo e outros aspectos. Há um *plano estético,* com as subcamadas de tudo que é teatral, artístico, e tudo que se refira ao cenário e à produção. Há o *plano psicológico* da ação interior, dos sentimentos, da caracterização interior; e o *plano físico,* com suas leis fundamentais da natureza física, objetivos e ações físicas, caracterização exterior. E, finalmente, há o *plano dos sentimentos criadores pessoais,* que pertencem ao ator.

Nem todos esses planos têm igual importância. Alguns deles são fundamentais para a criação de uma vida e uma alma para o papel, enquanto outros são subordinados e fornecem caracterização e matéria adicional para o corpo e o espírito da imagem a ser criada.

Tampouco são todos esses planos imediatamente acessíveis. Muitos deles têm de ser buscados um a um. Eventualmente, todos os planos se unem em nossos sentimentos criadores e em nossa apresentação, e assim nos proporcionam, além de uma forma exterior, uma configuração espiritual interior do papel e da peça, contendo tudo que é acessível e também inacessível à nossa abordagem consciente.

Os níveis conscientes de uma peça ou papel são como os níveis e camadas de terra, areia, argila, rochas etc., que compõem a crosta terrestre. À medida que as camadas vão se aprofundando em nossa alma, vão se tornando cada vez mais inconscientes, e lá nas profundidades finais, no âmago da terra, onde se acham a lava fundida e o fogo, lá se desencadeiam paixões e instintos humanos invisíveis. Esse é o reino do superconsciente, o centro vitalizante e o sacrossanto Eu do ator, o humano no artista, a fonte secreta da inspiração. Dessas coisas não temos consciência, porém as sentimos com todo o nosso ser.

O ESTUDO DAS CIRCUNSTÂNCIAS EXTERNAS

Assim, o fio de uma análise tem seu ponto de partida na forma exterior da peça, no texto impresso do dramaturgo, acessível à nossa consciência, e daí prossegue até a essência espiritual interior da peça, esse algo invisível que o escritor inseriu em seu trabalho e que, em grande parte, só é acessível ao nosso subconsciente. Assim, encaminhamo-nos da periferia para o centro, da forma literal exterior da peça, para a sua essência espiritual. Deste modo, chegamos a conhecer (sentir) as circunstâncias propostas pelo escritor, a fim de, mais tarde, sentirmos (conhecermos) emoções sinceras, ou pelo menos sentimentos que pareçam verdadeiros.

O PERÍODO DE ESTUDO

Inicio minha análise com os *exteriores da peça,* e tomo o texto verbal a fim de extrair dele, em primeira mão, as circunstâncias externas sugeridas pelo dramaturgo. No começo de minha análise, não estou interessado em sentimentos — são intangíveis e difíceis de definir — mas nas circunstâncias, sugeridas pelo escritor, capazes de despertar sentimentos.

Entre as circunstâncias exteriores da vida de uma peça, o plano mais fácil de estudar é o dos fatos. Quando o dramaturgo criou sua obra, toda circunstância, por menor que fosse, todo fato, era importante. Cada um deles era um elo necessário na cadeia ininterrupta da vida da peça. Mas estamos longe de apreender todos os fatos de uma vez. Os fatos que realmente compreendemos, em sua essência e imediatamente, gravam-se intuitivamente em nossa memória. Outros, que não sentimos logo, que não são descobertos nem corroborados por nossos sentimentos, continuam despercebidos, inapreciados, esquecidos, ou ficam no ar, cada um separadamente, sobrecarregando a peça. Deixam-nos confusos, e não conseguimos achar neles nenhuma verdade da realidade viva. Tudo isso interfere com a recepção e absorção das nossas primeiras impressões da peça.

O que se deve fazer em semelhantes casos? Como encontrar nosso rumo por entre os fatores externos de uma peça? Nemirovitch-Dantchenko propôs um recurso extremamente simples e inteligente. Consiste em recapitular o conteúdo da peça. O ator deve memorizar e escrever os fatos, sua ordem de sequência e a relação física, exterior, entre eles. Na fase em que travamos conhecimento com a peça, ainda não somos capazes de narrar seu conteúdo muito melhor que nos anúncios ou nos libretos resumidos. Mas à medida que vai aumentando a experiência em relação à peça e ao seu conteúdo, este método ajuda não só na seleção dos fatos e em nossa orientação quanto a eles, mas também para chegarmos àquela substância interior, às suas inter-relações e interdependência.

Como exemplo, tentarei fazer isso com a peça mais popular da Rússia, *A desgraça de ter espírito,* de Griboyedov.

A CRIAÇÃO DE UM PAPEL

(Nota do editor norte-americano: As principais personagens desta peça clássica em verso são: Famusov, rico proprietário de terras e de servos, mas que não pertence à alta aristocracia. Tem uma grande casa em Moscou, onde se desenrola a ação da peça, na década de 1820. É pai de Sofia, moça cuja formação se fez à custa da literatura europeia, principalmente novelas sentimentais e românticas. Gosta de ter apaixonados e sente-se lisonjeada com a corte que lhe faz seu amigo de infância, Chatski. Mas quando este se ausenta, numa viagem ao exterior, ela descobre que a adoração do secretário de seu pai, Molchalin, é muito mais servil que a do independente Chatski. Estimula as atenções de Molchalin. Quando se inicia a peça, eles acabam de passar a noite juntos, tocando duetos e recitando poemas. Liza é a criada-confidente de Sofia, camponesa e serva doméstica. Famusov a persegue com suas atenções, mas ela está apaixonada pelo lacaio Petruchka. Molchalin, um "capacho", um homem servil, apaixonado por Sofia, bajula todos que estão acima dele na escala social. Embora ansioso por se conservar nas boas graças de Famusov, por fim insulta Sofia e é despedido pelo patrão. É um fraco e serve de realce para Chatski, homem brilhante, simpático, educado, que antes de partir para o exterior foi quase um irmão para Sofia. Logo que regressa, vai procurá-la, descobre que ela agora cresceu e se apaixona por ela. Sofia recebe-o friamente e Chatski fica revoltado ao ver que ela prefere a ele o insignificante Molchalin. Fica ainda mais indignado ao constatar a superficialidade da cultura que encontra em Moscou. Sente que Sofia foi corrompida por tudo isso. Sua mordaz denúncia da sociedade de Moscou faz com que Sofia espalhe o boato de que ele enlouqueceu. No fim da peça, Chatski torna a deixar o país. A Princesa Maria Alexeyevna, decana da família, é o árbitro das maneiras e do espírito tradicional da conservadora sociedade moscovita. A frase final de *A desgraça de ter espírito,* "Que dirá Maria Alexeyevna?", ficou proverbial na Rússia. Skatozub é um militar que Famusov favorece como futuro genro. É muito rico, de boa família, e provavelmente alcançará a mais alta patente no exército. Mas seus modos são ásperos e militares, sua inteligência é limitada, e Sofia o despreza.)

O PERÍODO DE ESTUDO

Eis os fatos do primeiro ato:

1. Um encontro entre Sofia e Molchalin prolongou-se por toda a noite.

2. É madrugada. Eles tocam um dueto para piano e flauta no salão ao lado.

3. Liza, a criada, dorme. Devia estar de vigia.

4. Liza desperta, vê que o dia está raiando, suplica aos namorados que se separem logo.

5. Liza adianta o relógio a fim de assustar os namorados e chamar-lhes a atenção para o perigo.

6. Quando o relógio bate, o pai de Sofia, Famusov, entra.

7. Ele vê Liza, flerta com ela.

8. Liza, habilmente, escapa-lhe às atenções e convence-o a ir-se embora.

9. Com o ruído, Sofia entra. Vê a aurora e espanta-se da rapidez com que sua noite de amor passou.

10. Os amantes não tiveram tempo de se separar antes de Famusov encontrá-los.

11. Espanto, perguntas, furor.

12. Com esperteza, Sofia livra-se do embaraço e do perigo.

13. Seu pai deixa-a livre e sai com Molchalin para assinar uns papéis.

14. Liza censura Sofia, e Sofia fica deprimida com o prosaico do dia, depois da poesia do seu encontro noturno.

15. Liza tenta lembrar Sofia do seu amigo de infância, Chatski, que, ao que parece, está enamorado de Sofia.

16. Isso irrita Sofia e faz com que ela pense ainda mais em Molchalin.

17. A chegada inesperada de Chatski, seu entusiasmo, o encontro. O embaraço de Sofia, um beijo. A perplexidade de Chatski, que a acusa de frieza. Falam dos velhos tempos. Chatski é espirituoso em sua palestra amistosa. Faz a Sofia uma declaração de amor. Sofia é cáustica.

18. Volta Famusov. Fica atônito. Seu encontro com Chatski.

A CRIAÇÃO DE UM PAPEL

19. Sofia sai. Faz uma observação astuciosa a propósito de estar "longe do olhar paterno".

20. Famusov interroga Chatski. Suas desconfianças quanto às intenções de Chatski para com Sofia.

21. Chatski louva Sofia com lirismo. Sai abruptamente.

22. A perplexidade e as suspeitas do pai.

Aí está uma lista dos fatos do primeiro ato. Usando-a como modelo para anotar os fatos dos atos subsequentes, ter-se-á um catálogo da vida exterior no lar dos Famusov num dia determinado.

Todos esses fatos, tomados em conjunto, fornecem o *tempo presente* da peça.

Mas não pode haver presente sem passado. O presente decorre naturalmente do passado. O passado é a raiz da qual nasceu o presente. O presente sem passado murcha como uma planta cujas raízes foram cortadas. O ator deve sempre sentir que tem atrás de si o passado de seu papel, como a cauda de um traje que levasse.

Tampouco existe qualquer presente sem uma *perspectiva de futuro,* sonhos, conjeturas, indícios.

O presente, privado do passado e do futuro, é como um meio sem começo ou fim, um capítulo de livro, acidentalmente arrancado e lido. O passado e os sonhos do futuro perfazem o presente. O ator deve ter sempre a conduzi-lo pensamentos sobre o futuro, que excitem o seu ardor e sejam, ao mesmo tempo, compatíveis com os sonhos da personagem que ele está interpretando. Esses sonhos do futuro devem acenar ao ator, devem levá-lo avante em todas as suas ações no palco. Ele deve selecionar na peça insinuações, sonhos, do futuro.

Uma ligação direta do tempo presente de um papel com o seu passado e futuro dá corpo à vida interior desse papel a ser interpretado. Apoiando-se no passado e no futuro do seu papel, o ator poderá apreciar melhor o seu presente.

Muitas vezes, os fatos de uma peça decorrem de uma espécie e um modo de vida, de uma situação *social.* Portanto, não é difícil, calcando-os, mergulhar num nível de existência mais profundo. Ao

O PERÍODO DE ESTUDO

mesmo tempo, as circunstâncias que compõem um modo de vida devem ser estudadas não só no próprio texto da peça, mas também numa variedade de comentários, textos literários, textos históricos referentes ao período, e assim por diante.

Assim, em *A desgraça de ter espírito,* no *plano social,* temos aqui uma lista dos fatos que requerem estudo:

1. O encontro entre Sofia e Molchalin. Que é que nos mostra? Como veio a ocorrer? Será devido à influência da educação e dos livros franceses? Sentimentalismo, langor, ternura e pureza por parte de uma jovem; mas, ao mesmo tempo, a frouxidão de sua moral.

2. Liza guarda Sofia. Deve-se compreender o perigo que ameaça Liza: ela pode ser mandada para a Sibéria ou relegada ao trabalho no campo. Deve-se compreender a dedicação de Liza.

3. Famusov flerta com Liza, ao mesmo tempo que finge manter uma conduta digna de um monge. É um exemplar dos fariseus daquela época.

4. Famusov receia qualquer casamento inconveniente. Há que pensar na Princesa Maria Alexeyevna. Qual é a posição de Maria Alexeyevna? Sua família teme suas críticas. Pode-se perder o bom nome, o prestígio, e até mesmo o lugar.

5. Liza protege Chatski. Será ridicularizada se Sofia desposar Molchalin.

6. Chatski regressa do exterior. Que significava regressar à pátria, naqueles tempos, viajando em diligências com muda de cavalos?

Sondando a peça mais profundamente, chegamos ao *plano literário.* Não é coisa que se possa apreender logo de uma vez. Isto vem com o estudo. Mas de início podemos apreciar, em termos gerais, o estilo de escrever, a formulação em palavras, o verso. Podemos apreciar, por exemplo, a beleza da linguagem de Griboyedov, a leveza de seus versos, a nitidez de seu ritmo, a propriedade de suas palavras.

A CRIAÇÃO DE UM PAPEL

Podemos dissecar uma peça em suas partes componentes, a fim de entender sua estrutura, admirar a harmonia e a combinação de suas diferentes partes, sua elegância, fluidez de desenvolvimento, a qualidade cênica da ação, a inventividade da exposição, a caracterização do elenco de personagens, o passado dessas personagens, os indícios de seu futuro.

Podemos apreciar a originalidade com que o dramaturgo maquinou motivos, razões para precipitar ações, que por sua vez revelam a essência íntima e o espírito humano da peça. Podemos avaliar e estabelecer um confronto entre a forma exterior e o conteúdo interior da peça.

Descendo ainda mais fundo, chegamos ao *plano estético,* com as subcamadas de tudo aquilo que é teatral, artístico, referente ao cenário e à produção, tudo que é plástico, musical. Pode-se descobrir e anotar tudo o que o escritor nos diz sobre a cena, o cenário, a disposição dos cômodos, a arquitetura, a luz, os agrupamentos, gestos, maneiras. Além disso, pode-se ouvir o que o diretor da peça e o cenógrafo têm a dizer sobre isso. Podem-se examinar os diferentes materiais reunidos para serem usados na encenação e pode-se participar da tarefa de reunir esses materiais, acompanhando o diretor e o cenógrafo em visitas a museus, galerias de pintura, velhas residências particulares daquele período. E, finalmente, podemos percorrer os jornais e as gravuras da época. Em outras palavras, nós mesmos podemos estudar a peça em relação aos seus fatores artísticos, plásticos, arquitetônicos e outros.

Todas as anotações que tiverem sido feitas sobre as circunstâncias externas constituem um grande volume de material, que alimentará nosso trabalho criador subsequente.

DAR VIDA ÀS CIRCUNSTÂNCIAS EXTERNAS

Por enquanto, apenas estabelecemos a existência de certos fatos. Agora, é preciso descobrir o que jaz sob eles, o que lhes deu origem, o que se esconde atrás deles. Acumulamos material sobre as

O PERÍODO DE ESTUDO

circunstâncias externas da peça, por meio de uma análise intelectual bem ampla. Até o momento, ela consistiu quase somente da anotação dos fatos — passados, presentes e futuros —, trechos do texto da peça, comentários; em suma, apenas *um registro das circunstâncias determinadas da vida, na peça e em suas partes.* Em qualquer estudo intelectual desse tipo, os acontecimentos de uma peça carecem de significação viva, autêntica. Permanecem como ações inertes, meramente teatrais. Com uma atitude assim, puramente exterior, em relação às circunstâncias determinadas de uma peça, seria impossível reagir com "emoções sinceras" ou "sentimentos que pareçam verdadeiros".

A fim de amoldar esse material seco aos propósitos criadores, temos de dar-lhe vida e conteúdo espiritual, os fatos e circunstâncias teatrais terão de ser transformados de fatores mortos em fatores vivos e vivificantes. Nossa atitude para com eles tem de passar da *teatral* para a *humana.* O seco registro dos fatos e acontecimentos deve ser insuflado com o espírito da vida, pois só o que é vivo pode gerar vida. E assim temos de recriar em forma viva as circunstâncias propostas pelo dramaturgo.

Essa transformação é efetuada com o auxílio de uma das principais forças criadoras da nossa arte: *a imaginação artística.* Neste ponto, nosso trabalho se eleva do plano da razão para a esfera dos sonhos artísticos.

Todo ser humano vive uma vida de fatos cotidianos, mas pode também viver a vida de sua imaginação. A natureza do ator é de tal ordem que, frequentemente, essa vida da imaginação é muito mais agradável e interessante que a outra. A imaginação de um ator pode atrair para si a vida de outra pessoa, adaptá-la, descobrir qualidades e traços mútuos e excitantes. Sabe como criar uma existência de faz de conta a seu gosto, e portanto bem chegada ao coração do ator, uma vida que o faz vibrar, que é bela, cheia de significado interior, especialmente para ele, uma vida de estreito parentesco com a própria natureza do ator.

Essa vida imaginária é criada à vontade, com o auxílio do próprio desejo do ator, e proporcionalmente à intensidade criadora

A CRIAÇÃO DE UM PAPEL

do material espiritual que ele possua ou que tenha acumulado em si. É portanto ligada a ele, e por ele prezada, porque não foi casualmente colhida no exterior. Nunca está em conflito com os seus desejos interiores, nem resulta de algum mau golpe da sorte, como tantas vezes ocorre na vida real. Tudo isto faz com que essa vida imaginária seja muito mais atraente para o ator do que a realidade cotidiana. Assim, não é de surpreender que o seu sonho desperte uma ressonância genuinamente ardorosa em sua natureza criadora.

O ator deve amar os sonhos e saber usá-los. Essa é uma das mais importantes faculdades criadoras. Sem imaginação não pode haver criatividade. Um papel que não passou pela esfera da imaginação artística nunca se tornará atraente. O ator precisa saber aplicar sua fantasia a toda espécie de temas. Deve saber como criar em sua imaginação uma vida verdadeira com qualquer material que lhe seja dado. Como uma criança, ele deve saber brincar com qualquer brinquedo, e achar prazer em seu jogo. O ator tem plena liberdade de criar o seu sonho, desde que este não se extravie muito do pensamento e tema básico do dramaturgo.

Há vários aspectos da vida da imaginação e de seu funcionamento artístico. Podemos usar nossa visão interior para ver todo tipo de imagens visuais, criaturas vivas, rostos humanos, suas feições, paisagens, o mundo material dos objetos, cenários, e assim por diante. Com o nosso ouvido interior, podemos ouvir toda sorte de melodias, vozes, entonações etc. Podemos sentir as coisas na imaginação, impelidos por nossa memória de sensações e emoções.

Há atores de coisas vistas e atores de coisas ouvidas. Os primeiros são dotados de uma visão interior especialmente boa, e os segundos de uma sensível audição interior. Para o primeiro tipo, ao qual eu mesmo pertenço, o meio mais fácil de criar uma vida imaginária é com o auxílio de imagens visuais. Aos do segundo tipo, o que ajuda é a imagem do som.

Podemos amar todas essas imagens visuais, auditivas, ou outras. Podemos gozá-las passivamente, de fora, sem sentir nenhum impulso para uma ação direta; numa palavra: com a *imaginação passiva*

38

O PERÍODO DE ESTUDO

podemos ser a plateia de nossos próprios sonhos. Ou podemos tomar parte ativa nesses sonhos com a *imaginação ativa*.

Começarei pela imaginação passiva. Com minha visão interior, tentarei visualizar Pavel Famusov, no ponto em que ele aparece pela primeira vez em *A desgraça de ter espírito*. O material que acumulei na minha análise dos fatos sobre a arquitetura e os móveis da década de 1820 será agora utilizado.

Qualquer ator com poder de observação e memória para as impressões recebidas (pobre do ator que não tiver estas qualidades!), qualquer ator que viu, estudou, leu, viajou bastante (ai do ator que não fez estas coisas!), pode erigir em sua própria imaginação, digamos, a casa onde vivia Famusov. Nós russos, principalmente os que somos provenientes de Moscou, conhecemos essas casas — se não como prédios completos, pelo menos em parte, como remanescências dos tempos dos nossos antepassados.

Suponhamos que vimos, numa dessas velhas residências particulares de Moscou, um vestíbulo com a escadaria frontal da época. Em outra casa, talvez nos recordemos de ter visto colunas. De uma terceira, retivemos a imagem de um porta-bibelôs chinês, uma gravura, digamos, de um interior da década de 1820, uma poltrona na qual Famusov podia ter-se sentado. Muitos de nós, possivelmente, ainda temos velhas peças de trabalho manual, um pedaço de tecido bordado com continhas e seda. Contemplando-o com admiração, pensamos em Sofia: quem sabe ela teria feito algum desses bordados no campo, onde era forçada a "enlanguescer, sentada com seus bastidores de bordar e bocejando ante o calendário da igreja"?

Todas as nossas lembranças, reunidas durante a análise da peça e em várias outras ocasiões e lugares, lembranças da vida real ou imaginária, todas elas voltam, atendendo ao nosso apelo, e ocupam seus postos, restaurando para nós uma velha e senhorial mansão particular da década de 1820.

Depois de várias sessões desse tipo de trabalho, podemos erguer mentalmente toda uma casa e, tendo-a construído, podemos estudá-la, admirar-lhe a arquitetura, examinar o arranjo de seus

A CRIAÇÃO DE UM PAPEL

aposentos. Enquanto o fazemos, os objetos imaginários tomam seus lugares, e gradativamente toda a casa adquire um clima de algo familiar e caro. Tudo se congrega para formar, inconscientemente, uma vida interior da casa. Se alguma coisa nessa vida imaginária parece errada, causa tédio, podemos instantaneamente construir outra casa ou reformar a velha, ou simplesmente consertá-la. A vida da imaginação tem a vantagem de não conhecer obstáculos nem demoras. Ela não reconhece o impossível. Tudo o que lhe agrada é disponível, tudo o que ela deseja é logo executado.

Admirando passivamente essa casa várias vezes por dia, o ator se familiariza com ela até o seu último detalhe. O hábito, que é nossa segunda natureza, encarrega-se do resto.

Mas uma casa vazia enjoa. Precisamos de gente dentro dela. A imaginação tentará criar, também, essa gente. Antes de mais nada, o próprio cenário tende a produzir pessoas. Frequentemente, o mundo das coisas reflete a alma daqueles que o criaram: os habitantes da casa.

É verdade que a nossa imaginação não produz logo essas pessoas, e tampouco a sua aparência pessoal. Tudo o que faz é mostrar seus trajes, talvez seus penteados. Com a nossa visão interior, vemos como elas se movem dentro de suas roupas, mesmo que por enquanto ainda não tenham rostos. Algumas vezes, preenchemos a lacuna com um vago esboço.

Entretanto, enquanto eu olho, um dos lacaios sobressai com extraordinária nitidez. Com minha visão interior, vejo claramente seu rosto, seus olhos, seus modos. Será por acaso o lacaio Petruchka? Bobagem, é aquele alegre marinheiro que eu vi uma vez zarpando do porto de Novorossisk. Como ele entrou aqui, na casa de Famusov? Extraordinário! Haverá por acaso outros acontecimentos assim espantosos na imaginação do ator?

Outras personagens ainda carecem de personalidade, características e qualidades individuais. Sua posição social e seu lugar na vida apenas estão refletidos vagamente, em termos gerais: um pai, uma mãe, a dona da casa, filha, filho, governanta, criado, lacaio, criada, e assim por diante. Apesar disso, essas sombras de gente

O PERÍODO DE ESTUDO

preenchem a imagem da casa, ajudam a transmitir um estado de espírito geral, fornecem um clima, embora por enquanto sejam simples acessórios.

Para olhar mais de perto a vida da casa, preciso entreabrir ligeiramente a porta de um ou outro aposento. Tenho de entrar numa das metades da casa penetrando, por exemplo, na sala de jantar e suas dependências, andar pelo corredor, passando pela copa, entrando na cozinha, subindo a escada. Por volta da hora do jantar, vejo as criadas, que tiraram os sapatos para não estragar o assoalho do patrão, correndo pra todo lado com travessas e pratos. Vejo o traje do mordomo, embora ele não tenha rosto, quando, todo importante, recebe de um subalterno os pratos, provando-os com toda a pose de um *gourmet* antes de levá-los e servi-los ao patrão. Vejo os trajes dos lacaios e dos ajudantes de cozinha, chispando pelo corredor, pelas escadas. Um deles, só de brincadeira, pode furtar um abraço de uma das criadas que passam.

Depois, vejo os trajes vivos dos convidados, dos parentes pobres, dos afilhados em visita. São levados ao escritório de Famusov para lhe fazerem reverência, para beijar as mãos do seu benfeitor. As crianças recitam versos que aprenderam especialmente, e o seu padrinho-benfeitor distribui doces e presentes. Depois, todo mundo se reúne outra vez para tomar chá na saleta ou na sala de estar. Mais tarde ainda, quando todos se foram e a casa voltou a ficar tranquila, vejo levarem as lâmpadas a todos os aposentos, numa grande bandeja. Ouço os ruídos raspantes quando elas são preparadas para acender, ouço os criados que trazem escadas para subir e colocar lâmpadas a óleo nos candelabros.

Agora cai o silêncio noturno. Ouço, no saguão, pés em chinelas. Alguém passa furtivamente e tudo está escuro e silencioso. Só na distância, uma vez ou outra, ouve-se o pregão do vigia noturno, o rumor triturante de uma chegada tardia em carruagem...

Até agora, a vida na casa de Famusov só se desenvolveu no que se refere aos seus hábitos e modos exteriores. Para dar à vida da casa um espírito e pensamento interior precisamos de seres humanos, e no entanto, a não ser eu mesmo e o surpreendente fenômeno

A CRIAÇÃO DE UM PAPEL

de Petruchka, não há vivalma em toda a casa. Num esforço combinado para dar vida aos trajes, enquanto as pessoas os vão movendo pela casa afora, tento me imaginar dentro deles. Esse recurso funciona bem para mim. Vejo-me, com o penteado e o traje da época, andar pela casa, no vestíbulo, no salão de baile, na sala de estar, no escritório. Vejo-me sentado à mesa de jantar, ao lado do traje vivificado da dona da casa, e sinto-me feliz por ter sido posto em lugar tão honroso. Ou, quando vejo que me colocaram lá embaixo, no pé da mesa, ao lado do traje de Molchalin, fico preocupado por me haverem rebaixado desse jeito.

E assim adquiro um sentimento de simpatia para com as pessoas de minha imaginação. É um bom sinal. Está claro que simpatia não é sentimento. Mas já é um passo nessa direção.

Estimulado por minha experiência, tento imaginar minha cabeça sobre os ombros dos trajes de Famusov e de outros. Tento evocar-me quando jovem e ponho minha cabeça juvenil nos ombros do traje de Chatski, do de Molchalin, e até certo ponto sou bemsucedido. Ponho maquilagem, mentalmente, e adapto essa maquilagem a uma variedade de personagens da peça, tentando visualizá-los como habitantes dessa casa que me são apresentados pelo autor da peça. Mas embora eu tenha nisso algum êxito, não obtenho ajuda substancial. Mais tarde, recordo toda uma galeria de rostos de pessoas vivas, das minhas relações. Olho todo tipo de quadros, gravuras, fotografias. Faço o mesmo tipo de experiência com cabeças de pessoas vivas e mortas, mas todas essas experiências finalmente fracassam.

A experiência fracassada, com a cabeça de outras pessoas, me convence de que esse tipo de trabalho é infrutífero. Percebo que o sentido de meu trabalho não é conseguir visualizar maquilagens, trajes, a aparência exterior dos habitantes da casa de Famusov, do ponto de vista de um observador passivo, mas é, antes, sentir que eles estão de fato presentes, senti-los bem ao meu lado. Não são a vista e o som, mas sim a sensação de proximidade de um objeto que nos ajuda a sentir a realidade existente. Mais ainda, percebo que não posso alcançar esse sentimento de proximidade, senti-lo de fato,

O PERÍODO DE ESTUDO

se ficar escavando o texto da peça sentado à minha mesa. É preciso formar uma imagem mental da relação pessoal de Famusov com os membros de sua família.

Como poderei fazer a transferência? Também ela se faz com o auxílio da imaginação. Mas, desta vez, a imaginação representa um papel mais *ativo* do que passivo.

Podemos ser observadores de nosso sonho, mas também podemos participar ativamente dele, isto é, podemos nos achar mentalmente no centro de circunstâncias e condições, de um modo de vida, de um mobiliário, de objetos etc., que nós mesmos imaginamos. Já não nos vemos como um espectador de fora, mas vemos o que nos rodeia. Com o tempo, quando essa sensação de "ser" é reforçada, podemos nos tornar a principal personalidade atuante, nas circunstâncias ambientes do nosso sonho. Podemos começar, mentalmente, a agir, a ter vontades, fazer esforços, atingir uma meta.

Esse é o aspecto ativo da imaginação.

A CRIAÇÃO DE CIRCUNSTÂNCIAS INTERIORES

A criação das circunstâncias interiores da vida de uma peça é uma continuação do processo geral de análise e infusão de vida no material já acumulado. Agora, o processo se aprofunda mais, mergulha, do reino da vida exterior, intelectual, no reino da vida interior, espiritual. E isto se promove com o auxílio das emoções criadoras do ator.

A dificuldade desse aspecto da percepção emocional é que o ator agora está se aproximando de seu papel não por meio do texto, das palavras desse papel, e tampouco pela análise intelectual ou outro meio de conhecimento consciente, mas por meio de suas próprias sensações, suas próprias emoções reais, sua experiência pessoal da vida.

Para fazê-lo, tem de colocar-se bem no centro da vida daquela casa, tem de estar ali em pessoa, e não apenas se olhando como observador, como eu estava fazendo antes. Sua imaginação tem de

A CRIAÇÃO DE UM PAPEL

ser ativa, e não passiva como antes. Esse é um momento psicológico difícil e importante no período total de preparação. Exige uma atenção excepcional. Esse momento é o que nós atores, em nosso jargão, chamamos de estado do "eu sou", é o ponto em que eu começo a me sentir dentro dos acontecimentos, começo a mesclar-me com todas as circunstâncias sugeridas pelo dramaturgo e pelo ator, começo a ter o direito de fazer parte delas. Esse direito não se adquire logo de uma vez. É obtido gradativamente.

A essa altura da preparação de *A desgraça de ter espírito,* por exemplo, procuro me transferir do posto de observador para o de participante ativo, membro da família Famusov. Não posso ter pretensões a efetuá-lo de uma vez. O que posso fazer é deslocar minha atenção de mim mesmo para o que me cerca. Recomeço a percorrer a casa. Agora, passo pela porta, subo a escadaria, abro a porta que dá para a fileira de salas de estar. Entro agora na sala de recepções, empurro a porta de uma antecâmara. Alguém bloqueou a porta com uma poltrona pesada, que eu afasto para entrar no salão de baile.

Mas chega! Por que me iludir? O que estou sentindo, enquanto faço este percurso, não é resultado da imaginação ativa ou de um verdadeiro sentimento de estar dentro da situação. Não passa de um engano imposto a mim mesmo. Estou apenas me forçando a ter emoções, me forçando a sentir que estou vivendo uma coisa ou outra. A maioria dos atores comete esse erro. Apenas imaginam que estão vivos numa situação; não a sentem de fato. Temos de ser extraordinariamente severos com nós mesmos nessa questão de sentir o "eu sou" no palco. Há uma enorme diferença entre o verdadeiro sentimento da vida do papel e algumas emoções acidentalmente imaginadas. É perigoso cair nas malhas dessas falsas ilusões. Elas tendem a desviar o ator para uma atuação forçada e mecânica.

Ainda assim, durante a minha perambulação infrutífera pela casa de Famusov, houve um instante em que eu senti realmente que estava ali, e acreditei em meus próprios sentimentos. Foi quando abri a porta da antecâmara e afastei uma grande poltrona. Senti

44

O PERÍODO DE ESTUDO

realmente o esforço físico que esta ação envolvia. Durou vários segundos. Senti a verdade de estar ali. Isto se dissipou logo que me afastei da poltrona e caminhei novamente no espaço, entre objetos indefinidos.

Essa experiência me ensina a importância excepcional do papel representado por um *objeto* para me ajudar a opor-me no estado do "eu sou".

Repito as minhas experiências, com outros objetos inanimados. Mudo mentalmente o arranjo de todos os móveis em diversos cômodos, transporto objetos para lá e para cá, espano-os, examino-os. Estimulado, levo a experiência um passo adiante: entro agora em contato mais íntimo com objetos animados. Com quem? Com Petruchka, naturalmente, pois é ele, por enquanto, a única personalidade viva nessa casa de fantasmas e trajes ambulantes. E assim, encontramo-nos, por exemplo, no corredor pouco iluminado, perto da escadaria que leva ao andar de cima e aos aposentos das moças.

"Vai ver que ele está esperando Liza", penso, enquanto sacudo o dedo para ele, brincalhonamente.

Ele me dá um sorriso agradável, simpático. Nesse momento, sinto não apenas a presença dele no meio de todas as circunstâncias imaginadas, mas também sinto, nitidamente, que o mundo das coisas adquiriu vida, por assim dizer. As paredes, o ar, as coisas estão banhadas numa luz viva. Algo de verdadeiro se criou e eu creio nisso, e portanto o meu sentimento de "eu sou" se reforça. Ao mesmo tempo me dou conta de uma espécie de alegria criadora. Acontece que um objeto vivo é uma força, na criação do sentimento de ser. Percebo muito bem que esta situação não se criou diretamente, mas por meio do meu sentimento para com um objeto, sobretudo um objeto vivo.

Quanto mais vezes experimento criar pessoas mentalmente, encontrá-las, sentir sua proximidade, sua presença concreta, mais me convenço de que, para alcançar o estado de "eu sou", a imagem física, externa (a visão de uma cabeça, corpo, modos de uma pessoa), não é tão importante como a sua imagem interior, o teor de sua entidade interior. Venho também a compreender que, em qual-

A CRIAÇÃO DE UM PAPEL

quer intercâmbio com outras pessoas, é importante não só conhecer a sua psicologia, mas também a de nós mesmos.

Por isso é que meu encontro com Petruchka deu certo. Senti como ele era por dentro. Pude ver sua imagem interior. Reconheci o marinheiro na imagem de Petruchka, não por causa de qualquer semelhança externa, mas por causa daquilo que eu imaginava que fosse a sua natureza interior. Eu gostaria de dizer sobre o marujo o que Liza disse sobre Petruchka: "Como é que a gente pode não se apaixonar por ele?"

A próxima pergunta é como usar a nossa própria experiência de vida para sentir como é a vida de todos os outros integrantes da casa de Famusov, e principalmente para estabelecer a nossa própria relação com eles. Essa tarefa parece complexa. Realizá-la seria quase o mesmo que criar toda uma peça. Minhas intenções não vão tão longe. Sua escala é muito mais simples. Bastará encontrar almas vivas entre os fantasmas na casa de Famusov. Não é preciso que sejam exatamente as criaturas pretendidas por Griboyedov. Mas, como creio que os meus próprios sentimentos, minha imaginação e toda a minha natureza artística terão sido influenciados pelo trabalho já feito, estou convencido de que esses objetos vivos, pelo menos em parte, terão alguns dos traços que devem animar as personagens de Griboyedov.

A fim de treinar-me para encontrar esses objetos vivos, empreendo toda uma série de visitas imaginárias aos integrantes da casa de Famusov, sua família, seus amigos. Agora estou pronto para bater em qualquer porta da casa, pedindo licença para entrar.

Sob o impacto vivo da leitura recente da peça, eu naturalmente quero visitar, antes de mais nada, os habitantes da casa de Famusov com os quais o autor me pôs em contato. Quero, sobretudo, ver o chefe da casa, Pavel Famusov, em pessoa, depois a jovem dona da casa, Sofia, depois Liza, Molchalin, e assim por diante. Vou pelo corredor familiar, tentando não tropeçar em nenhum objeto na obscuridade. Vou contando as portas até a terceira à direita. Bato e, com cautela, abro.

O PERÍODO DE ESTUDO

Graças ao hábito adquirido, creio rapidamente no que estou fazendo, no fato de realmente estar lá. Entro no quarto de Famusov, e que vejo? No meio do quarto está o dono da casa em camisola de dormir, cantando um cântico de quaresma: "Oh, a minha prece é que eu me torne um menino melhor", e o tempo todo fazendo gestos de regente de coro. Diante dele está um garotinho cujo rosto se contorce em infrutíferos esforços para compreender. Esganiça-se num falsete fino e infantil, tentando pegar e reter as palavras da prece. Em seus olhos, há vestígios de lágrimas. Levo uma cadeira para um lado do quarto. O velho não se encabula nada com seu estado seminu e continua a cantar. Ouço-o com o meu ouvido interior, e pareço sentir sua proximidade física. Entretanto, a percepção física não basta, devo tentar sentir sua alma.

Como isso não pode ser feito de modo físico, tenho de usar outras vias de aproximação. Afinal, as pessoas se comunicam umas com as outras não só por meio de palavras e gestos, mas principalmente através das radiações invisíveis da vontade, vibrações que fluem entre duas almas, reciprocamente. O sentimento descobre o sentimento, assim como uma alma descobre outra. Não há outro meio. Para tentar atingir a alma do meu objeto vivo, preciso descobrir a sua qualidade, e acima de tudo a minha relação com ela.

Tento dirigir os raios da minha vontade ou sentimentos, uma parte do meu próprio ser, para ele, e tomar uma parte de sua alma. Em outras palavras, estou fazendo um exercício de emissão e recepção de raios. Mas que posso tirar dele ou lhe dar, quando o próprio Famusov ainda não existe para mim, ainda está sem alma? Sim, é verdade que ele não existe, mas eu conheço a sua posição de chefe da casa, conheço a sua espécie, seu grupo social, mesmo sem conhecê-lo como indivíduo. É nisto que a minha experiência pessoal me ajuda. Ela me recorda que, a julgar por sua aparência exterior, suas maneiras, hábitos, sua seriedade infantil, sua fé profunda, sua reverência pela música sacra, ele deve ser um tipo familiar de excêntrico de bom gênio, divertido, teimoso, que inclui em sua composição o bárbaro fato de ser um senhor de servos.

A CRIAÇÃO DE UM PAPEL

Embora isto possa não me ajudar a penetrar na alma de uma pessoa e compreendê-la, dá-me, entretanto, a possibilidade de encontrar, dentro de mim mesmo, a atitude certa em relação a Famusov. Agora sei como receber seus gracejos e suas ações. Durante algum tempo, essas observações me absorvem, mas logo começam a cansar. Minha atenção se dispersa, domino-me e torno a me concentrar, mas logo estou divagando, e meus pensamentos abandonam Famusov, nada mais tenho a ver com ele. Apesar de tudo, creio que essa experiência deu mais ou menos certo e, assim animado, passo para Sofia.

Encontro-a no vestíbulo. Está pronta para sair, e põe apressadamente um casaco de peles. Liza se agita em torno dela, ajudando-a a abotoar o casaco, e correndo pra cá e pra lá com todos os embrulhinhos que uma jovem provavelmente leva consigo. A própria Sofia está se arrumando diante de um espelho. O pai foi para o seu gabinete no ministério — raciocinei — e a filha corre à cidade, para ver, nas lojas francesas, "chapéus, toucas, agulhas e alfinetes", para visitar "livrarias e confeitarias" e talvez "fazer outras coisas".

Desta vez, o resultado é o mesmo. O objeto da minha atenção me dá um vivo sentimento de "ser". Mas não consigo retê-lo por muito tempo. Meus pensamentos logo divagam. Concentro-me de novo, e depois, finalmente, sem nada a fazer, deixo Sofia e parto para Molchalin.

Enquanto ele escreve, a meu pedido, a lista de parentes e amigos de Famusov que pretendo visitar, sinto-me à vontade. Entretenho-me com a floreada caligrafia com a qual Molchalin traça suas letras. Mas, quando ele acaba, sinto tédio para fazer minhas visitas...

Basta a gente imaginar que saiu de casa, e a curiosidade de nossa natureza artística já não tem limites. Onde quer que eu vá, em minhas visitas imaginárias, sinto a presença de objetos animados, e posso me comunicar com eles quando há uma base qualquer para isso. E a cada vez minha sensação de ser se reforça. Mas, infelizmente, cada novo conhecido só me prende a atenção por pouco tempo. Por quê? É fácil compreender: todos esses encontros não

O PERÍODO DE ESTUDO

têm propósito. São criados como exercícios, e para sentir a presença física dos objetos escolhidos. Esse sentimento foi adquirido em função dele mesmo, a simples sensação física não nos pode interessar por muito tempo. Seria bem outra coisa se essas visitas tivessem uma finalidade, ainda que fosse exterior. Portanto, repito minhas experiências, tendo antes formulado um propósito definido. Entro no salão de baile e digo a mim mesmo: vai realizar-se logo o casamento de Sofia e Skalozub, e eu fui encarregado de organizar um grande almoço nupcial para cem convidados. Qual será o melhor modo de dispor a prataria, as mesas etc.?

Isso evoca todo tipo de considerações: por exemplo, o coronel do regimento de Skalozub, e talvez todo o seu estado-maior, comparecerão ao casamento. Terão de sentar-se de acordo com a hierarquia, para que ninguém fique ofendido por não estar o mais perto possível do lugar de honra, perto dos noivos. O mesmo problema quanto aos parentes. Podem melindrar-se com a máxima facilidade. Tendo reunido tantos convidados de honra, estou num dilema, pois não tenho lugares suficientes para eles. Que tal colocar o casal de noivos no centro, e fazer com que as outras mesas partam daí em todas as direções? Isso viria aumentar automaticamente o número de lugares de honra.

E quanto mais lugares houver, mais fácil será a colocação das pessoas segundo sua importância. Preocupo-me durante muito tempo com esse problema, e quando ele começa a perder interesse, alguma outra coisa vem logo ocupar seu lugar: a preparação da comida — agora para o casamento de Sofia, não mais com Skalozub, e sim com Molchalin.

Isso altera tudo! Casar-se com o secretário de seu pai seria uma *mésalliance,* um casamento desigual, a cerimônia seria muito mais discreta, só viriam os membros mais próximos da família e nem todos estariam dispostos a prestigiar o acontecimento. Não haveria nenhum coronel, visto que o chefe de Molchalin é o próprio Famusov.

Novas combinações fermentam dentro de mim, e eu já não penso na proximidade dos objetivos, nem em estar em comunicação com meu objeto. Estou *em ação*! Minha cabeça, meus sentimentos, minha vontade, a imaginação, tudo isso se ocupa tão atarefadamente como se as coisas estivessem acontecendo na vida real. Animado pela experiência, resolvo fazer outra, agora não com objetos inanimados, e sim com objetos vivos.

Para isso, volto mais uma vez à casa de Famusov. Ele ainda está ensinando o menino a cantar o hino religioso, e ainda rege a música trajando apenas sua camisola de dormir.

Resolvo irritar esse velho excêntrico. Entro, sento-me do outro lado do quarto, e por assim dizer aponto a espingarda para ele, buscando um pretexto de discussão para provocar o velho senhor.

— Que é isso que está cantando? — pergunto.

Mas Famusov não se digna a responder, talvez por não ter chegado ao fim da oração. Finalmente, acaba.

— Muito bonita essa melodia — declaro calmamente.

— Não era uma melodia, mas uma oração sacra — responde com ênfase.

— Oh, perdão, eu tinha esquecido!... Quando é que é cantada?

— Se frequentasse a igreja, saberia.

O velho já está amolado, mas isso só serve para me divertir, e me anima a provocá-lo ainda mais.

— Eu iria. Só que não posso, ficar tanto tempo de pé — digo suavemente. — E depois, lá faz tanto calor!

— Calor? — retruca o velho gentil-homem. — E que me diz da Gehena. Não faz calor, lá?

— Isso é outra coisa — respondo, ainda com mais suavidade.

— Como assim? — pergunta Famusov, dando um passo para mim.

— Porque na Gehena a gente pode andar sem roupa, como Deus nos fez — digo com pretensa burrice — e podemos nos deitar e tomar banho de vapor, como nos banhos russos. Mas na igreja forçam-no a ficar suando, de pé dentro de nosso capotão de peles.

— Oh, você... você é um pecador terrível. — E o velho senhor retira-se depressa, para "não abalar seus alicerces", com alguma risada.

O PERÍODO DE ESTUDO

Essa nova tarefa me parece tão importante que resolvo confirmá-la. Saio outra vez para fazer visitas, mas agora tenho em mente o propósito definido de anunciar aos parentes e amigos de Famusov o próximo casamento de Sofia e Skalozub. A experiência dá certo, embora nem sempre com o mesmo grau de sucesso. Ainda assim, percebo a alma viva dos objetos com os quais estive me comunicando. E cada novo teste reforça a minha sensação de fazer parte dos acontecimentos.

À medida que meu trabalho vai se desenvolvendo, meu propósito final e as circunstâncias subsequentes vão se tornando mais difíceis e complexos. Acontecimentos completos ocorrem. Por exemplo, em minha imaginação, Sofia é mandada para fora, para bem longe no campo. Que fará Molchalin, seu noivo secreto? Buscando uma solução, chego até mesmo a planejar o rapto da moça. Em outra ocasião, assumo a defesa de Sofia na reunião de família, depois que ela foi descoberta com Molchalin. O juiz da família nesse transe é aquele baluarte do convencionalismo, a Princesa Maria Alexeyevna. Não é fácil discutir com essa formidável representante das tradições da família. Numa terceira ocasião, acho-me presente quando se anuncia, de surpresa, o noivado de Sofia com Skalozub... e atiro nele!

Fazendo essas experiências para atingir o estado de "eu sou", convenci-me de que a simples ação não basta. Tem de haver incidentes. Desse modo, não só começamos a existir em nossa vida imaginada, como também percebemos mais nitidamente os sentimentos das outras pessoas, nossas relações com elas e as delas conosco. Passamos a conhecer as pessoas quando estão felizes ou infelizes. Conhecendo gente, dia a dia, no turbilhão da vida, avançando juntos para enfrentar os acontecimentos, enfrentando-nos uns aos outros, esforçando-nos, lutando, alcançando a meta ou desistindo dela, nós não temos apenas consciência de nossa própria existência, mas também de nossas relações com esses outros e com os próprios fatos da vida.

Quando me vi capaz de tornar-me plenamente envolvido na ação imaginária e em minhas lutas com os acontecimentos iminentes, senti que uma espécie de milagrosa metamorfose ocorrera em mim.

A CRIAÇÃO DE UM PAPEL

A essa altura, podemos apreciar plenamente as circunstâncias internas. São compostas de atitudes pessoais para com acontecimentos da vida exterior e interior, e de relações mútuas com outras pessoas. Quando o ator tem a técnica do estado criador interno, esse estado de "eu sou", quando tem a verdadeira sensação de um objeto de atenção animado, podendo mover-se entre os fantasmas da sua imaginação e comunicar-se com eles, será capaz de dar vida às circunstâncias externas e internas, de insuflar num papel um espírito vivo. Em outras palavras, pode realizar a tarefa que nos propomos na primeira fase de estudo de uma nova peça. Os fatos e as pessoas podem mudar. Em vez daqueles que ele criou com a sua própria imaginação, pode ser que proponham ao ator outros, novos. Mesmo assim, sua capacidade de lhes dar vida é um fator importante em seu trabalho subsequente.

Com esse momento de metamorfose miraculosa, conclui-se provisoriamente a nossa primeira fase de trabalho. Essa elaboração, esse lavrar da alma do ator, preparou o terreno para produzir emoções e experiências criadoras. A análise da peça pelo ator fez viver para ele as circunstâncias, propostas pelo dramaturgo, nas quais a "sinceridade de emoções" pode agora desenvolver-se de modo natural. Isso não significa que o ator pode deixar de rever, mais tarde, o que já foi feito. Todo este trabalho continuará, será desenvolvido e ampliado incessantemente, até que ele esteja em contato total com o seu papel.

AVALIAÇÃO DOS FATOS

A avaliação dos fatos de uma peça é realmente a continuação, e até mesmo a repetição, daquilo que ainda agora acabamos de fazer, e cujo resultado foi uma transformação interior. A diferença é que o trabalho precedente se fez numa base *ad libitum,* sob a forma de variações em torno da peça, ao passo que desta vez teremos de lidar com a própria peça, na forma em que o escritor a criou.

O PERÍODO DE ESTUDO

Existe um elo direto entre as circunstâncias internas e externas de uma peça. De fato, a vida interior das personagens está escondida nas circunstâncias exteriores da vida delas, isto é, nos fatos da peça. É difícil avaliá-los separadamente. Se penetramos nos fatos externos de uma peça e seu enredo, e chegamos até sua essência interior, indo da periferia para o centro, da forma para a substância, inevitavelmente entraremos na vida interior da peça.

Temos, portanto, de voltar aos fatos externos de *A desgraça de ter espírito,* não propriamente por eles, mas pelo que possam ocultar. Temos de considerá-los sob um novo prisma, uma nova luz. Temos de ver um novo estado na casa Famusov, devido ao nosso próprio novo estado criador de "eu sou". Mas voltamos aos fatos com um preparo e uma experiência prática consideravelmente maiores do que tínhamos ao começar.

Embora eu vá interpretar Chatski, abordo gradualmente a avaliação dos fatos de meu papel. Pois preciso conhecer (sentir) toda a vida da casa Famusov, e não apenas aquela parte que se refere diretamente ao meu papel.

Primeiro, temos o encontro dos namorados, Sofia e Molchalin. Para pesar este fato na balança de minhas próprias emoções, de minha própria experiência de vida, procuro, mentalmente, me pôr no lugar da atriz que interpretará Sofia, e em nome dela tento *existir* nesse papel. Como arte do meu estado de "eu sou", pergunto-me: "Quais são as circunstâncias de minha vida interior, quais as minhas capacidades, os meus desejos e pensamentos vivos, pessoais, se sou uma mulher e tenho com Molchalin a relação que tem Sofia?"

Mas tudo dentro de mim protesta: "Ele é apenas um amante falso, um oportunista, um inferior!" Ele me revolta. Se eu fosse uma mulher, nenhuma circunstância possível seria capaz de forçar-me a ter para com Molchalin a atitude que Sofia tem. É claro que, se eu fosse mulher, seria incapaz de conjurar emoções, lembranças ou qualquer material afetivo para dar vida ao papel de Sofia. Eu teria de deixar meu papel em *A desgraça de ter espírito.*

Mas enquanto minha razão trabalha, minha imaginação não está dormindo. Imperceptivelmente, ela me envolve no clima

A CRIAÇÃO DE UM PAPEL

familiar da vida em casa de Famusov. Faz-me viver nas circunstâncias da vida de Sofia; impele-me para o âmago dos fatos, de modo que, estando no centro das coisas, os impulsos da minha própria vontade, meus próprios sentimentos, minha própria razão e experiência me obrigam a avaliar a importância e a significação desses fatores. E, sob este novo ângulo, minha imaginação procura uma nova justificação, nova explicação interior e nova atitude de sentimento em relação aos fatos dados pelo dramaturgo.

— E se Sofia — sugere minha imaginação — estiver tão corrompida por sua educação, pelos romances franceses, que justamente o tipo de amor preferido por ela é o de uma criatura insignificante como esse inferior Molchalin?

— Como isso é revoltante! Como isso é patológico! — dizem meus sentimentos, indignados. — Onde você irá buscar inspiração para emoções desse tipo?

— Na própria repulsa que eles provocam — vem o frio comentário de minha razão.

— E Chatski? — protestam meus sentimentos. — Será possível que ele possa amar uma Sofia tão perversa? Não quero acreditar. Isso arruína a imagem de Chatski e de toda a peça.

Vendo que não encontro nenhuma via de acesso para meus sentimentos sob esse prisma, a imaginação busca novos motivos, outras circunstâncias, capazes de evocar reações diferentes.

— E se Molchalin — diz, tentadoramente, minha imaginação — for mesmo uma pessoa extraordinária, justamente como Sofia o descreve: poético, gentil, afetuoso, cheio de consideração, sensível, e acima de tudo dócil e cordato?

— Então, ele não seria Molchalin, mas outra pessoa, aliás excelente — responde meu sentimento, capciosamente.

— Então está bem — concorda minha imaginação. — Mas será possível gostar de alguém assim?

É claro que minhas emoções são derrotadas.

— Além disso — insiste minha imaginação, sem consentir que minhas emoções recobrem o equilíbrio —, devemos lembrar que todo ser humano, sobretudo uma mulher mimada, inclina-se para a

O PERÍODO DE ESTUDO

autoadmiração, e para isso precisa ver-se como gostaria de ser, e não como realmente é. Se ela faz esse jogo quando está sozinha, bem mais agradável deve ser ele quando praticado com outra pessoa, com alguém como Molchalin, que, está claro, acredita sinceramente em tudo que os outros queiram. Que prazer, para uma mulher, bancar uma criatura bondosa, de espírito elevado, poética, humilhada por todos! Que delícia ter pena de si mesma e despertar a compaixão e o entusiasmo dos outros! A presença de uma plateia a impele a novas proezas, a representar outro papel bonito, a se contemplar novamente com admiração. Sobretudo se o espectador é alguém que sabe, como Molchalin, dar-lhe réplicas animadoras.

— Sim, mas essa interpretação dos sentimentos de Sofia é arbitrária, e entra em choque com Griboyedov.

— De modo algum. Griboyedov insiste na automistificação de Sofia, na descarada falsidade de Molchalin — conclui meu cérebro.

— Não creia nos professores de literatura — insiste minha imaginação, com mais vigor ainda. — Confie nos seus próprios sentimentos.

Agora que o fato do amor entre Sofia e Molchalin convenceu meus sentimentos de que isso tem uma base justificável, ele passa a ter vida para mim, e é perfeitamente aceitável. Creio na veracidade de sua existência. Minha análise emocional cumpriu sua primeira missão, criou circunstâncias internas importantes para a peça e para o meu papel de Chatski. Além disso, o fato da sincera afeição entre Sofia e Molchalin esclarece logo muitas outras cenas. Explica toda a linha do amor entre Sofia e Molchalin, e as circunstâncias que interferem com esse amor. E também atua como um circuito elétrico, emitindo correntes para todas as outras partes da peça que tenham com ele qualquer relação.

Agora, de repente, Famusov entra e encontra os namorados em seu *tête-à-tête*. A situação de Sofia torna-se muito mais difícil, e eu não posso deixar de sentir uma vibração emocional à ideia de estar em seu lugar.

Dar assim de cara com um tipo despótico como Famusov, quando se está em circunstâncias tão comprometedoras, faz a gente pensar na necessidade de alguma saída surpreendente e ousada, para abalar o equilíbrio de nosso adversário. Numa hora dessas, temos de conhecer bem o adversário, temos de conhecer suas peculiaridades individuais. Mas eu não conheço Famusov senão por algumas insinuações a seu respeito, que ainda recordo da primeira leitura da peça. Nem o diretor nem o ator que interpretará Famusov podem me dar qualquer ajuda, pois ambos sabem tão pouco como eu a seu respeito. Meu único recurso é definir seu caráter para mim, suas peculiaridades individuais, a forma interior dessa velha e voluntariosa criatura. Quem é ele?

— É um burocrata, um proprietário de servos — informa rápido meu cérebro, que se lembra das minhas aulas de leitura no colégio.

— Esplêndido! — Minha imaginação já pegou fogo. — Isso quer dizer que Sofia é uma heroína!

— E por que isso? — indaga minha mente, perplexa.

— Porque só uma heroína pode levar um tirano assim pelo beiço com tanta calma e firmeza — diz minha excitada imaginação. — Eis aqui um choque entre os costumes antigos e os novos! A liberdade de amar! É um tema moderno!

— Mas e se Famusov só for prepotente na aparência, para preservar os costumes da família, as tradições de sua classe, visando favorecer-se aos olhos da Princesa Maria Alexeyevna? — Esta é uma nova fantasia. — E se Famusov for um velhote bonachão, hospitaleiro, irascível mas facilmente aplacável? Se for o tipo de pai de quem a filha faz de gato e sapato?

— Nesse caso... as coisas seriam muito diferentes! Então a saída da situação criada ficaria perfeitamente clara. Não é difícil lidar com um pai assim, sobretudo quando Sofia é astuta, como sua falecida mãe — é o que me informa o meu cérebro.

Uma vez sabendo como lidar com Famusov, pode-se encontrar vias de acesso interiores para formar a base de muitas outras cenas relacionadas com ele, bem como de muitas conversações com ele.

O mesmo tipo de avaliação deve ser feito quanto ao regresso de Chatski, que é quase um irmão para Sofia, quase um noivo; que

O PERÍODO DE ESTUDO

já foi, outrora, o bem-amado; que é sempre ousado, tempestuoso, livre e enamorado. Seu regresso do exterior, após anos de ausência, estava longe de ser uma coisa comum, naqueles tempos em que não havia estradas de ferro, em que as pessoas viajavam em pesadas carruagens, e uma viagem podia levar meses para se concluir. Por má sorte, Chatski chega inesperadamente, e logo no momento errado. Isso torna ainda mais compreensível o embaraço de Sofia, bem como o seu sentimento de que deve erguer uma fachada qualquer para ocultar seu enleio, a ferroada em sua consciência. Explica, finalmente, as investidas de Sofia contra Chatski. Se considerarmos a situação de Chatski, sua amizade com Sofia desde a infância, e se a compararmos com a frieza da atitude que ela agora assume para com o seu amigo de antes, poderemos compreender qual foi a mudança e avaliar a extensão do espanto de Chatski. Por outro lado, vendo as coisas pelo prisma de Sofia, tendemos a desculpar sua atitude irritável, e compreendemos que a infeliz impressão que lhe causaram as acusações e o espírito ferino de Chatski se deve ao encontro amoroso daquela noite, seguido pela cena prosaica com seu pai, e também porque a conduta de Chatski faz tamanho contraste com a gentileza complacente de Molchalin.

Se nos pusermos no lugar de outras personagens, parentes de Sofia, também poderemos compreendê-las. Poderiam tais pessoas jamais tolerar a linguagem e os modos livres do ocidentalizado Chatski? Vivendo num país em que ainda existia a servidão, não se sentiriam antes alarmadas com seus discursos, que visam a solapar os alicerces da sociedade? Só um louco ousaria falar e agir como Chatski. Portanto, com esse pano de fundo, a vingança de Sofia é ainda mais astuta e sem remorsos, quando faz com que os outros creiam que o seu ex-amigo e noivo está louco. E também, no lugar de Sofia, compreendemos quanto pesa o golpe que a duplicidade insultuosa de Molchalin desfere contra o seu amor-próprio excessivamente mimado. É preciso ter vivido, imaginariamente, entre os proprietários de servos, conhecendo seus hábitos, costumes, modo de vida, para compreender, e portanto sentir, a força da infinita indignação da filha de Famusov, e seu sofrimento ante a vergonhosa demissão de Molchalin, como se ele fosse um lacaio de aluguel. E também temos de nos pôr no lugar de Famusov, para compreender a extensão de sua raiva, sua animosidade, o senso de represália e horror que se cristaliza em sua frase final: "Oh, Santo Deus, que dirá a Princesa Maria Alexeyevna!"

O resultado é que, depois de testar todos os fatos isoladamente, todas as circunstâncias externas e internas, por experiência própria, podemos compreender (e, portanto, sentir) como é emocionante, como está cheio de acontecimentos inesperados esse dia na vida da família Famusov, escolhido por Griboyedov para a sua comédia. Só então nos daremos conta de uma qualidade especial dessa comédia, um aspecto que os encenadores de *A desgraça de ter espírito* muitas vezes esquecem: o movimento, o temperamento, o ritmo. De fato, para incluir e justificar a abundância de fatos — profundamente significativos — que se desenrolam nos quatro atos da peça, o que representa várias horas de atuação, é preciso marcar um andamento rápido. Os atores têm de manter uma atitude alerta para com tudo o que acontece no palco. Mais ainda, é preciso calcular o ritmo interior do espírito humano subjacente no lar Famusov — isto é obrigatório para todas as personagens da peça.

Quanto mais coisas o ator tiver observado e conhecido, quanto maior for sua experiência, sua acumulação de impressões e lembranças vivas, mais sutil será seu modo de pensar e sentir, mais ampla, variada e substancial será a vida de sua imaginação, mais profunda sua compreensão dos fatos e acontecimentos, mais clara sua percepção das circunstâncias internas e externas da vida na peça e no seu papel. Com o exercício diário, sistemático, da imaginação sobre um mesmo e único tema, tudo o que se refere às circunstâncias propostas na peça torna-se habitual em sua vida imaginária. Por sua vez, esses hábitos se transformarão numa segunda natureza.

De fato, qual é a diferença entre o árido catálogo de fatos, como me foi lido ao travar conhecimento com a peça, e a presente avaliação desses mesmos fatos? A princípio, todos eles pareciam teatrais, exteriores, meros acessórios do enredo e da estrutura da peça.

O PERÍODO DE ESTUDO

Mas agora são acontecimentos vivos, num dia infinitamente emocionante, impregnados de vida, realmente meus.

A princípio, a rubrica simples e seca dizia: "Entra Famusov." Agora, essas mesmas palavras encerram uma grave ameaça aos amantes descobertos: Sofia corre o risco de ser mandada "para os confins da roça", e Molchalin está ameaçado de ser despedido.

O que era, de início, uma simples deixa para entrada em cena — "Entra Chatski" — torna-se, agora, a volta do filho pródigo ao seio de sua família e a reunião — por ele esperada há anos — com a sua bem-amada. Quanta imaginação, quantas circunstâncias interiores e exteriores, quantos pedacinhos individuais de vida interior, suposições, imagens, anseios, ações, estão agora incluídos naquela seca instrução de cena, e em cada palavra que o dramaturgo escreveu!

Agora que submeti os fatos da peça à minha própria experiência pessoal, toda a vida e as circunstâncias externas e internas do meu papel já não parecem estranhas como antes, mas presentes, verdadeiras. Todas as circunstâncias da vida na casa de Famusov ganharam importância e sentido. Aceito-as não uma a uma, mas sim como parte indivisível de toda a complicada concatenação de circunstâncias da peça. Minha atitude para com elas torna-se realidade.

Transmitindo os fatos e o enredo de uma peça, o ator involuntariamente transmite o seu conteúdo interior, tudo que nela se inclui. Transmite aquele espírito vivo, que corre sob os fatos exteriores como um rio subterrâneo. No palco, só precisamos de fatos de conteúdo interno, fatos que representem o resultado final de sentimentos internos, ou fatos que atuem como forças motrizes para pôr em ação as emoções. Um fato, só por ser fato, por si, só um fato que não passe de um simples episódio divertido, nada vale. Na verdade, é até prejudicial, porque desvia da vida interior verdadeira.

A importância da apreciação dos fatos é que força as pessoas a estabelecer contato mentalmente, umas com as outras, fazendo-as agir, lutar, sobrepujar, ou ceder ao destino ou a outras pessoas. Revela seus objetivos, sua vida pessoal, as atitudes recíprocas do próprio ator, como organismo vivo num papel, com outras perso-

A CRIAÇÃO DE UM PAPEL

nagens da peça. Em outras palavras, esclarece as circunstâncias da vida interior da peça, e isto é o que estamos buscando.

Que mais significa essa apreciação dos fatos e acontecimentos? Significa que temos de escavar sob os acontecimentos externos e encontrar, nas profundidades, aquele outro acontecimento, interior, mais importante, que talvez tenha dado origem aos fatos exteriores. Significa, também, que temos de seguir o fio de desenvolvimento desse acontecimento interno, e apreender a natureza e o grau de seu efeito, a direção e linha de esforço de cada personagem, discernir o traçado das muitas linhas interiores das personagens, os pontos em que elas se entrecruzam e divergem, à medida que cada um se dirige à sua meta particular na vida.

Em suma, avaliar os fatos significa compreender (e portanto sentir) o traçado interior da vida de um ser humano. Avaliar os fatos é tomar toda a vida estranha criada pelo dramaturgo e torná-la nossa. Avaliar os fatos é encontrar a chave do enigma da vida interior de uma personagem, chave que se esconde sob o texto da peça.

Seria erro fixar de uma vez por todas a avaliação dos fatos e acontecimentos de uma peça. À medida que o trabalho vai progredindo, torna-se necessário voltar sempre a novas reestimativas, que contribuem para a substância interior. Além disso, os fatos devem ser reavaliados cada vez que repetimos nossa criação de um papel. O homem não é uma máquina. Não pode sentir o papel da mesma forma cada vez que o interpreta. Não pode ser movido cada vez pelos mesmos estímulos criadores. A avaliação de ontem não é exatamente a mesma de hoje. Haverá mudanças infinitesimais de atitude, quase imperceptíveis e isso, frequentemente, é o estímulo principal para a criatividade de hoje. A força desse estímulo está em sua novidade, em seu caráter inesperado.

Todas as inúmeras complexidades da casualidade, pela influência do tempo, da temperatura, da luz, da comida, a combinação de circunstâncias externas e internas, afetam, em maior ou menor grau, o estado interior do ator. Por sua vez, o estado interior do ator afeta sua relação com os fatos. Sua capacidade de aproveitar-se todo o tempo dessas mutáveis complexidades, seu poder de renovar seus

O PERÍODO DE ESTUDO

estímulos por novas sendas, tudo isso é parte importante da técnica interior do ator. Sem esta faculdade, o ator pode perder o interesse em seu papel depois de poucas representações, pode perder contato com os fatos e acontecimentos vivos e ficar privado de sua noção quanto à importância deles.

CAPÍTULO II O período de experiência emocional

Enquanto o primeiro período de elaboração do papel foi apenas preparatório, este segundo é um período de criação. Se o primeiro poderia ser comparado ao início da corte entre dois amantes, o segundo representa a consumação de seu amor, a concepção e a formação do fruto de sua união.

Nemirovitch-Dantchenko exemplificou esse momento de criação, fazendo um paralelo: para produzir uma planta, temos de plantar no solo a semente. Essa semente deverá decompor-se, e dela sairão as raízes da futura planta. Da mesma forma, a semente da criação do autor deve ser plantada na alma do ator, deve passar pela fase de decomposição, e depois lançar suas raízes, das quais surgirá uma nova criação. Esta pertencerá ao ator, mas, em espírito, será fruto do autor.

Se o período preparatório produziu as circunstâncias determinadas, esse segundo período criará a sinceridade das emoções, o coração do papel, sua imagem interior, sua vida espiritual. *Essa experiência emocional do papel é a fase fundamental, a fase mais importante de nossa criatividade.*

O processo criador de viver e experimentar o papel é um processo *orgânico,* baseado nas leis físicas e espirituais que governam a natureza do homem, na veracidade de suas emoções e na beleza natural. Como surge e se desenvolve esse processo orgânico, em que consiste o trabalho criador do ator nesse ponto?

A CRIAÇÃO DE UM PAPEL

IMPULSOS INTERIORES E AÇÃO INTERIOR

Tendo aprendido, em minha preparação inicial de *A desgraça de ter espírito*, como "ser", como existir em meio às circunstâncias da vida na casa de Famusov; tendo achado, graças à minha imaginação, uma base humana pessoal para ali viver; tendo-me defrontado com certos fatos e acontecimentos; tendo encontrado os residentes daquela casa e chegado a conhecê-los, a sentir quais eram suas emoções; tendo estabelecido com eles uma comunicação direta — comecei, sem que eu mesmo o soubesse, a abrigar certos desejos, certos impulsos em direção a um certo objetivo que se impôs por si mesmo.

Por exemplo, recordo minha visita matinal a Famusov quando ele estava cantando, e agora não apenas me sinto ali, com ele, em seu quarto; não sinto apenas a presença de um objeto vivo, do qual apreendo as emoções; mas começo, também, a ter consciência de certos desejos, certos impulsos em direção a um objeto próximo. Por ora, esses desejos são extremamente simples: gostaria que Famusov me desse alguma atenção. Procuro palavras e ações adequadas para fazer com que isso aconteça. Por exemplo, sinto a tentação de provocar o velhote, pois acho que ele deve ficar engraçado quando perde as estribeiras.

Esses impulsos criadores são naturalmente seguidos de outros que levam à ação. Mas impulso ainda não é ação. O impulso é um ímpeto interior, um desejo ainda insatisfeito, enquanto a ação propriamente dita é uma satisfação, interior ou exterior, do desejo. O impulso pede a ação interior, e a ação interior exige, eventualmente, a ação exterior. Mas ainda é cedo para falar nisto.

No momento, cônscio de meus impulsos para a ação, a experiência emocional imaginada de alguma cena da vida na casa Famusov, começo a visar a algum tema de minha observação, buscando o meio de realizar um objetivo. Assim, quando evoco a cena de amor entre Sofia e Molchalin interrompida por Famusov, procuro, como Sofia, um meio de sair da situação. Antes de tudo, tenho de esconder meu embaraço, com uma aparência de calma; devo

O PERÍODO DE EXPERIÊNCIA EMOCIONAL

recorrer a toda a minha capacidade de controle, pensar num plano de ação; tenho de achar algum meio de me adaptar a Famusov, de abordá-lo em seu atual estado de espírito. Escolho-o como meu objetivo. Quanto mais ele esbraveja, mais calmo procuro ficar. Logo que ele se acalma, tento desconcertá-lo com meus ares inocentes, dóceis, repreeensivos. Enquanto isso, toda sorte de sutis ajustamentos interiores brotam dentro de mim: astúcia de um coração cheio de expedientes, uma complexidade de emoções, inesperados impulsos interiores para a ação, que só a natureza pode fornecer e só a intuição pode alimentar.

Logo que sinto essas vibrações, posso entrar em ação; fisicamente não, por enquanto. Apenas para dentro, em minha imaginação...

— Que é que você faria — pergunta minha imaginação a meu sentimento — se estivesse na situação de Sofia?

— Eu diria a meu rosto que assumisse uma expressão angelical — responde meu sentimento, sem vacilar.

— E depois? — prossegue minha imaginação.

— Eu diria para teimar em ficar calada — responde meu sentimento. — Meu pai que diga todas as asperezas e grosserias que quiser. Tudo isso será vantagem para sua filha, normalmente tão mimada. Depois, quando o velho tiver despejado toda a sua peçonha, rouco de tanto berrar e esgotado pela emoção, quando no fundo de sua alma só restar o seu habitual bom gênio, a indolência, o amor à paz, quando ele se tiver sentado numa confortável poltrona para recobrar o fôlego e enxugar o suor, eu exigirei mais silêncio, uma expressão mais angelical, dessas que só uma pessoa corretíssima pode conseguir.

— E depois? — instiga minha imaginação.

— Eu ordenaria a Sofia que enxugasse furtivamente uma lágrima, porém de tal modo que o pai o notasse, e ficasse tão inalterável como antes, até que o velho, preocupado, me perguntasse, com remorsos: "Por que está tão calada, Sofia?" Mas eu não responderia. "Não está me ouvindo?", suplicaria, agora, o velho senhor. "Que é que você tem? Me diga!"

A CRIAÇÃO DE UM PAPEL

— Estou ouvindo — responderia a filha, com uma voz humilde, indefesa, infantil, capaz de desarmá-lo.

— E o que aconteceria depois? — pergunta minha imaginação, com alguma insistência.

— Depois, eu diria a ela que ficasse ainda em silêncio, ali, de pé, humildemente, até o pai começar a ficar com raiva, mas agora não mais porque a apanhou com Molchalin, e sim porque ela está calada e o põe numa situação incômoda. É um método excelente para despistar a atenção de alguém para mudar de assunto.

Finalmente, com pena do pai, ela pediria, com infinita calma, que fosse mostrada a ele a flauta que Molchalin, desajeitada e estupidamente, tenta esconder atrás das costas.

— Olhe, papai — eu a faria dizer com voz humilde.

— Que é isso? — pergunta o pai.

— Uma flauta — responde ela. — Por isso é que Molchalin veio.

— Estou vendo, estou vendo como ele procura escondê-la na cauda da casaca. Mas como foi que ele entrou aqui, em seu quarto? — pergunta o velho fidalgo, com renovada emoção.

— E onde haveria de ser? Estivemos praticando, ontem, um dueto. O senhor sabe muito bem, papai, que ele e eu estivemos praticando um dueto para a festa desta noite.

— Bem... Sim, eu sei — concorda o pai, com cautela, embora ainda esteja indignado diante da compostura da filha, que parece proclamar sua inocência.

— É verdade que trabalhamos por mais tempo do que o permite o decoro. E por isso eu lhe peço perdão, papai. — Neste ponto, Sofia beija a mão do pai, este a beija de leve na fronte e diz com seus botões: "Eta, menina sabida!"

— Tínhamos absolutamente de acabar de aprender o dueto, porque senão o senhor ficaria aborrecido se sua filha fizesse um papel feio diante de todos os parentes, tocando mal o dueto. O senhor não ia se aborrecer?

— Bem... seria aborrecido — concorda o velho, quase com culpa, sentindo que já estão passando o sapato para o outro pé. — Mas por que aqui? — explode de repente, como se tentasse se libertar.

O PERÍODO DE EXPERIÊNCIA EMOCIONAL

— E onde mais? — pergunta Sofia ao velho senhor, com sua expressão angelical. — O senhor me proibiu de entrar no salão de recepções, onde está o piano. O senhor disse que não estava bem ficar sozinha com um rapaz, lá longe. Além disso, lá está muito frio, porque aqueles salões não foram aquecidos ontem. Onde poderíamos praticar nosso dueto, senão aqui em meu quarto, no cravo. Não há outro instrumento! Está claro que mandei Liza ficar aqui o tempo todo, para não me deixar sozinha com um rapaz. E por isso, papai, o senhor... É claro, eu não tenho uma mãe para me apoiar! Não tenho ninguém que me aconselhe. Sou uma órfã... Pobre de mim! Ai, meu Deus! Se ao menos a morte me levasse! — Se Sofia tiver sorte e as lágrimas vierem aos olhos, a questão ficará totalmente resolvida quando ela ganhar de presente um chapéu novo.

E assim, por meio de desejos, inclinações, impulsos para agir, sou naturalmente impelido a essa coisa importante: a ação interior.

A vida é ação. Por isso é que a nossa arte vivaz, que brota da vida, é preponderantemente ativa.

Não é sem motivo que nossa palavra "drama" é derivada da palavra grega, que significa "eu faço". Em grego, isso se refere à literatura, à dramaturgia, à poesia e não ao ator ou sua arte. Ainda assim, temos muito direito a nos apropriar dela. Aliás, costumavam chamar nossa arte de "ação de atores" ou "ação facial", isto é, mímica. Na maioria dos teatros, incorretamente, toma-se a ação no palco como sendo ação externa. Acredita-se, em geral, que as peças têm muita ação, quando as pessoas chegam e partem constantemente, casam-se, separam-se, matam-se ou salvam-se umas das outras. Em suma, que uma peça é rica em ação quando tem um enredo exterior interessante e habilmente tecido. Mas isso é um erro.

Ação cênica não quer dizer andar, mover-se para todos os lados, gesticular em cena. A questão não está no movimento dos braços, das pernas ou do corpo, mas nos movimentos e impulsos

A CRIAÇÃO DE UM PAPEL

interiores. Vamos, portanto, aprender de uma vez por todas que a palavra "ação" não é a mesma coisa que "fazer mímica", não é qualquer coisa que o ator esteja fingindo apresentar, não é uma coisa exterior; é, antes, uma coisa interna, não física, uma *atividade espiritual*. Decorre de uma sucessão ininterrupta de processos independentes. E cada um desses processos se compõe, por sua vez, de desejos ou impulsos que visam à realização de algum objetivo.

A ação cênica é o movimento da alma para o corpo, do centro para a periferia, do interno para o externo, da coisa que o ator sente para a sua forma física. A ação exterior em cena, quando não é inspirada, justificada, convocada pela atividade interior, só poderá entreter os olhos e os ouvidos. Não penetrará o coração, não terá importância para a vida de um espírito humano em um papel.

Assim, os impulsos interiores — o ímpeto de agir e as ações interiores propriamente ditas — adquirem em nosso trabalho uma importância excepcional. São nossa força motriz nos momentos de criação, e só é cênica a criatividade que se fundamenta na ação interior. Com a palavra "cênica" queremos dizer, no teatro, a ação no sentido espiritual desse termo.

Por outro lado, um estado passivo mata qualquer ação cênica, produz os sentimentos pelos sentimentos, a técnica pela técnica. Esse tipo de sentimento não é cênico.

Às vezes, um ator praticamente regala-se na inação, espoja-se nas suas próprias emoções. Cego pela sensação de estar à vontade em seu papel, ele pensa que está criando alguma coisa, que está realmente vivendo o papel. Por mais sincero que seja esse sentimento passivo, porém, ele não é criador, e não pode atingir o coração do espectador, enquanto carecer de atividade e não promover a vida interior da peça. Quando o ator sente passivamente o seu papel, sua emoção permanece dentro dele, não há um desafio à ação interior nem à exterior.

Mesmo para projetar um estado passivo em termos teatrais, temos de fazê-lo ativamente. Fugir de uma participação ativa (em qualquer questão ou acontecimento) já é em si uma ação. A ação indolente, lerda, ainda assim é ação, típica de um estado passivo...

O PERÍODO DE EXPERIÊNCIA EMOCIONAL

A vida real, como a vida em cena, é feita de um constante surgir de desejos, aspirações, provocações interiores à ação, e sua consumação em ações internas e externas. Exatamente como as explosões isoladas de um motor, constantemente repetidas, resultam no movimento macio do automóvel, assim também essa série ininterrupta de surtos de desejos humanos desenvolve o movimento contínuo de nossa vontade criadora, estabelece o fluxo da vida interior, ajuda o ator a experimentar o organismo vivo de seu papel.

Para evocar em cena essa experiência criadora, o ator precisa manter um contínuo tiroteio de desejos artísticos através de todo o seu papel, de modo que eles, por sua vez, despertem aspirações interiores correspondentes, que então engendrarão as correspondentes provocações interiores à ação, e finalmente esses apelos interiores à ação acharão sua saída numa correspondente ação física, exterior.

Será preciso assinalar que, enquanto o ator está em cena, todos esses desejos, aspirações e ações devem pertencer a ele, como artista criador, e não às inertes palavras de papel, impressas no texto de sua parte? Não ao dramaturgo, que está ausente durante a atuação, e tampouco ao diretor, que fica nos bastidores? Temos, por acaso, de lembrar que o ator só pode experimentar ou viver seu papel com seus próprios e genuínos sentimentos? Pode-se por acaso viver, na vida real ou no palco, com os sentimentos de outros, a não ser quando fomos absorvidos de corpo e alma por eles, como ator e como ser humano? Será possível tomar por empréstimo os sentimentos ou as sensações, o corpo e a alma de uma outra pessoa, e usá-los como usaríamos os nossos?

O ator pode submeter-se aos desejos e às indicações de um escritor ou de um diretor, e executá-los mecanicamente, mas para sentir seu papel é preciso que use seus próprios desejos, engendrados e elaborados por ele mesmo, e que exerça sua própria vontade, não a de outros. O diretor e o dramaturgo podem sugerir ao ator seus desejos mas, depois, esses desejos devem ser reencarnados na natureza do próprio ator, de modo que ele seja inteiramente pos-

A CRIAÇÃO DE UM PAPEL

suído por eles. Para que esses desejos se tornem, no palco, desejos vivos criadores, incorporados nas ações do ator, é preciso que se tenham tornado parte do seu próprio ser.

OBJETIVOS CRIADORES

Como se faz para evocar no palco os desejos de nossa vontade criadora? Não podemos simplesmente dizer: "Deseje! Crie! Atue!" Nossas emoções criadoras não estão sujeitas a comandos e não toleram a força. Só podem ser solicitadas e, uma vez solicitadas, começam a querer, e, querendo, começam a desejar ansiosamente a ação.

Só há uma coisa que pode seduzir nossa vontade criadora e atraí-la para nós: um alvo atraente, um objetivo criador. *O objetivo é o aguçador da criatividade, sua força motriz. O objetivo é a isca para as nossas emoções.* Esse objetivo gera surtos de desejos para os fins da aspiração criadora. Envia mensagens internas que lógica e naturalmente se exprimem por meio da ação. O objetivo faz pulsar a entidade viva do papel.

Em cena, como fora de cena, a vida consiste numa série ininterrupta de objetivos e sua realização. Eles são sinais distribuídos por todo o caminho das aspirações criadoras do ator. Mostram-lhe o rumo certo. Os objetivos são como as notas musicais, formam os compassos, que por sua vez produzem a melodia, ou melhor, as emoções — um estado de mágoa, alegria etc. A melodia se desenvolve, formando uma ópera ou uma sinfonia, ou seja, a vida de um espírito humano num papel, e isso é o que a alma do ator canta.

Estes objetivos podem ser raciocinados, conscientes, apontados pela nossa mente, ou então podem ser emocionais, inconscientes, surgindo espontâneos, intuitivamente.

Um objetivo consciente pode ser executado em cena quase sem nenhum sentimento ou vontade. Mas será seco, sem atração, desprovido de qualidade cênica, e portanto inadaptável aos propósitos criadores. Um objetivo que não seja aquecido ou vivificado pelas

O PERÍODO DE EXPERIÊNCIA EMOCIONAL

emoções ou pela vontade não poderá dar nenhuma qualidade viva aos conceitos inertes das palavras. Poderá apenas recitar pensamentos áridos. Quando o ator realiza seu objetivo unicamente por meio do cérebro, não pode sentir ou viver seu papel, mas apenas dar um relatório sobre ele. Será, portanto, não um criador, mas um repórter do seu papel. Um objetivo consciente só poderá ser bom e cenicamente eficaz quando for atraente para a vontade e os sentimentos vivos do ator e os puser em ação.

O melhor objetivo criador é o objetivo inconsciente, que logo se apodera dos sentimentos do ator e o conduz, por intuição, ao alvo básico da peça. O poder desse tipo de objetivo está em seu caráter imediato (os hindus chamam a esses objetivos a mais alta espécie de superconsciência), que age como um ímã sobre a vontade criadora e desperta aspirações irresistíveis. Em tais casos, a única coisa que o cérebro faz é notar e avaliar os resultados. Muitas vezes, esses objetivos estão destinados a permanecer, senão completamente, pelo menos cinquenta por cento no reino do inconsciente. Podemos apenas aprender a não interferir na criatividade da natureza ou preparar o terreno, procurando motivos e meios que nos permitam, ainda que obliquamente, captar esses objetivos emocionais, supraconscientes.

Os objetivos inconscientes são engendrados pela emoção e a vontade dos próprios atores. Nascem intuitivamente. Em seguida são pesados e determinados conscientemente. E, assim, as emoções, a vontade e o cérebro do ator participam, todos eles, da criatividade.

A capacidade de achar ou criar objetivos que despertem a atividade do ator, e a capacidade de manejar esses objetivos, constituem as preocupações cruciais de toda a nossa técnica interior. Há vários caminhos. Entre eles, precisamos encontrar aquele que tenha mais afinidade com a natureza do ator de um papel, o meio de levá-lo ao máximo da ação criadora. Como se consegue isto? Eis um exemplo:

Suponhamos que Chatski está ansioso por convencer Sofia de que nem Molchalin nem Skalozub são bons partidos para ela. A menos que essa convicção se apoie no calor dos sentimentos, ela

A CRIAÇÃO DE UM PAPEL

permanecerá exterior, meramente verbal, seca e insatisfatória. O ator não se convenceria, executaria apenas os movimentos físicos exteriores, que de modo algum podem fazê-lo crer na sinceridade e veracidade dos seus sentimentos. Mas, sem essa fé, o ator não pode sentir seu papel, e sem sentir verdadeiramente seu papel, não pode ter fé em suas emoções.

O que será que, no papel de Chatski, me dará tanta fé em meu objetivo, a ponto de fazer-me sentir um forte desejo de agir? Será a imagem da encantadora, desamparada e inexperiente Sofia ao lado da lastimável nulidade que é Molchalin ou do grosseiro Skalozub? Mas essas pessoas ainda não existem, pelo menos eu ainda não as vejo, quer na realidade, quer em minha imaginação. Não as conheço. Conheço, entretanto, por minha própria experiência, o sentimento de piedade, humilhação, indignação estética à ideia de qualquer jovem fina (seja ela quem for) sacrificando-se num casamento com um rude imbecil como Skalozub ou um oportunista superficial como Molchalin. A perspectiva de uma união tão desnaturada e antiestética despertaria nossos instintos. O desejo de impedir que uma jovem inexperiente dê um passo em falso estaria alerta em qualquer um de nós. Em função de um desejo desses, nunca seria difícil mover nossos impulsos, que por sua vez acenderiam o desejo autêntico e a própria ação.

Em que consistem esses impulsos? Sentimos a necessidade de afetar os sentimentos de uma pessoa com o nosso próprio sentimento de ofensa, porque uma bela vida jovem está sendo destruída. Algo nos impele a ir até Sofia ou qualquer jovem igual a ela e tentar abrir seus olhos para a vida, convencê-la a não se destruir com um casamento inadequado, que inevitavelmente lhe trará desgosto. Buscamos meios de convencê-la da sinceridade do nosso bondoso interesse por ela. Em nome dessa sinceridade, a gente quer pedir-lhe permissão para falar de coisas íntimas, assuntos que se referem ao seu coração.

Antes de mais nada, eu tentaria convencer Sofia de meus próprios bons sentimentos para com ela, a fim de adquirir preliminarmente sua confiança em mim. Em seguida, tentaria pintar o quadro

O PERÍODO DE EXPERIÊNCIA EMOCIONAL

mais vívido possível da diferença entre ela e a natureza rude de Skalozub, entre ela e a almazinha superficial e medíocre de Molchalin. O que eu dissesse a respeito de Molchalin exigiria muitíssimo tato, pois Sofia decidiu a todo custo vê-lo através de lentes cor-de-rosa. É preciso mais que nunca fazer com que Sofia compreenda vivamente como o meu coração se contrai à ideia do que lhe está reservado. Meus temores por ela, que eu quero fazê-la sentir, devem amedrontá-la e obrigá-la a deter-se para pensar. Cada método de convencê-la, cada ataque ao seu coração, terá de ser suavizado por irradiações de terno sentimento, um olhar acariciante etc. Será possível pelo menos contar todas as ações interiores e físicas, todos os impulsos interiores que, espontaneamente, surgiriam no coração de uma pessoa movida por seus próprios esforços para salvar uma jovem inexperiente, resolvida a destruir-se?

Os objetivos, conscientes ou inconscientes, são executados quer interior, quer exteriormente, tanto pelo corpo como pela alma. Logo, tanto podem ser *físicos* como *psicológicos*.

Por exemplo, voltando à cena imaginária em que fiz minha visita matinal a Famusov, lembro-me de uma infinidade de objetivos físicos que tive de executar em minha imaginação. Tive de percorrer, bater numa porta, pegar e torcer a maçaneta, abrir a porta, entrar, cumprimentar o dono da casa, e quem quer que estivesse ali além dele, e assim por diante. A fim de conservar a veracidade da ocasião, eu não poderia simplesmente voar para dentro do seu quarto, num só movimento.

Todos esses objetivos físicos necessários são tão habituais que nós os executamos mecanicamente, com os nossos músculos. Em nosso reino interior, também, vamos encontrar um número infinito de objetivos psicológicos simples, necessários.

Lembro-me agora, por exemplo, de outra cena imaginária, na vida da casa de Famusov: o encontro interrompido entre Sofia e Molchalin. Quantos objetivos psicológicos simples Sofia teve de executar com suas emoções para atenuar a ira de seu pai e fugir ao

A CRIAÇÃO DE UM PAPEL

castigo! Teve de mascarar seu embaraço, teve de abalar o equilíbrio do pai com sua calma, teve de embaraçá-lo e penalizá-lo com a expressão angélica do rosto, de desarmá-lo com a sua humildade, de solapar a sua posição, e assim por diante. Ela não poderia, sem destruir a veracidade e o caráter vivo de sua ação, efetuar, num único arranco emocional, num só movimento interior, um só objetivo psicológico: a miraculosa mudança no coração do homem furioso.

Os objetivos psicológicos físicos e simples são de certo modo necessários a todos os seres humanos. Por exemplo, quando alguém se afoga, é preciso fazê-lo respirar por meios mecânicos. O resultado é que seus outros órgãos começam a funcionar: o coração começa a bater, o sangue a circular e, finalmente, pelo puro impulso dos organismos vivos, seu espírito é revivido. É esse o elo nato, habitual e recíproco, entre os órgãos físicos.

É esse tipo de hábito orgânico, parte de nossa natureza, espécie de consecutividade e de lógica em nossas ações e sentimentos, que utilizamos em nossa arte quando damos vida ao processo de viver um papel. Essa necessidade comum ao ator-ser-humano e ao ser-humano-papel e que aproxima pela primeira vez o ator do seu papel.

Tanto os objetivos físicos como os psicológicos precisam ser concatenados por um certo laço interior, pela consecutividade, gradatividade e lógica de sentimento. Ocorre, às vezes, que, na lógica dos sentimentos humanos, encontremos alguma coisa ilógica. Afinal, na harmonia da música existem dissonâncias ocasionais. Mas em cena é preciso ser consecutivo e lógico. Não podemos, de um passo, ir do primeiro andar de uma casa ao décimo. É impossível, com um só movimento interior ou um só movimento físico, afastar os obstáculos e persuadir imediatamente outra pessoa a fazer alguma coisa ou voar de uma casa a outra. A gente tem de percorrer e executar toda uma série de objetivos físicos lógicos e consecutivos, e de objetivos psicológicos simples. É preciso sair de casa, tomar um táxi, entrar em outra casa, atravessar muitas salas, achar a pessoa que estamos procurando etc., antes de chegarmos ao ponto em que nos encontramos com essa outra pessoa.

O PERÍODO DE EXPERIÊNCIA EMOCIONAL

Assim também, para chegar ao ponto de convencer a outra pessoa, temos de preencher uma série de objetivos: temos de atrair a atenção da outra pessoa, temos de tentar pressentir o que vai em seu coração, compreender seu estado interior e então nos adaptarmos a isso, experimentando vários modos de transmitir nossos próprios sentimentos e pensamentos. Em suma, temos de executar uma série de objetivos psicológicos e ações interiores, para convencer nosso companheiro com os nossos pensamentos, e influenciá-lo com os nossos sentimentos.

Não é fácil manter com exatidão, em cena, todos os objetivos físicos e todos os objetivos psicológicos simples, de forma que eles correspondam às aspirações e ações da personagem interpretada. O problema é que o ator tem uma tendência a só se identificar com a vida interior de seu personagem quando está dizendo suas falas. Logo que para de falar e entrega a cena ao companheiro, o fio interior de seu papel se rompe. O ator recai em sua própria vida e sentimentos, como se apenas estivesse à espera de sua deixa para renovar a vida interrompida do papel. Quando isto acontece, quando o ator quebra a concatenação lógica dos objetivos físicos e psicológicos e a substitui por outras coisas, está mutilando a vida. Todos os momentos de um papel que não são preenchidos com objetivos e sentimentos criadores representam uma tentação para que o ator caia nos chavões, no convencionalismo teatral. Quando se violenta nossa natureza espiritual e física, quando nossas emoções entram em caos, quando nos falta a lógica e a consecutividade dos objetivos, nós não vivemos autenticamente o papel.

A PARTITURA DE UM PAPEL

Vou pôr-me no lugar do ator que interpreta Chatski em *A desgraça de ter espírito,* e tentarei descobrir quais são os objetivos físicos e os objetivos psicológicos simples que se formam naturalmente em

A CRIAÇÃO DE UM PAPEL

mim, quando começo, na imaginação, a existir no centro das circunstâncias, a "ser" na voragem da vida da casa de Famusov, em Moscou na década de 1820.

Aqui estou eu — por enquanto sou eu mesmo, sem nenhum dos sentimentos ou das emoções de Chatski. Acabo de regressar do exterior. Sem passar por casa, dirigi-me numa pesada diligência, puxada por quatro cavalos, aos portões da casa que para mim é quase um segundo lar. Agora, minha diligência parou e o cocheiro chamou o criado do pátio, para os portões da entrada.

Que é que eu desejo neste momento?

A. Desejo apressar o instante de meu encontro com Sofia, com o qual venho sonhando há tanto tempo.

Mas nada posso fazer para isso, e portanto fico sentado, desamparadamente, na carruagem, à espera de que se abram os portões. A impaciência faz com que eu fique puxando, distraído, a corda da janela, que me incomodou durante toda a viagem.

Agora o criado chegou, reconheceu-me e está se apressando. Os gonzos dos portões rangem, estão abertos, a carruagem pode entrar. Mas o criado a detém, chega até a janela e me saúda com lágrimas de alegria nos olhos.

a. Tenho de falar com ele, ser agradável, trocar saudações.

Pacientemente, executo todas essas ações, para não ofender o velho, que me conhece desde que eu era menino. Tenho até mesmo de ouvi-lo desfiar as recordações familiares de minha própria infância.

Agora, finalmente, a grande diligência, rangendo e triturando a neve, entra no pátio e se detém na *porte-cochère*.

Salto da carruagem.

Qual é a primeira coisa que devo fazer?

O PERÍODO DE EXPERIÊNCIA EMOCIONAL

b. Devo despertar logo o porteiro sonolento.

Agora seguro a corda da campainha, dou-lhe um puxão, espero, torno a tocar. Enquanto isto, um vira-lata de estimação está ganindo e fazendo festa, esfregando-se em minhas pernas.

Enquanto aguardo o porteiro:

c. Quero saudar o cachorro, acariciar esse velho amigo meu.

Agora, a porta da casa é aberta e eu corro para o vestíbulo. O ambiente familiar dessa casa imediatamente me envolve. Os sentimentos e as lembranças que eu deixara para trás amontoam-se agora em meu coração e o fazem transbordar. Fico imóvel, cheio de terna emoção.

Agora o porteiro me cumprimenta, com uma espécie de relincho de cavalo.

d. Devo dizer-lhe: "Como vai", ser amável com ele, trocar cumprimentos.

Pacientemente, executo esse objetivo. Se ao menos eu puder chegar até Sofia sem mais demora!

Agora, eis-me a caminho, subo a escadaria do vestíbulo. Chego ao primeiro patamar. Aqui, dou com o despenseiro e a governanta. Ficam mudos com a surpresa desse encontro inesperado.

e. Tenho de saudá-los também. De perguntar-lhes por Sofia. Onde está ela? Está bem? Está acordada?

Chego agora à profusão de salões de recepção.

O despenseiro vai trotando à minha frente.

Espero no corredor. Agora Liza vem correndo, com um gritinho. Agora me agarra pela manga do casaco.

Que quero neste momento?

f. Quero chegar depressa à minha meta principal, ver Sofia, a querida amiga de minha infância, quase uma irmã.

E agora, finalmente, ponho os olhos nela.

A CRIAÇÃO DE UM PAPEL

Aqui, o meu primeiro objetivo — A — foi realizado, com o auxílio de toda uma série de pequenos objetivos, quase exclusivamente *físicos* (sair da carruagem, tocar a campainha, correr escada acima etc.).

Um novo e grande objetivo apossa-se agora, naturalmente, de mim:

B. Quero saudar a querida amiga de minha infância, alguém que é para mim quase como uma irmã. Quero abraçá-la e trocar com ela sentimentos reprimidos.

Isso, entretanto, não pode ser feito de uma só vez, com um só gesto interior. Deve haver toda uma série de pequenos objetivos interiores que, reunidos, terão por soma o grande objetivo principal.

a. Antes de tudo quero olhar cuidadosamente para Sofia, ver seus traços familiares e queridos, avaliar as mudanças que ocorreram durante minha ausência.

Entre as idades de quatorze e dezessete anos, uma jovem pode mudar a ponto de mal a reconhecermos. E essa maravilhosa mudança ocorreu nela. Eu esperava encontrar uma menina e agora a vejo transformada numa jovem mulher.

Por minhas próprias lembranças do passado, e minha experiência pessoal, conheço a sensação de perplexidade que nos invade numa hora dessas. Recordo o embaraço, a falta de jeito ao nos defrontarmos com o inesperado. Se ao menos eu pudesse captar uma feição familiar, o brilho dos olhos, o movimento dos lábios ou das sobrancelhas, dos ombros ou dos dedos, um sorriso familiar, eu reconheceria logo a minha Sofia querida. O acanhamento transitório desaparece. A antiga relação fácil e fraternal se restabelece e um novo objetivo se forma.

O PERÍODO DE EXPERIÊNCIA EMOCIONAL

b. Quero transmitir meus sentimentos com um beijo de irmão.

Precipito-me para abraçar minha amiga e irmã. Aperto-a tanto que a magoo um pouco, de propósito, para fazê-la sentir a força de minha amizade.

Mas isso não é o bastante. Tenho de achar outros meios de manifestar-lhe os sentimentos que reprimi.

c. Tenho de acariciar Sofia com o olhar e a palavra.

E mais uma vez, como quem faz pontaria, enquanto procuro palavras carinhosas, amigas, concentro sobre ela a irradiação dos meus próprios sentimentos calorosos.

Mas o que vejo? Uma expressão fria, acanhamento, uma sombra de desprazer. Que é isso? Será minha imaginação? Será resultado da intempestividade de minhas saudações?

Disso decorre, naturalmente, um novo objetivo.

C. Preciso entender o motivo dessa fria recepção.

Por sua vez, esse objetivo se compõe, durante sua execução, de muitos objetivos independentes.

a. Preciso fazer com que Sofia confesse o que está acontecendo.
b. Tenho de sacudi-la com interrogatório, censuras, perguntas habilmente formuladas.
c. Tenho de chamar sua atenção para mim, e assim por diante.

Mas Sofia é esperta. Sabe esconder-se por trás de uma expressão angelical. Sinto que não lhe seria difícil persuadir-me, ainda que temporariamente, de que se alegra por me ver. E isso ainda se torna mais fácil para ela porque é o que eu quero acreditar, para poder passar mais depressa a um objetivo novo, maior e mais interessante.

E esse grande objetivo, D, Inquirir Sofia sobre ela mesma, seus parentes, conhecidos, e tudo que se refira à vida nesta casa e em Moscou, é então executado por meio de uma série de pequenos objetivos.

A CRIAÇÃO DE UM PAPEL

Mas agora entra Famusov em pessoa, e interrompe o nosso *tête-à-tête*. Aqui aparece o objetivo E, com os pequenos objetivos concomitantes, até o ponto, no fim da peça, em que atinge o meu objetivo final:

Z. "Sair de Moscou! A este lugar
Nunca mais voltarei. Sem retroceder
Atiro-me ao mundo, em busca de um recanto."

Para executar este último grande objetivo, eu tenho de:

a. Dar uma ordem ao lacaio:
"Meu coche, depressa, meu coche!"

b. Deixar rapidamente a casa de Famusov.

Enquanto eu, mentalmente, selecionava e executava todos esses objetivos, ia sentindo que as circunstâncias internas e externas, por sua própria conta, moviam minha *vontade* e meus *desejos*. Estes, por sua vez, evocavam *aspirações* criadoras, que eram coroadas por impulsos interiores para a ação. Todos eles se combinavam para me conduzir ao momento criador de dar vida ao meu papel.

Por meio de todos eles, formava-se toda uma série de *unidades* em torno de cada grande objetivo. Por exemplo, se se examinar a significação interior de todos os objetivos componentes, de Aa a Af, deve-se considerar todos os desejos de Chatski, do momento em que sua carruagem entrou no pátio da casa de Famusov até o momento em que ele se avistou com Sofia. Veremos que ele estava executando um grande objetivo — A —, uma unidade na vida de seu papel, que podemos formular como: apressando seu encontro com Sofia.

Depois, todos os objetivos menores Ba-Bc combinam-se para formar outro grande objetivo, outra unidade em seu papel — B —, e esta pode chamar-se: querendo saudar e abraçar Sofia e trocar sentimentos com ela.

O PERÍODO DE EXPERIÊNCIA EMOCIONAL

Com os pequenos objetivos Ca-Cc, formamos um terceiro grande objetivo e unidade — C — cujo significado é: buscar o motivo da fria acolhida que lhe é dispensada por sua amiga de infância.

E assim continua por toda a extensão da peça.

As primeiras quatro unidades criam uma cena completa, que podemos intitular *O primeiro encontro entre Chatski e Sofia*. As quatro unidades seguintes entram na composição de uma outra cena: *O encontro interrompido*. O agrupamento de outras unidades e objetivos forma uma terceira e uma quarta cena, e assim por diante. Por sua vez, essa série de grandes cenas se amalgama para formar os atos. Os atos perfazem uma peça toda, ou seja, uma grande e importante seção da vida de um espírito humano.

Concordemos em chamar esse longo catálogo de objetivos maiores e menores, unidades, cenas, atos, de *partitura do papel*. Compõe-se, por enquanto, de objetivos físicos e objetivos psicológicos simples. A partitura do papel de Chatski seria a mesma (com desvios e alterações de menor importância) para qualquer pessoa que vivesse em circunstâncias análogas às que estão na peça, e também para qualquer ator que estivesse passando pela experiência desse papel. Qualquer pessoa que regresse de uma viagem, ou reviva na memória afetiva seu regresso ao país natal, teria — quer mentalmente, quer na realidade — de sair de seu carro, entrar em casa, cumprimentar as pessoas, orientar-se, e assim por diante. Trata-se de necessidades de ordem física.

E quem quer que regressasse de uma viagem teria de passar por toda um série de objetivos simples: permutar emoções, saudações, interessar-se pelo que visse e ouvisse dizer sobre seus amigos queridos etc. Nem tudo aquilo de que nosso coração está repleto pode ser comunicado de uma vez. Desincumbimo-nos das saudações, abraços, olhares recíprocos, compreensão mútua, em ordem consecutiva.

Convém notar que nenhum dos objetivos da partitura, acima arrolados, é profundo. Eles só podem afetar a periferia do corpo do ator, as manifestações externas de sua vida psíquica, e só muito

A CRIAÇÃO DE UM PAPEL

ligeiramente afetam seus sentimentos. Mas, ainda assim, foram criados por sentimentos vivos, e não são produto da árida razão. Foram despertados por instintos artísticos, pela sensibilidade criadora, pelas experiências da vida do próprio ator, seus hábitos, as qualidades humanas de sua própria natureza. E cada objetivo continha a sua própria consecutividade, seu desenvolvimento gradual, lógico. Podemos chamá-los objetivos naturais. Não resta dúvida de que uma partitura assim, baseada nesses objetivos, atrairá o ator como ser humano — fisicamente falando — para mais perto da verdadeira vida de sua personagem ou papel.

Com o tempo e a repetição frequente, durante os ensaios e as representações, essa partitura torna-se habitual. O ator fica tão acostumado com seus objetivos e a sequência desses objetivos que já nem pode conceber outro modo de abordar seu papel senão seguindo o fio dos passos que estão fixados na partitura. O hábito representa um grande papel na criatividade: estabelece de modo firme as realizações da criatividade. Segundo as familiares palavras de Volkonski, ele torna o que é difícil habitual, o que é habitual fácil, e o que é fácil belo. O hábito cria a segunda natureza, que é uma segunda realidade.

A partitura, automaticamente, impele o ator para a ação física.

O TOM INTERIOR

A partitura física e psicológica simples agora está pronta. Será que corresponde a todas as necessidades da natureza criadora do ator? A primeira condição é que a partitura tenha o poder de atrair, porque o entusiasmo criador, um objetivo estimulante, é o único meio de afetar a caprichosa vontade e as emoções caprichosas do ator.

É claro que, por enquanto, a partitura não tem todas as qualificações necessárias para aquecer o entusiasmo de um ator e despertar suas emoções todas as vezes e sempre que ele a criar. Mesmo quando eu estava procurando e selecionando meus objetivos como

O PERÍODO DE EXPERIÊNCIA EMOCIONAL

Chatski, eles não me excitavam muito. E isso não é de surpreender. Todos os objetivos escolhidos eram externos. Só afetavam a periferia do meu corpo, só tocavam superficialmente os meus sentimentos e a vida do meu papel. Nem poderia ser de outro modo, pois a linha de meu esforço criativo consistia em fatos e acontecimentos externos, no plano da vida física e da vida psicológica simples do meu papel, e só ocasionalmente atingia os níveis mais fundos da minha vida interior.

Esse tipo de partitura e as experiências que lhe correspondem não refletem os aspectos mais importantes de um espírito humano vivo, nos quais encontramos a essência de uma criação teatral, a individualidade interior da vida do papel. Qualquer pessoa teria feito o que a partitura de objetivos propunha. Os objetivos são típicos de qualquer pessoa, e portanto não caracterizam o papel particular em sua própria e peculiar individualidade. A partitura pode mostrar o caminho, mas não pode despertar a verdadeira criatividade. Não produz vida, e em pouco tempo se desgasta.

São necessárias emoções profundamente passionais para transportar os sentimentos, a vontade, a mente e todo o ser do ator. Essas emoções só podem ser despertadas por objetivos de conteúdo interior mais profundo. O segredo e a essência da técnica interior neles se ocultam. Portanto, a preocupação seguinte do ator deve ser a de achar objetivos que movam constantemente os seus sentimentos, e assim deem vida à sua partitura física. Essa partitura criadora deve excitar o ator não só por sua veracidade física externa, mas acima de tudo por sua beleza, sua euforia interior. Os objetivos criadores devem evocar não apenas o simples interesse, e sim uma ardorosa excitação, ardentes desejos, aspirações, ação. Todo objetivo que não tiver essas qualidades magnéticas não estará cumprindo sua missão. É claro que não se pode afirmar que todo objetivo emocionante é adequado e bom para a partitura criadora de um papel, mas se pode afirmar com toda segurança que um objetivo seco não serve para nada.

O fato da chegada de Chatski, demonstrado pelos objetivos de maior e menor importância que a acompanham, só é interessante

A CRIAÇÃO DE UM PAPEL

por causa do seu conteúdo interior, as emoções, os motivos psicológicos. São esses os fatores que afetam o seu ser interior. Sem eles, o papel não teria coração. Sem eles, os objetivos seriam insubstanciais, vazios.

Vamos agora acrescentar profundidade à partitura do papel de Chatski, levando-o ao longo do que se poderia chamar de sua corrente submarina, mais perto da fonte de sua vida interior, sua própria natureza de ator, mais perto daquele centro misterioso e íntimo que é o "Eu" num papel. Que temos de fazer para conseguir isto? Devemos acaso mudar os objetivos e toda a partitura física e psicológica simples que fornecem a vida exterior do papel? Mas não são eles indispensáveis? E deixariam por acaso de existir se acrescentássemos a profundidade? Não! Continuam a existir, mas ganham em substância. A diferença estará na vida interior, no estado geral do ator, nos estados de espírito em que cada objetivo será executado. Seu novo estado interior renovará o viço e dará colorido aos seus objetivos, acrescentará a eles uma profundidade de significação, uma nova base e motivação interior. A esse estado interior ou disposição modificada chamarei de o *tom interior*. Na linguagem dos atores, chama-se *a semente do sentimento*.

Quando se acrescenta profundidade à partitura de um papel, os fatos e os objetivos só são modificados no sentido de que foram acrescentados impulsos internos, intuições psicológicas, um ponto de partida interior — todas as coisas que constituem o tom interior da partitura e lhe dão uma base firme de justificação.

O mesmo se dá com a música. As melodias e as sinfonias podem ser executadas em tons diferentes, tom maior ou tom menor, podem ser tocadas em diferentes tempos e a melodia propriamente dita não se modifica, mas apenas o tom em que é tocada. Num tom maior e num ritmo vivo, a melodia terá um caráter triunfal, de bravura; em tom menor e em tempo lento, adquire um caráter lírico, melancólico. E assim nós, atores, podemos experimentar emoções variáveis quando interpretamos uma partitura com os mesmos objetivos, mas em diferentes tons. É possível viver todas as emoções de um regresso ao lar, executar todos os objetivos físi-

O PERÍODO DE EXPERIÊNCIA EMOCIONAL

cos e psicológicos simples relacionados com ele, numa clave serena ou alegre; numa clave triste, ou perturbada, ou excitada. Ou no tom de um amoroso que diz de si mesmo:

"...fora de mim,
Dois dias e noites a fio, sem pregar os olhos,
Viajei velozmente por muitas centenas de milhas,
Nos vendavais e tempestades; agitado,
Muitas vezes caí..."

Portanto, vamos agora estabelecer um novo objetivo: pagar a partitura como está constituída até agora e aumentar-lhe a profundidade.

Antes de mais nada, tenho de me perguntar: que seria mudado na partitura se eu regressasse do exterior, como o fez Chatski, dadas as circunstâncias da sua vida, não no estado de um amigo que retorna, mas, antes, inflamado de um ardente amor por Sofia? Em outras palavras, tentarei sentir a mesma partitura mas numa clave diferente.

Nesta nova clave de uma paixão de amante, a partitura se ilumina até o mais fundo, assume um colorido totalmente outro, um conteúdo interior maior. Essas mudanças têm de ser adaptadas ao papel de Chatski. Com este fim, deve introduzir novas circunstâncias. Suponhamos que Chatski tenha voltado do estrangeiro não só como amigo de Sofia, mas como um amigo que a idolatra, um noivo perdidamente apaixonado. O que muda na partitura, e o que permanece o mesmo?

Qualquer que seja o estado de paixão em que esteja um homem ao regressar à pátria, as circunstâncias físicas o obrigarão a esperar até que o zelador do pátio abra os portões; ele terá de despertar o porteiro sonolento, terá de saudar vários membros da criadagem, e assim por diante. Em suma, Chatski terá, de todos os pontos de vista, de executar quase os mesmos objetivos físicos e psicológicos simples da partitura, como antes. A diferença essencial apresenta-

A CRIAÇÃO DE UM PAPEL

da pela sua condição de estar violentamente apaixonado não se situa tanto nos objetivos propriamente, mas no modo de executá-los. Se estiver calmo, sem que o perturbem profundas emoções interiores, ele executará seus objetivos paciente e escrupulosamente. Se, entretanto, estiver pegando fogo, se se entregar à força dos seus sentimentos, sua atitude para com seus objetivos será muito diferente. Alguns deles se esfumarão, fundindo-se e amalgamando-se uns com os outros, sendo tragados pelo único objetivo predominante; outros se definirão mais certamente, por causa do nervosismo e impaciência do enamorado.

Quando um homem está inteiramente sob o domínio da paixão, envolvido nela com todo o seu ser, esquece seus objetivos físicos, executa-os automaticamente, alheio a eles. Na vida real, muitas vezes ficamos alheios ao que estamos fazendo: andar, tocar uma campainha, abrir uma porta, cumprimentar fulano ou sicrano. Tudo isso é feito, em grande parte, de modo inconsciente. O corpo vive a sua própria existência habitual, motora, e a alma vive sua vida psicológica, mais profunda. Mas essa divisão aparente não destrói o elo entre a alma e o corpo. A aparência se deve ao fato de que o centro da atenção se transfere da nossa vida exterior para a nossa vida interior.

Assim, a partitura física, que o ator aperfeiçoou a ponto de tornar automática a sua execução, agora vai mais fundo, arredonda-se com um novo sentimento e, pode-se dizer, adquiriu um caráter psicofísico. O modo de conseguir isto é por meios indiretos, por meio do trabalho preliminar que o tornará possível. A gente tem de sentir a *natureza* da paixão que deve ser retratada, neste caso a paixão do amor.

Primeiro temos de planejar um fio ao longo do qual a paixão se desenvolverá. Temos de compreender, de sentir as partes componentes da paixão. Temos de elaborar um completo esquema que será como uma tela na qual as emoções criadoras bordarão, consciente ou inconscientemente, seus traçados impenetráveis e complexos. Como se pode compreender essa paixão do amor, o que nos guiará, ao fazermos dela um esquema?

O PERÍODO DE EXPERIÊNCIA EMOCIONAL

Definir o amor do ponto de vista científico é tarefa que compete aos psicólogos. Arte não é ciência. Embora, como artista, eu deva constantemente buscar materiais e conhecimentos criadores na vida e na ciência, ainda assim, nos momentos de criatividade, tenho o costume de usar minhas próprias emoções, suscetibilidades, impressões.

Além disso, não estou agora interessado em fazer um estudo minucioso da paixão amorosa. O que eu quero é um esboço geral, curto, sensível, cuja base não acharei em meu cérebro, mas em meu coração. Que esse esboço me guie, orientando minha natureza criadora na tarefa imediata de preparar uma partitura mais sutil, interior, psicofísica, para o papel de Chatski.

Eis aqui como sinto a natureza do amor: sinto que essa paixão, como uma planta, possui uma semente, da qual brota, possui raízes, das quais se projeta o seu caule, tem um caule, folhas, flores, que coroam o seu desenvolvimento. Não é sem motivo que se fala nas "raízes da paixão" ou se diz que "uma paixão cresce", que "o amor floresce" etc. Em suma, eu sinto que no amor, como em qualquer outra paixão, há toda uma série de processos — a semente original, a concepção, o crescimento, o desenvolvimento, o florescimento, e assim por diante. Sinto que o desenvolvimento de uma paixão se processa ao longo de um fio traçado pela própria natureza, e que nisso, assim como no reino físico, há uma certa sequência, lógica, lei, que não pode ser transgredida sem castigo. Se o ator exerce compulsão sobre sua própria natureza, se substitui um sentimento por outro, se destrói a lógica de suas emoções, a consecutividade dos períodos cambiantes que se vão sucedendo uns aos outros, passo a passo, estropia a estrutura natural de uma paixão humana, e isso resultará numa distorção emocional.

Toda paixão é um complexo de coisas experimentadas emocionalmente, a soma total de uma variedade de diferentes sentimentos, experiências, estados. Todas essas partes componentes não são apenas numerosas, mas também, muitas vezes, contraditórias. Frequentemente, no amor, existe ódio, e desdém, e adoração, e indiferença, e êxtase, e prostração, e embaraço, e descaramento.

A CRIAÇÃO DE UM PAPEL

Sob esse aspecto, as paixões humanas podem ser comparadas a um monte de miçangas. O tom geral se obtém pela combinação colorida de uma inumerável quantidade de contas individuais, dos mais diversos matizes (vermelhas, azuis, brancas, pretas). Reunidos e misturados, esses matizes dão à pilha de contas o seu tom geral (cinza, azul-claro, amarelado). Assim, também, no reino dos sentimentos: a combinação de muitos sentimentos individuais, variadíssmos, e até mesmo contraditórios, forma paixões inteiras. Uma mãe espanca brutalmente seu filhinho adorado porque ele quase se deixou atropelar. Por que está tão furiosa com a criança quando lhe bate? Justamente porque lhe tem tanto amor e receia perdê-la. Bate no menino para que, no futuro, ele nunca mais faça uma brincadeira tão perigosa. O ódio passageiro existe lado a lado com o seu amor constante. E quanto mais uma mãe ama seu filho, mais o detestará e castigará numa hora assim...

Não só as próprias paixões, mas também as partes que as formam são mutuamente contraditórias. Por exemplo: um dos heróis de Maupassant se mata porque tem medo de um duelo que deve enfrentar. Seu ato ousado, decisivo, nada menos que o suicídio, é acarretado pela sua covardia, tentando fugir ao duelo.

Cada papel se compõe desse mesmo tipo de ingredientes individuais, produzindo paixões completas que, por sua vez, nos dão a imagem interior, espiritual, da personagem a ser interpretada. Tomemos, então, o papel de Chatski.

Esse papel, e principalmente o amor de Chatski por Sofia, não se compõe exclusivamente de cenas de amor, mas de uma variedade de outros momentos, contendo emoções e ações contraditórias, cuja soma total é o amor. E com efeito, o que faz Chatski durante toda a peça? De que ações se compõe seu papel? De que modo manifesta ele o seu amor por Sofia? Antes de mais nada, logo que chega, ele se apressa a ver Sofia. Estuda-a cuidadosamente quando se encontram e tenta descobrir a razão da fria acolhida que ela lhe dispensa. Censura-a, depois faz piada, zomba de parentes e conhecidos. Ao mesmo tempo, faz observações ferinas a Sofia. Pensa muito nela, atormenta-se e fica perplexo. Espiona, surpreende-a num encon-

O PERÍODO DE EXPERIÊNCIA EMOCIONAL

tro preparando-se para traí-lo, escuta-a, e finalmente foge de sua amada. Dentre todas essas variadas ações e objetivos, só umas poucas linhas do texto são palavras e confissões de amor. Mesmo assim, o total dos momentos e objetivos isolados, todos somados, estabelece a paixão, o amor de Chatski por Sofia.

Nossa paleta emocional, nossa partitura, que deve retratar paixões humanas, precisa ser colorida, variada, rica. Retratando qualquer uma das paixões humanas, o ator não deve pensar nessa paixão mesma, mas nos sentimentos que entram em sua composição, e quanto maior for o ímpeto que queira atribuir a ela, mais variadas e contraditórias serão as emoções que terá de buscar. Os extremos estendem a gama das paixões humanas e ampliam a paleta do ator. Portanto, quando estiver interpretando o papel de um homem bom, ele deve sondar o que esse homem pode ter de mau; se estiver interpretando uma personagem inteligente, deve encontrar o seu ponto fraco mental; se interpreta uma pessoa alegre, encontre o lado sério dessa pessoa. Esta é uma das formas de ampliar uma paixão humana. Se não achamos logo de uma vez o colorido que queremos, temos de procurá-lo.

Habitualmente, as paixões humanas não se concebem, desenvolvem e atingem o clímax de uma vez, mas sim gradativamente, num longo período de tempo. Sentimentos sombrios transformamse, imperceptível e lentamente, em sentimentos mais alegres, e viceversa. Assim, por exemplo, o coração de Otelo está radiosamente pleno de todas as emoções alegres, claras, amorosas, como o metal polido que reflete os raios do sol. Depois, aqui e ali, pode-se, de súbito, discernir manchas escuras. São os primeiros momentos de dúvida. O número das manchas sombrias aumenta e o coração radiante do amoroso Otelo cobre-se com as malhas de emoções malignas. Estas sombras se alongam, crescem e afinal seu coração brilhante torna-se escurecido, quase negro. No início, havia breves insinuações de um ciúme crescente. Agora, apenas alguns poucos instantes recordam seu terno e confiante amor. E, ao fim de tudo, vão-se esses momentos, e sua alma inteira se cobre de escuridão total.

A CRIAÇÃO DE UM PAPEL

É certo que há casos em que um homem é avassalado súbita e totalmente por uma paixão: Romeu foi ferido de súbito por seu amor por Julieta. Quem sabe, entretanto, se Romeu, havendo sobrevivido, não teria provado o destino geral dos homens, passando por todas as horas difíceis, todas as emoções sombrias que são o apanágio inevitável do amor?

Demasiadas vezes, no palco, tudo acontece em gritante contraste com a natureza das paixões humanas: os atores se apaixonam de cara, sentem ciúmes na primeira oportunidade possível. Muitos deles são inocentes a ponto de acreditar que as paixões humanas — quer se trate de amor, ciúme, avareza — são como cartuchos ou bombas que o ator pode implantar no coração. Chega a haver atores que se especializam, de modo muito primitivo, nesta ou naquela paixão humana. Procurem lembrar-se do tenor de ópera, todo embonecado, efeminado, com o cabelo cacheado para parecer um anjo. Sua especialidade é o amor, só o amor, isto é, fazer pose em cena, fingir que está pensativo, sonhador, pôr continuamente a mão no coração, correr de um lado para o outro para representar paixão, abraçar e beijar a heroína, morrer com um sorriso sentimental, enviar a ela um derradeiro pedido de perdão. E se por acaso o papel tiver trechos alheios ao amor, então o divo simplesmente não representa, ou tenta usar esses trechos como parte de sua especialidade, o amor teatral, fingindo meditar, depois de assumir uma pose vistosa. Os atores que interpretam papéis heroicos nos dramas costumam fazer o mesmo. Igualmente, os assim chamados moralistas, os pais nobres dos dramas e os baixos de ópera cuja função habitual é a de representar o ódio no palco. Esses atores estão sempre intrigando, ou odiando, ou protegendo seus filhos com toda a força que têm.

A atitude desse tipo de ator para com a psicologia e as paixões humanas é ingenuamente unilateral, segue uma trilha só: o amor é representado pelo amor, o ciúme pelo ciúme, o ódio pelo ódio, a dor pela dor, a alegria pela alegria. Não há contrastes, relações mútuas entre as nuanças interiores, tudo é plano e monótono. Tudo é feito numa só cor. Os vilões são inteiramente em negro, os ben-

O PERÍODO DE EXPERIÊNCIA EMOCIONAL

feitores em puro branco. Para cada paixão, o ator tem sua cor especial, como os pintores pintando cercas e crianças colorindo seus desenhos. O resultado é a atuação "em geral". Tais atores amam "em geral", enciumam-se "em geral", odeiam "em geral". Retratam os complexos componentes da paixão humana por meio de sinais elementares e, em sua maioria, exteriores. Demasiadas vezes um ator pergunta a outro:

— Em que você vai basear esta ou aquela cena?

— Em lágrimas — ou — Em gargalhadas — Em alegrias — ou — Em inquietação — responde o outro, sem sequer desconfiar de que não estão falando de ação interior, mas de seus resultados exteriores.

O ator tem de conhecer a natureza de uma paixão, tem de conhecer o traçado que o deverá orientar. Quanto mais o ator conhece a psicologia da alma e da natureza, quanto mais as estuda em suas horas vagas, melhor poderá penetrar na essência espiritual da paixão humana e, assim, a partitura de qualquer papel que interpretar será mais rica de detalhes, mais complexa, mais variada.

Queremos observar mais de perto o desenvolvimento de uma paixão, e por isso eu volto ao trabalho que interrompemos com a partitura do papel de Chatski, quando a recompusemos na clave do seu amor por Sofia.

Utilizando o esquema que traçamos, tentarei achar nele todas as graduações necessárias para o desenvolvimento da paixão do amor, de acordo com a época, como atinge Chatski ao voltar do exterior.

Evoco o estado de um homem enamorado, e ponho-me no centro das circunstâncias, isto é, na situação de Chatski. Desta vez, meu trabalho irá retrocedendo, dos objetivos maiores até os de menor importância.

Aqui estou eu, recém-chegado de fora, nem sequer fui à minha casa, mas rumei logo para os portões da mansão Famusov.

Meu desejo de ver Sofia é tão forte que eu realmente devo revisar o meu primeiro grande objetivo, alterando-o para:

A CRIAÇÃO DE UM PAPEL

2A. Ver minha ardentemente amada Sofia o mais depressa possível.

Que devo fazer para isso?

Agora minha carruagem parou. O cocheiro está chamando o zelador do pátio para que abra os portões.

Não consigo sentar-me tranquilamente na carruagem. Tenho de fazer alguma coisa. Minha energia transbordante me faz agir com mais vigor, minha euforia aumentou dez vezes, sou impelido por ela.

2a. Quero apressar o instante do nosso encontro, com o qual sonhei tão ardentemente quando estava fora.

Agora salto da carruagem, corro ao portão, bato com a corrente que o mantém fechado. Espero que o criado o abra, e enquanto isso bato com os pés para baixo e para cima, vigorosamente, por excesso de energia. Os portões rangem nos gonzos. Assim que se entreabrem um pouquinho, enfio-me para dentro. Mas o criado me barra o caminho, quer demonstrar sua alegria por me ver.

2b. Tenho de trocar saudações, ser amável com ele.

Fá-lo-ia com satisfação, principalmente quando ele é criado *dela*. Mas uma força interior me impele para diante e, por isso, sou quase automático em minha saudação; saio correndo, antes mesmo que as palavras acabem de deixar minha boca.

Assim, a necessidade de apressar o encontro com Sofia funde meu pequeno objetivo 2b com o anterior, 2a, e torna-se uma ação mecânica.

Agora, atravesso correndo o grande pátio, até a porta da frente.

2c. Preciso acordar logo o porteiro sonolento.

Pego, agora, a alça da campainha e puxo com todas as minhas forças. Espero. Puxo outra vez.

Não consigo impedir minhas mãos de puxar, embora saiba que arrisco romper o cordão da campainha.

O PERÍODO DE EXPERIÊNCIA EMOCIONAL

Agora o vira-lata da família está ganindo e fazendo festa aos meus pés. É o cãozinho *dela*.

2d. Quero afagar o cãozinho, que é meu velho amigo, e também porque pertence a *ela*.

Mas não tenho tempo. Preciso tocar a campainha. Portanto, este objetivo se mescla com o 2c.

Finalmente abrem a porta, e eu me precipito para o vestíbulo. O ambiente familiar me envolve e me estonteia. Uma força interior me impele, mais forte que nunca, não me deixa sequer deter-me para olhar em torno. Mas surge nova demora. O porteiro me saúda com sua voz relinchante.

2e. Preciso saudá-lo, ser amável, trocar algumas palavras com ele.

Mas esse objetivo se funde no meu objetivo maior, total, e meu desejo de apressar meu encontro com Sofia torna superficiais meus cumprimentos.

Corro adiante, resmungando às pressas qualquer coisa. Subo a escada de quatro em quatro degraus. E então, no meio do caminho, no patamar, dou com o despenseiro e a governanta. Assustam-se com a minha precipitação veloz e ficam paralisados com a inesperada surpresa de me verem.

2f. Preciso trocar saudações com eles, tenho de perguntar por Sofia: Onde está ela? Está bem? Já acordou?

Quanto mais me aproximo do fim de meu esforço, mais forte é o empuxo que me atrai para ela. Primeiro, quase me esqueço de cumprimentá-los, mas imediatamente exclamo:

— *Mademoiselle* já se levantou? Posso entrar?

E, sem esperar resposta, corro pelo corredor, passando pelos aposentos familiares. Alguém grita por mim, alguém corre atrás de mim.

Então paro e começo a me recuperar.

— Não posso entrar? Ela está se vestindo?

A CRIAÇÃO DE UM PAPEL

Recorro a toda minha força de vontade para conter minha excitação e começar a tomar fôlego.

Para extravasar minha dolorosa impaciência, bato com os pés. Alguém se aproxima de mim, correndo, com um gritinho.

— Oh! Liza!

Agora, ela me toma pela manga do paletó e eu a acompanho.

Agora, acontece uma coisa. Perco a cabeça, não sei, não me lembro de nada. Será um sonho? Minha infância de volta? Uma visão? Ou será uma alegria que outrora conheci, nesta ou em alguma outra vida? Deve ser ela! Entretanto, não posso dizer nada sobre ela. Só sei que Sofia está diante de mim. Lá está *ela*. Não. É melhor ainda. É uma outra Sofia.

E então, espontaneamente, um novo objetivo se forma.

2B. Quero saudar, falar com esta visão!

Mas como? Para uma jovem assim desabrochada, preciso encontrar novas palavras, novo relacionamento.

A fim de encontrá-los:

2a. Tenho de examinar Sofia cuidadosamente, fitar seus traços familiares e queridos, avaliar a mudança ocorrida desde que nos separamos.

Fixo nela os meus olhos, não quero apenas vê-la, quero enxergar sua própria alma.

Nesse instante, em meu sonho, vejo uma encantadora mocinha, vestida na moda da década de 1820. Quem será ela? O rosto me é familiar! De onde terá vindo? De alguma gravura? Seria de algum retrato, ou uma lembrança qualquer, que eu mentalmente transportei e vesti com os trajes da época?

Fito essa Sofia imaginária, sinto a *verdade* do meu olhar. Provavelmente, o próprio Chatski olhou para Sofia com esta mesma impressão de atenção concentrada. Depois vem acrescentar-se a isto uma sensação familiar, talvez de perplexidade, talvez de mal-estar.

Que sentimento é esse? Do que recorda? De onde surgiu?

O PERÍODO DE EXPERIÊNCIA EMOCIONAL

Tento adivinhar. Remonta a muito tempo. Quando eu era ainda quase criança, conheci uma menininha. As pessoas em torno brincavam conosco, diziam que éramos um casal, um parzinho de noivos. Eu ficava embaraçado, e depois pensei muito nela. Escrevemos um ao outro. Passaram-se muitos anos. Cresci, mas em minha imaginação ela era sempre uma menininha. Afinal, nos encontramos, e ambos nos sentimos encabulados, pois não tínhamos esperado parecer um ao outro como parecemos. Eu não podia imaginar o que dizer a uma moça feita, como ela se tornara. Precisava falar-lhe de um modo diferente, não sabia exatamente como, mas não poderia ser do mesmo jeito que lhe falava antes...

Todo o mal-estar, a perplexidade, a procura de um novo relacionamento saem agora de minha memória por analogia com o presente. Uma lembrança viva acrescenta o calor do sentimento vivo ao meu sonho presente, faz pulsar meu coração, sinto a real veracidade de minha situação. Sinto dentro de mim alguma coisa que está visando, buscando uma via de acesso, tentando estabelecer novos relacionamentos recíprocos com alguém que é um objeto novo, porém familiar. Essas tentativas trazem o selo da verdade, aquecem minhas emoções, dão vida a esse momento de encontro que imaginei.

Nesse instante, um momento da minha infância me vem à lembrança. Em alguma ocasião estive diante de minha amiguinha exatamente assim, inundado de alegria inexprimível, e em volta de nós, por toda parte, havia brinquedos em desordem. Não sei mais nada sobre esse momento da minha vida, mas é profundo e importante. Agora, como então, em meus pensamentos, ajoelho-me diante dela, sem saber por quê, mas percebendo que isso faz muito efeito! Ao mesmo tempo, me lembro de uma ilustração num livro infantil, de contos de fadas. Ali, no tapete voador, ajoelha-se, como estou fazendo agora, um formoso rapaz, e diante dele, como diante de mim, uma linda donzela está de pé.

A esta altura, como Chatski, eis o que eu quero fazer:

A CRIAÇÃO DE UM PAPEL

2b. Transmitir, com um beijo, todos os meus sentimentos reprimidos.

Mas como? À menina que conheci, eu teria apertado nos braços e erguido do chão. Mas esta? Perco a cabeça, aproximo-me de Sofia timidamente, e beijo-a de um jeito que, de algum modo, é diferente.

2c. Tenho de acariciar Sofia com o olhar e as palavras.

Agora, que já senti a real veracidade destes momentos de meu papel, me pergunto: o que faria eu se, como Chatski, percebesse o embaraço, a frieza de Sofia, e tivesse sentido a ferroada de seu olhar inamistoso?

Como em resposta a esta pergunta, sinto-me encolher, interiormente, para fugir à dor do ferimento; meus sentimentos ofendidos enchem meu coração de amargura, e meu desencanto esfria-me a energia. Quero, o mais depressa possível, escapar desta situação...

A partitura formada e percorrida na clave do apaixonado só transmitirá o amor de Chatski por Sofia quando de fato passar a ser mesmo dele, quando for conferida com o texto da peça e adaptada a ele, isto é, quando correr de acordo com os acontecimentos da peça, paralelamente à paixão amorosa que ela contém, e quando todas as palavras da peça adquirirem uma base correspondente na partitura. Agora, quando estabelecemos e pomos à prova a partitura física e psicológica simples, temos de voltar ao texto da peça para escolher dentro dele, numa sequência consecutiva, lógica, os objetivos e unidades que servem para desenvolver a paixão de Chatski.

Para executar esse trabalho, é preciso saber como dissecar o texto de nosso papel. Temos de saber como recolher nele todas as suas unidades, objetivos, momentos que, somados, deem, como resultado total, uma paixão humana. É preciso saber como estudar essas unidades, objetivos e momentos, em função do traçado já estabelecido de uma paixão, que lhes serve de guia. Deve-se ainda saber como dar a esses momentos, tirados do texto do autor, uma base viva e motivação interior. Em suma, deve-se subordinar o texto do papel não ao traçado externo, mas ao traçado interno do de-

O PERÍODO DE EXPERIÊNCIA EMOCIONAL

senvolvimento da paixão determinada, e encontrar o lugar certo — no encadeamento das paixões — para cada instante do papel...

Façamos, agora, uma comparação entre as duas partituras para o papel de Chatski, a partitura estabelecida na clave do amigo e na do apaixonado.

O que é que muda, e o que é que permanece constante nessas duas partituras? Vou explicar com um exemplo.

Imerso em seu desejo de ver Sofia o mais depressa possível, o Chatski amoroso saúda todas as pessoas em seu caminho — o zelador do pátio, o porteiro, o despenseiro, a governanta — fugazmente, mecanicamente, apenas meio consciente do que está fazendo. Ao passo que, ao fazer essas coisas na clave de amigo, ele executava cada um desses detalhes com meticulosa atenção. Mais tarde, como apaixonado, ele não tem tempo de contemplar os salões familiares. Precipita-se para o alvo de seus desejos, sobe a escadaria saltando os degraus de quatro em quatro. Na clave de amigo, dava-se justamente o oposto: seu encontro com o zelador e o porteiro e a contemplação das salas familiares recebiam muito mais tempo e atenção. Aqui o tom interior não só se alarga, mas também se aprofunda, pois abarca ao mesmo tempo o tom do amigo e o do homem enamorado*.

Deste modo, quanto mais fundo for o tom, quanto mais se aproximar do coração do ator, mais poderoso, apaixonado e penetrante ele se tornará, melhor transmitirá, difundirá e combinará dentro de si os objetivos individuais, que se mesclam uns com os outros até formarem as partes substanciais do papel. Enquanto isso, o número de objetivos e unidades decresce na partitura, mas sua qualidade e substância se acentuam.

---

*No manuscrito original, Stanislavski indicava sua intenção de desenvolver ainda mais as camadas do papel de Chatski, mas não levou esse projeto adiante. Ele teria explorado o papel não só nas claves do amigo e do enamorado, como o fez aqui, mas também na do homem livre e do patriota. Desse modo, a partitura teria finalmente, "por assim dizer, três forros". (Ver também sua referência ao papel em A *preparação do ator,* também publicado pela Civilização Brasileira.)

A CRIAÇÃO DE UM PAPEL

Este exemplo de trabalho com o papel de Chatski demonstra nitidamente que a mesma partitura física e psicologicamente simples de um papel, quando experimentada emocionalmente em tons variados e cada vez mais profundos, vai-se aproximando cada vez mais do coração do ator, em todos os pontos criativos.

A combinação desses elementos interiores do papel, quando acrescentada às suas variadas circunstâncias internas e externas, resulta numa variedade infinita. Reunidos, criam uma extensa escala de experiência emocional. Espontânea e inconscientemente, assumem as mais diversas e irisadas tonalidades de sentimento. O resultado é que os objetivos simples na partitura adquirem significações profundas e importantes para o ator, e também justificação interior. A partitura impregna cada partícula da entidade interior do ator, cativa-o e exerce sobre ele um domínio cada vez mais profundo.

Gradativamente, alcançamos as profundezas mais fundas, que definimos como o âmago, o misterioso "Eu". É aí que as emoções humanas existem em sua fase primeira. Aí, na fornalha flamejante das paixões humanas, tudo que for trivial, raso, é consumido. Só perduram os elementos fundamentais, orgânicos, da natureza criadora do ator.

O SUPEROBJETIVO E A AÇÃO DIRETA

Nesse mais íntimo dos centros, nesse âmago do papel, todos os demais objetivos da partitura convergem, por assim dizer, para um único *superobjetivo*. Este é a essência interior, a meta que abrange tudo, o objetivo de todos os objetivos, a concentração de toda a partitura do papel, de todas as suas unidades máximas e mínimas. O superobjetivo contém o significado, o sentido íntimo de todos os objetivos subordinados da peça. Executando esse superobjetivo único, ter-se-á chegado a uma coisa ainda mais importante, supraconsciente, inefável, que é o espírito do próprio Griboyedov, a coisa que o inspirou a escrever e que inspira o ator a atuar.

O PERÍODO DE EXPERIÊNCIA EMOCIONAL

No romance de Dostoievski *Os irmãos Karamazov,* o superobjetivo é a procura, pelo autor, de Deus e o Diabo na alma do homem. Na tragédia do *Hamlet,* de Shakespeare, esse superobjetivo seria o de *compreender* os segredos do ser. Nas *Três irmãs,* de Tchekov, é *a aspiração a uma vida melhor* ("para Moscou, para Moscou"). Com Leon Tolstoi, era sua incessante busca da "autoperfeição", e assim por diante.

Só os artistas de gênio são capazes de alcançar a experiência emocional de um superobjetivo, de absorver completamente em si mesmo a alma da peça e realizar a síntese deles próprios com o dramaturgo. Os atores de menor talento, que não trazem a marca do gênio, têm de se satisfazer com menos.

Os grandes objetivos encerram em sua constituição uma quantidade de emoções e conceitos vivos, cheios de conteúdo profundo, penetração espiritual e força vital. Um superobjetivo, implantado no âmago espiritual do ator, cria e manifesta, espontânea e naturalmente, milhares de pequenos objetivos individuais no plano exterior do papel. Esse superobjetivo é o principal alicerce da vida e do papel do ator, e todos os objetivos menores são corolários dele, são a consequência e o reflexo inevitáveis do objetivo básico.

Mesmo assim, um superobjetivo criador ainda não é a própria criatividade. No ator, ela consiste no esforço constante em direção ao superobjetivo, e na expressão desse esforço através da ação. Esse esforço, que exprime a essência da criatividade, é *a ação direta do papel* ou da peça. Se para o autor essa ação direta se manifesta na progressão de seu superobjetivo, para o ator a ação direta é a *obtenção ativa do superobjetivo.*

Assim, o superobjetivo e a ação direta representam a meta criativa e a ação criativa, que encerram em si todos os milhares de ações, unidades e objetivos, separados e fragmentários, do papel.

O superobjetivo é a quintessência da peça. A linha direta de ação é o *leitmotiv* que percorre a obra em toda a sua extensão. Juntos, eles guiam a criatividade e os esforços do ator.

O superobjetivo e a ação direta são a aspiração e o propósito vital inatos, arraigados em nosso ser, em nosso misterioso "Eu".

A CRIAÇÃO DE UM PAPEL

Cada peça, cada papel esconde em si um superobjetivo e um fio de ação direta que constituem a vida essencial dos papéis, individualmente, e de toda a peça. As raízes da ação direta devem ser procuradas nas paixões naturais, nos sentimentos religiosos, sociais, políticos, estéticos, místicos e outros, nas qualidades ou vícios inatos, nas boas ou más origens, em tudo o que há de mais desenvolvido na natureza do homem, e que misteriosamente o governa. Todo e qualquer acontecimento em nossa vida interior, ou na vida exterior que nos cerca, tudo é importante em função do elo misterioso, muitas vezes inconsciente, que se liga a alguma ideia principal, às nossas aspirações inatas e a uma linha de ação direta que é o nosso espírito humano.

Assim, o avarento busca em tudo o que lhe acontece o elo secreto com a sua aspiração de enriquecer. O homem ambicioso, com a sua sede de honrarias, o esteta, com os seus ideais artísticos. Muitas vezes, na vida como no palco, a linha direta só se manifesta inconscientemente. Só aparece definida depois do fato, e sua meta final, o superobjetivo, esteve, secretamente, inconscientemente, atraindo, puxando para si, as nossas aspirações humanas.

Se nos desviarmos desse fio principal, cairemos em erro. Por exemplo, há alguns anos, planejamos o último ato de *Ralé,* de Gorki, como uma festa no abrigo noturno. Não sabendo como sentir ou transmitir a filosofia da peça, contentamo-nos em executar os movimentos externos de uma bebedeira. Essa falsa representação dos sentimentos sempre me repugnou, mas, por força do hábito, executei a ação, de um modo superficial, mecânico. Durante dezoito anos cometi esse mesmo engano. Mas recentemente, antes de começar a cena, sentindo relutância em interpretá-la, comecei a procurar algum estímulo novo, uma atitude nova. Que era que a farra tinha a ver com os meus sentimentos no papel de Satin? Era apenas uma parte das circunstâncias externas, por si mesma sem importância, enquanto a essência da cena era inteiramente outra. Luka deixou uma marca: o amor ao próximo. Isso afetou Satin. Ele não está bêbado. Está concentrado em seu novo sentimento de orgulho. Tentei despojar-me de minha atuação falsa. Relaxei meus

O PERÍODO DE EXPERIÊNCIA EMOCIONAL

músculos e concentrei a atenção. Meus objetivos e meus pensamentos assumiram novas formas. Representei bem.

O ator deve aprender a compor uma partitura de objetivos físicos e psicológicos cheios de vida. Deve saber moldar toda a sua partitura de modo a formar um objetivo supremo que abranja tudo. Deve esforçar-se por alcançá-lo. Tudo somado, o superobjetivo (desejo), por meio da ação (esforço) e da obtenção (ação), resulta no processo criador de viver o papel emocional. Assim, o processo de *viver nosso papel consiste em compor uma partitura para ele, em um superobjetivo e na obtenção ativa do mesmo por meio da linha direta de ação.*

Mas no palco, como na vida real, é impossível executar sem obstáculos qualquer movimento, esforço ou ação. Inevitavelmente nos chocamos contra os movimentos e esforços opostos de outras pessoas, ou com acontecimentos conflitantes, ou com obstáculos causados pelos elementos, ou com outros empecilhos. A vida é um *esforço* sem trégua: ou vencemos ou somos derrotados. Assim também, no palco, lado a lado com a ação direta, haverá uma série de *ações diretas opostas,* por parte de outras personagens, outras circunstâncias. O entrechoque e o conflito dessas duas ações diretas opostas é que constitui a situação dramática.

Todo objetivo deve estar dentro dos limites da capacidade do ator. Se não, em vez de levá-lo avante, esse objetivo pode assustá-lo, paralisar-lhe os sentimentos, e em vez de vir à tona tal como realmente é, mandará em seu lugar meros clichês, atuação de tarimba. Quantas vezes vemos acontecer isso! Enquanto o objetivo criador se conserva ao nível dos sentimentos afetivos, o ator vive realmente o seu papel. Mas logo que ele se propõe um objetivo complicado, acima das forças de sua própria natureza criadora, extraído de algum nível das emoções humanas menos conhecido, o seu sentimento natural do papel se interrompe. É substituído pela tensão física, pelo sentimento falso e pela atuação estereotipada.

A mesma coisa acontece quando um objetivo desperta dúvidas, incerteza, debilitando, ou até mesmo destruindo, o esforço de nossa vontade criadora. A dúvida é inimiga da criatividade. Impe-

A CRIAÇÃO DE UM PAPEL

de o processo de viver nosso papel. Portanto, o ator deve ter cuidado com seus objetivos, mantendo-os livres de qualquer coisa que desvie a vontade da essência da criatividade, ou que enfraqueça as aspirações da vontade.

O SUPERCONSCIENTE

Quando o ator já esgotou todas as vias e métodos de criatividade, chega a um limite além do qual a consciência humana não pode estender-se. Aí começa o reino do inconsciente, da intuição, que não é acessível ao cérebro, mas aos sentimentos; não ao pensamento, mas às emoções criadoras. A técnica bruta do ator não pode alcançá-lo. Só é acessível à sua natureza-artista.

Infelizmente, em nossa arte, o reino do inconsciente muitas vezes é esquecido, porque a maioria dos atores se restringe aos sentimentos superficiais, e os espectadores se contentam com impressões puramente externas. Entretanto, a essência da arte e a fonte principal da criatividade se ocultam nas profundezas da alma do homem. Aí, no centro de nosso ser espiritual, no reino de nossa inacessível supraconsciência, existem o nosso misterioso "Eu" e a própria inspiração. É esse o armazém do nosso material espiritual mais importante.

É intangível, e não está sujeito ao nosso consciente. As palavras não podem defini-lo, e tampouco é possível ouvi-lo, vê-lo ou conhecê-lo por meio de qualquer dos sentidos. Com efeito, como se poderia atingir, por meios conscientes, por exemplo, uma alma tão complexa como a de Hamlet? Muitas de suas nuanças, fantasmas, insinuações e emoções só podem ser acessíveis à intuição criadora inconsciente.

Como então alcançá-la? Como sondar as profundezas de um papel, de um ator ou de uma plateia? Isso só pode ser feito com o auxílio da natureza. As chaves dos locais secretos do superconsciente criador estão entregues à natureza do ator como ser humano. Os segredos da inspiração e os inescrutáveis caminhos que levam a ela,

O PERÍODO DE EXPERIÊNCIA EMOCIONAL

só a natureza os conhece. Só a natureza pode fazer o milagre sem o qual o texto de um papel permanece inerte e sem vida. Em suma, a natureza é, no mundo, o único criador que tem a capacidade de promover vida.

Quanto mais sutil for o sentimento, mais se aproximará do superconsciente, mais próximo estará da natureza, e mais distante do consciente. O *superconsciente começa onde a realidade, ou melhor, o ultranatural, acaba,* onde a natureza se liberta da tutela do cérebro, fica livre das convenções, dos preconceitos, da força. Assim, a via natural de acesso ao inconsciente é através do consciente. O único acesso ao superconsciente, ao irreal, é através do real, do ultranatural, isto é, por meio da natureza e de sua *vida criadora normal, não constrangida.*

Os iogues da Índia que fazem milagres no campo do subconsciente e do superconsciente podem nos dar muitos conselhos práticos. Eles também se encaminham para o inconsciente através de meios preparatórios conscientes, do físico para o espiritual, do real para o irreal, do natural para o abstrato. Pegue um punhado de pensamentos, sugerem, e jogue-os em sua sacola subconsciente, dizendo: não tenho tempo de lidar com eles; por isso, você (meu subconsciente) vai se ocupar deles. Depois vá dormir. Quando acordar, pergunte: já está pronto? A resposta é: ainda não. Pegue outro punhado de pensamentos e jogue outra vez na sacola e vá dar um passeio. Quando voltar, pergunte: está pronto? A resposta ainda é: não! E assim por diante. Mas, finalmente, seu subconsciente dirá: está pronto. E então restituirá a você o que você lhe deu para fazer.

Quantas vezes, quando vamos adormecer ou estamos passeando e nos esforçamos por lembrar uma melodia, um pensamento, um nome, um endereço, dizemos a nós mesmos: "O sono é bom conselheiro" e, de manhã, ao acordarmos, percebemos que, de um modo ou de outro, nos lembramos do que procurávamos. O trabalho de nosso subconsciente e superconsciente não cessa, dia e noite, tanto quando o corpo e todo o nosso ser descansam como quando nossos pensamentos e sentimentos são desviados pelas preocupações da vida cotidiana. Mas não nos damos conta do trabalho que

A CRIAÇÃO DE UM PAPEL

constantemente se processa, porque ele se desenvolve fora do alcance da nossa consciência.

Para estabelecer algum tipo de comunhão com o seu superconsciente, o ator precisa saber como "pegar um punhado de pensamentos e jogá-los na sacola de seu subconsciente". O alimento para seu superconsciente, o material da criatividade, está nesses "punhados de pensamentos". Em que consistem eles, e onde obtê-los? São formados de conhecimentos, informações, experiências — todo o material acumulado e armazenado em nossa memória. É por isso que o ator deve estar constantemente abastecendo o armazém de sua memória com o estudo, a leitura, a observação, as viagens, mantendo-se em contato com a vida corrente social, religiosa, política e de outros tipos. E ao entregar esses punhados de pensamentos a seu subconsciente, ele não deve se afobar. Deve saber esperar pacientemente. Se não — é o que dizem os iogues —, ele será como o menino burro que plantou uma semente no chão e depois, de meia em meia hora, a desenterrava, para ver se estava criando raízes.

Todo o trabalho que executamos em nós mesmos e em nossos papéis visa a preparar o terreno para dar início e crescimento a paixões vivas e à inspiração, que jaz adormecida no reino do superconsciente. Há quem acredite que a inspiração vem espontaneamente, independente do que faça o ator, e que ela mesma fornece o seu próprio estado interior criativo. Mas a inspiração é uma criatura caprichosa. Só consente em aparecer dentro de circunstâncias preparadas; e qualquer desvio delas a assusta e faz esconder-se, refugiando-se nos recessos do superconsciente.

Antes de pensar sequer no superconsciente e na inspiração, o ator deve cuidar de estabelecer um clima interior adequado e tão firme que não possa admitir nenhum outro, de modo que esse estado interior se torne, para ele, uma segunda natureza. Mais do que isso, deve aprender a aceitar como suas as circunstâncias dadas de seu papel. Só então a exigente inspiração abrirá suas portas secretas, sairá livremente e tomará em suas mãos de mestra toda a iniciativa da criatividade dele.

O PERÍODO DE EXPERIÊNCIA EMOCIONAL

Chegamos agora ao termo do nosso segundo grande período na preparação de um papel. O que conseguimos realizar? Se o primeiro período foi de análise, preparando o terreno interior para a germinação do desejo criador, este segundo período de experiência emocional desenvolveu aquele desejo criador, convocou a aspiração, o impulso interior para a ação criadora, e assim nos preparou para a ação física, exterior, para a própria encarnação do papel.

CAPÍTULO III O período da encarnação física

O terceiro período de criatividade é a *encarnação do papel*.

Se o primeiro período foi comparado ao primeiro encontro de dois seres que se vão amar, e o segundo ao seu casamento e gravidez, o terceiro é comparável ao nascimento e crescimento de um jovem ser. Agora que já preparamos nossos desejos, objetivos, aspirações, podemos pô-los em ação, não apenas para dentro mas também para fora, usando palavras e movimentos para transmitir nossos pensamentos e sentimentos, ou simplesmente executando nossos objetivos de um modo físico.

Digamos que, incumbido de interpretar o papel de Chatski, estou a caminho do teatro para o nosso primeiro ensaio, que foi marcado depois de toda uma série de sessões preparatórias, como as já descritas. Sinto-me excitado com a expectativa do ensaio iminente. Quero preparar-me para ele. Como começarei? Assegurando a mim mesmo que eu não sou eu, mas Alexandre Chatski? Seria esforço perdido. Nem meu corpo nem minha alma se deixariam levar por um engano tão patente. Isso apenas destruiria qualquer fé que eu tivesse, me faria extraviar e arrefeceria meu fervor. Não posso me trocar por nenhuma outra pessoa. Uma metamorfose miraculosa está fora de cogitação.

Um ator pode alterar as circunstâncias da vida retratada em cena, pode ser capaz de crer num novo superobjetivo, pode entregar-se inteiramente ao principal fio de ação que percorre a peça, pode combinar de uma forma ou outra as suas emoções relembradas, pode arranjá-las nesta ou naquela ordem de sequência, pode desenvolver em seu papel hábitos que não lhe são inatos — e também métodos de interpretação física — e pode mudar seus

A CRIAÇÃO DE UM PAPEL

maneirismos, seu exterior. Tudo isso fará com que o ator, em cada papel, pareça diferente para o espectador. Mas ele sempre permanecerá, simultaneamente, o mesmo. Atua em cena por sua própria conta, embora possa — tanto espiritual como fisicamente — se transformar, ficando mais parecido com o papel que interpreta.

Agora, sentado em meu táxi, quero começar a mudar-me fisicamente em Chatski, embora permanecendo ainda, antes de mais nada, eu mesmo. Nem ao menos tentarei me afastar da realidade. É muito mais vantajoso usar a realidade para os meus fins criadores. Porque se tomarmos uma circunstância imaginária mas verossímil e a injetarmos na vida real, ela adquire uma espécie de vitalidade, que é, frequentemente, mais sedutora e artística que a realidade.

Como acharei um elo entre as circunstâncias imaginárias de meu papel e a minha situação, agora, sentado num táxi? Como iniciarei minha tarefa, começarei a ser, a existir, no meio da realidade cotidiana? Como poderei relacioná-la com a vida do meu papel? Antes de mais nada, preciso estabelecer o estado de "eu sou". Desta vez, não o estou fazendo na imaginação, mas na vida real. Não na casa imaginária de Famusov, mas num táxi.

Seria infrutífero tentar convencer-me de que, ainda hoje, regressei do estrangeiro após uma longa ausência. Eu não acreditaria nessa invenção. Tenho de buscar algum outro meio, sem forçar a mim mesmo ou à minha imaginação, mas ainda assim colocando-me na condição desejada. Tento pesar o significado do fato de regressar do exterior. Para isto, pergunto-me: será que compreendo (sinto deveras) o que significa voltar ao nosso próprio país, depois de uma ausência prolongada? Para responder a esta pergunta, preciso primeiro reavaliar, o mais profunda e amplamente que puder, o próprio fato de um regresso. Devo compará-lo a fatos análogos em minha própria vida, que me são familiares por experiência própria. Muitas vezes voltei a Moscou, do exterior, após uma longa ausência e, então como agora, tomei um táxi para ir ao teatro. Lembro-me claramente de minha alegria na perspectiva de rever os colegas, o teatro, os russos em geral, de ouvir falar o meu próprio idioma, ver o Kremlin, conversar com o rude motorista — sentia-

O PERÍODO DA ENCARNAÇÃO FÍSICA

me feliz aspirando "os vapores de nossa mãe-pátria", que são para nós "tão caros e congênitos". Da mesma forma como alguém se alegra ao trocar seu *smoking* justo e seus sapatos apertados de verniz por um confortável robe de chambre e chinelos macios, também ficamos encantados por voltar à hospitaleira Moscou, depois da agitação das cidades estrangeiras.

Essa sensação de serenidade, descanso, de chegarmos ao nosso próprio lar, é coisa que sentimos ainda mais profundamente quando a viagem não se fez num confortável carro-dormitório, mas numa carruagem sacolejante, com revezamento de cavalos. Lembro-me de uma viagem assim! O pessoal embasbacado, os cavalos de posta, os cocheiros, as esperas, os solavancos, nossos flancos, costas e cadeiras moídos, as noites sem sono, as auroras deslumbrantes, o insuportável calor do dia ou as geadas do inverno — em suma, tudo o que era a um só tempo maravilhoso e terrível e fazia parte das viagens em diligência! Se era duro viajar durante uma semana, como eu fazia, imaginem o que seria viajar meses a fio, como Chatski viajou!

E como era grande a alegria de voltar! Posso senti-la agora, sentado em meu táxi, indo para o teatro. E sem querer, as palavras do próprio Chatski me vêm ao espírito:

...fora de mim,
Dois dias e duas noites sem pregar olhos,
Viajei velozmente as centenas de milhas,
Nos vendavais e na tempestade...

Entendo agora o impacto emocional dessas palavras. Compreendo, sinto o que Griboyedov deve ter sentido ao escrevê-las. Percebo que estavam cheias das emoções palpitantes, vivas, de um homem que viajara muito, muitas vezes deixara o seu país e regressara. É por isso que as palavras são tão profundas, quentes e significativas.

Aquecido pelos ardentes sentimentos do patriota, tento fazer-me outra pergunta: o que sentiria Alexandre Chatski, se estivesse a caminho para ver Famusov e Sofia? Pondo-me em seu lugar, já estou sentindo um certo desconforto, uma sensação de que, de

A CRIAÇÃO DE UM PAPEL

algum modo, estou perdendo o equilíbrio. Como adivinhar os sentimentos de outro? Como conseguir meter-me em sua pele, pôr-me em seu lugar? Retiro logo a pergunta proposta e a substituo por outra: o que fazem os homens apaixonados quando, após uma ausência de vários anos, estão a caminho para ver a criatura de seus sonhos?

Assim formulada, a pergunta não me assusta: mas parece um pouco seca, vaga, generalizada, e então me apresso a dar-lhe uma formulação mais concreta: o que faria eu se, como agora, estivesse num táxi, mas não a caminho do teatro, e sim me dirigindo para onde *ela* está, quer se chame Sofia ou tenha qualquer outro nome?

Quero frisar a diferença entre estas duas versões da pergunta. Na primeira versão, eu me pergunto o que faria *outro homem,* enquanto, na segunda, *meus próprios sentimentos* estão envolvidos. Uma pergunta assim nos fere mais de perto. Portanto, tem mais vitalidade, seu sentimento é mais quente. A fim de decidir agora o que eu estaria fazendo se estivesse a caminho para vê-la, tenho de me pôr em condições de sentir o magnetismo de seus encantos.

Para todo homem existe uma *ela,* às vezes loura, às vezes morena. Às vezes é boa, às vezes feroz, mas sempre maravilhosa, fascinante, o tipo de *ela* pelo qual poderíamos nos apaixonar de novo a qualquer instante. Eu, como qualquer outra pessoa, penso na minha ela ideal, e é bem fácil achar em mim as emoções e impulsos interiores familiarmente despertados.

Tentarei, agora, transplantá-la para o ambiente da casa de Famusov, em Moscou, na década de 1820. De fato, o que a impede de ser ao mesmo tempo Sofia Famusov e o tipo de moça que Chatski imaginou que ela fosse? Quem poderia verificar? Portanto, seja como eu quiser. Começo a pensar nos Famusov, no ambiente em que devo projetar agora a senhora de meu coração. Com facilidade, minha memória reconstitui a grande massa de material recolhido anteriormente, quando elaborei o traçado emocional de meu papel. As circunstâncias familiares externas e internas da vida em casa de Famusov são outra vez reconstruídas na devida ordem, e cercam-me por todos os lados. Já estou me sentindo dentro de

O PERÍODO DA ENCARNAÇÃO FÍSICA

seu cerne, começo a ser, a existir, dentro delas. Agora já posso determinar, hora por hora, como será a totalidade deste dia de hoje, posso dar sentido e justificação ao fato de estar me dirigindo para a casa dos Famusov.

Ainda assim, enquanto executo esse trabalho, percebo uma certa dificuldade. Alguma coisa me impede de ver justamente *ela* na casa de Famusov e acreditar em minha imaginação. Que será? Qual será o motivo? De um lado, aqui estou eu, e aqui está ela, um homem e uma mulher modernos, um táxi moderno, ruas modernas; de outro lado, lá estão a década de 1820, os Famusov, seus vívidos representantes. Mas será que a vida dos tempos e da época tem tanta importância assim, ante a eterna emoção do amor? Para a vida de um espírito humano, será mesmo tão importante que, em outros tempos, as carruagens tivessem outras molas, as ruas não fossem tão bem calçadas, os transeuntes usassem outro tipo de roupa, as sentinelas tivessem alabardas? Será importante o fato de a arquitetura deles ser melhor, e o futurismo e o cubismo não existirem? Entretanto, a alameda tranquila, flanqueada por velhas casas particulares, por onde meu carro vai passando agora, não deve ter mudado quase nada desde aquele tempo. Exala o mesmo clima triste, poético, tem hoje a mesma ausência de agitação, a mesma serenidade daqueles dias. Quanto aos sentimentos de um enamorado, em todos os séculos, se compõem dos mesmos elementos, independente de ruas ou roupas de transeuntes.

Buscando mais uma resposta para a pergunta sobre o que eu faria, se estivesse indo *vê-la*, e ela vivesse nas circunstâncias da casa Famusov, volto os olhos para mim mesmo para achar a resposta em meus próprios impulsos incipientes. Eles me evocam a excitação e a impaciência comum de um apaixonado. Sinto que, aumentando o grau de intensidade dessa excitação e impaciência, eu teria dificuldade de ficar quieto em meu lugar, veria meus pés empurrando o banco do táxi, no esforço de apressar o motorista. Eu teria a sensação física de um surto de energia. Sentiria a necessidade de encaminhá-la, empenhá-la numa ação qualquer. Sinto, agora, que as principais forças motrizes de minha vida interior se esforçam para dar resposta às perguntas: Como a encontrarei? Que devo dizer e fazer para tornar memorável este encontro?

Comprar flores para ela? Bombons? Que banalidade! Trata-se, por acaso, de uma *cocotte* para a qual se levam flores e bombons no primeiro "encontro"? Em que é que eu vou pensar? Algum presente comprado no estrangeiro? Pior ainda! Não sou nenhum caixeiro-viajante para cobri-la de presentes na primeira vez que a vejo, como se ela fosse minha amante! Esses pensamentos baixos e esses prosaicos impulsos me fazem enrubescer. Ainda assim, quando a encontrar, como saudá-la condignamente? Trar-lhe-ei meu coração, pôr-me-ei a seus pés. "O dia mal se levanta, e eis-me a seus pés!" As palavras do próprio Chatski irrompem de mim. Eu não poderia achar uma saudação melhor.

Estas primeiras palavras do papel de Chatski, que antes me desagradavam, tornam-se, de súbito, necessárias. Gosto delas. E até mesmo a genuflexão que habitualmente as acompanha no palco já não parece teatral, mas perfeitamente natural. Neste instante, compreendi o impacto emocional, os impulsos interiores que levaram Griboyedov a escrever tais linhas.

Entretanto, se devo ofertar-me aos seus encantadores pés, gostaria de sentir que sou digno dela. Serei suficientemente bom para entregar-me a ela? Meu amor, minha lealdade, a constante veneração por meu ideal, tudo isto é puro e digno dela. Mas eu, eu mesmo? Não sou suficientemente belo e poético! Queria ser melhor, mais fino. Aqui, involuntariamente, eu me aprumo, tento fazer uma cara melhor, assumir uma pose graciosa. Consolo-me com a ideia de que não sou pior que os outros, e para certificar-me deste fato, comparo-me com os transeuntes. Felizmente, para mim, só vejo pessoas deformadas.

Voltando a atenção para a gente que vai pela rua, sem perceber, desvio-me ligeiramente de meu propósito anterior. Começo a ver a cena familiar com os olhos de alguém que se habituou com os países ocidentais. Aquilo ali perto do portão não é um homem, é um monte de peles. Uma chapa de metal reluz em sua cabeça

O PERÍODO DA ENCARNAÇÃO FÍSICA

como o olho solitário de um ciclope. É um guarda-pátio de Moscou. Santo Deus, que barbaridade! Deve ser algum esquimó!

E lá está um policial moscovita! Com a ponta da bainha, está cutucando as costelas de uma pobre égua velha e trôpega, como se a quisesse partir em duas, porque o animal não aguenta puxar uma carroça sobrecarregada de lenha. Ouvem-se berros e pragas, um chicote zune. Igual à Ásia, igual à Turquia! E quanto a nós mesmos? Acaso não somos vulgares caipiras, mal talhados e rudes, mesmo fantasiados com nossas roupas estrangeiras? Enrubesço de novo à ideia de uma comparação com o Ocidente, e meu coração afunda. Que ideia farão de tudo isso os estrangeiros que aqui vêm...

Todas as palavras de Chatski encontram dentro de mim um eco emocional, o mesmo tipo de coisa que Griboyedov sentiu ao escrevê-las. Quando se começa a examinar minuciosamente os fenômenos familiares, as velhas coisas, de que já nos havíamos cansado e para as quais já não olhávamos mais, eles nos causam, de repente, uma impressão mais forte que as novas e inesperadas. É o que se passa comigo, agora. Quanto mais observo as coisas que vou encontrando a caminho do teatro, quanto mais pareço filtrar essas impressões revistas pelo prisma de alguém que acaba de voltar do exterior, tanto mais fortemente se acentuam os meus sentimentos de patriota. Compreendo que não foi a amargura, mas uma angústia da alma, um grande amor à Rússia, uma profunda compreensão daquilo que ela tem de precioso e daquilo que lhe falta, que fizeram Chatski fustigar aqueles que arruínam a nossa vida e obstruem o seu desenvolvimento...

— Ah, bom-dia — exclamo superficialmente, e curvo-me para saudar alguém, sem pensar no que faço.

Quem seria? Ah, sim. É um célebre aviador e automobilista de corrida.

Isto poderia parecer um grande anacronismo. Deveria fazer explodir totalmente a minha ilusão. De modo algum! Repito: não é questão de tempo, de modo de vida, mas simplesmente das emoções de um homem apaixonado e dos sentimentos de um patriota voltando ao seu país. Um apaixonado não pode muito bem ter um

A CRIAÇÃO DE UM PAPEL

primo aviador? Um patriota, voltando à sua terra, pode por acaso encontrar um ás do volante? Mas há uma coisa que eu estranho. Parece-me que não reconheço o meu próprio jeito na forma como o cumprimentei. De um certo modo, é diferente. Quem sabe, talvez assim o fizesse Chatski?

Outra coisa estranha: por que é que sinto uma certa satisfação artística em ter saudado esse homem, assim, de um modo tão espontâneo? Como foi que aconteceu? O meu braço, inconscientemente, fez uma espécie de movimento que sem dúvida estava exatamente certo. Ou será que foi certo porque eu não tive tempo de pensar no meu gesto, e fui impelido a fazê-lo por um impulso interior direto? Seria inútil recordar um gesto inconsciente desses e tentar fixá-lo em minha memória. Ele jamais se repetirá, ou então será espontâneo, inconsciente. E, se voltar a ocorrer muitas vezes, chegará a tornar-se habitual e passará a ser parte permanente do meu papel. Em outras palavras, para fazer com que isso aconteça, devo tentar evocar não o próprio gesto, mas o estado geral em que me encontrava e que evocou, embora por um só momento, uma imagem exterior que talvez já esteja se formando dentro de mim e buscando uma forma externa.

É isso o que se dá quando recordamos uma melodia ou um pensamento esquecido. Quanto mais afincadamente o buscamos, maior é a teimosia com que ele se esconde de nós. Mas se conseguimos recordar com clareza o lugar, as circunstâncias, o nosso estado de espírito quando esse pensamento nos ocorreu pela primeira vez, ele espontaneamente será ressuscitado em nossa memória.

Aqui meu trabalho interior é interrompido, pois meu carro se aproxima do teatro e para diante da entrada dos artistas. Salto e entro no teatro com a sensação de que já estou "exercitado", pronto e disposto para o ensaio. Meu papel foi calculado e eu sinto que "sou".

Dentro do teatro, sentamo-nos em volta de uma grande mesa na sala de ensaios. Tem início a leitura. É lido o primeiro ato. O diretor franze as sobrancelhas, todos em torno têm os olhos grudados em seus textos. Desnorteamento, embaraço, perplexidade,

O PERÍODO DA ENCARNAÇÃO FÍSICA

desilusão! Não queremos mais ler. O texto só serve para nos incomodar, não há nenhum motivo vital para ficarmos ali com o nariz enfiado nele. Agora temos a impressão de que nos mergulharam na água, e já não sabemos mais onde foi parar tudo aquilo que estivemos buscando por tanto tempo, o que criamos com tanto esforço, no silêncio de nossos gabinetes de estudo ou de nossas noites de insônia. No meu próprio caso, eu sentia, emocional e fisicamente, uma imagem interior do homem que devo interpretar, conhecia toda a vida interior do meu papel. Que aconteceu com todos esses sentimentos? É como se os tivessem partido em minúsculos fragmentos, seria impossível achá-los e reconstituí-los dentro de mim. Pior ainda, sinto que, em vez da riqueza criativa que armazenei, me ofereceram truques baratos de ator, hábitos, rotinas gastas, uma voz forçada, entonações forçadas. Em vez da ordem harmoniosa de que eu tinha consciência, quando trabalhava em casa, estou agora sujeito a uma anarquia dos músculos, que não consigo controlar. Sinto que perdi a partitura que levei tanto tempo para compor, terei de recomeçar desde o início outra vez. Da primeiríssima leitura da peça, eu me sentia como um mestre bem treinado, e agora me sinto como um aprendiz desamparado. Então eu podia, confiantemente, disparar uma atuação estereotipada, e me sentia como um *virtuose* de minha profissão. Agora, sem confiança, tento dar forma física a meu papel, e me sinto como um estudante. Que aconteceu com aquilo tudo?

A resposta a estas perguntas angustiantes é clara e simples. Por mais longa que tenha sido a carreira de um ator, esses momentos de desamparo, como as dores do parto, são inevitáveis no instante em que gera o seu papel. Não importa quantos papéis tenha criado, quantos anos tenha trabalhado no palco, não importa a experiência que tenha adquirido — ele jamais poderá escapar a essas dúvidas e torturas criadoras que estamos sofrendo agora. E, por mais vezes que essa situação se repita, sempre parecerá aterrorizante, desesperadora, irreparável, enquanto esse estado de espírito o dominar.

Não há experiência nem persuasão capazes de convencer os atores de que o trabalho criador de experimentar emocionalmente

A CRIAÇÃO DE UM PAPEL

um papel e depois dar-lhe forma física não deve ser feito repentinamente, de uma só vez, mas sim gradualmente, por etapas vagarosas. Primeiro, como já vimos, experimentamos nosso papel mentalmente, e depois o encarnamos numa imagem imaginativa, durante aquelas noites sem sono; depois, de modo mais consciente, mas ainda na tranquilidade de nosso quarto de estudo; depois, em ensaios íntimos; depois, na presença de alguns poucos espectadores; depois, em toda uma série de ensaios gerais; e, finalmente, em inúmeras representações. E a cada vez refazemos o mesmo trabalho, desde o início.

A pergunta que surge agora é: como poderemos criar novamente, num ensaio íntimo, o papel que preparamos em casa? Tranquila e alegremente, o diretor já nos comunicou que ainda não estamos prontos para o puro texto de Griboyedov. Não convém turvar e desgastar antes da hora as palavras de uma peça. Assim sendo, sugere que cessemos nossa leitura.

O texto verbal de uma peça, principalmente quando escrita por um gênio, é a manifestação da clareza, da sutileza, do poder concreto do próprio autor de exprimir pensamentos e sentimentos invisíveis. Dentro de todas as palavras, e em cada uma delas, há uma emoção, um pensamento que produziu essa palavra e justifica sua presença. As palavras vazias são como cascas de nozes sem miolo, conceitos sem conteúdo. São inúteis. Aliás, são prejudiciais. Sobrecarregam o papel, esmaecem a nitidez de sua delineação, devem ser jogadas fora como se fossem lixo. Enquanto o ator não for capaz de preencher cada palavra do texto com emoções vivas, o texto de seu papel permanecerá morto.

Na obra de um gênio, não há nenhum instante ou sentimento supérfluo, e portanto, na partitura que compuser para seu papel, o ator só deve incluir os sentimentos que forem absolutamente indispensáveis para executar o superobjetivo e a ação direta. Só quando o ator prepara essa partitura e essa imagem interior é que o texto revela estar na medida exata da criação desse ator. Uma peça escrita por um gênio exige uma partitura de igual valor.

O PERÍODO DA ENCARNAÇÃO FÍSICA

Enquanto esta não for criada, haverá palavras demais ou de menos, excesso ou insuficiência de emoções.

Se muitas das palavras do texto de *A desgraça de ter espírito* parecem supérfluas, isso só quer dizer que a partitura do ator ainda não está aperfeiçoada e requer um teste no palco, numa verdadeira ação criadora. Não basta descobrir o segredo de uma peça, seu pensamento e seus sentimentos — o ator tem de ser capaz de convertê-los em termos de vida. Um texto deveras grande é condensado, mas isto não o impede de ser profundo e significativo. A forma exterior e os recursos de que esta se serve têm de estar à altura dele. A própria partitura deve ser sólida, a forma pela qual ela é transmitida deve estar compactamente preenchida, e a imagem física deve ser vívida, incisiva e substancial.

Quando o ator, em sua criatividade, se mostra à altura de um texto notável, as palavras de seu papel revelam-se como a melhor, a mais indispensável e a mais fácil das formas de encarnação verbal com que ele pode manifestar suas próprias emoções criativas por meio de sua partitura interior. Então as palavras de um outro, o autor, tornam-se as palavras do próprio ator, e o texto integral torna-se a melhor partitura para o ator. Então, as formas e ritmos incomuns dos versos de Griboyedov se tornarão necessários, não só para o prazer do ouvido, mas também por causa da acuidade e do acabamento na transmissão das emoções e de tudo o que há na partitura do ator.

Geralmente, as falas da peça só se tornam indispensáveis para o ator na última etapa de seus preparativos criadores, quando todo o material interior que ele acumulou já se cristalizou numa série de momentos definidos, e a encarnação física do seu papel está elaborando métodos para a expressão de emoções características.

Essa hora ainda não foi alcançada por nós. Em nossa presente fase, o simples texto da peça é apenas um empecilho. O ator ainda não é capaz de fazer dele uma estimativa plena, profunda ou cabal. Seu papel ainda está no período da procura de uma encarnação física, e sua partitura ainda não foi posta à prova no palco — os sentimentos supérfluos e os modos de exprimi-los ainda são inevi-

A CRIAÇÃO DE UM PAPEL

táveis. O puro texto do dramaturgo parece pequeno demais, e os atores o preenchem com palavras suas, interpolações de "bem", e "ora", e assim por diante.

No início do processo de encarnação física, o ator faz uso imoderado e extravagante de tudo que possa transmitir suas emoções criadoras: palavras, voz, gestos, movimento, ação, expressão facial. A essa altura, o ator não poupa nenhum recurso, desde que possa, seja lá como for, exteriorizar tudo o que sente dentro de si. Parece-lhe que quanto maior for o número de recursos e meios que utilize para dar forma física a cada momento individualmente, quanto maior for a possibilidade de escolha, mais substancial e recheada ficará a encarnação física propriamente dita. Mas nesse período de procura, não só as palavras alheias, do autor, como até mesmo as nossas próprias palavras, são por demais concretas para exprimir as emoções jovens, apenas desabrochadas, da partitura.

O diretor tinha razão de interromper a leitura. Em vez disso, somos convidados a prosseguir fazendo algumas improvisações sobre temas de nossa própria escolha. Trata-se de exercícios preparatórios, procurando encontrar expressão física para sentimentos, pensamentos, ações e imagens que sejam análogos aos dos nossos papéis. Com o auxílio deles, e acrescentando cada vez novas circunstâncias, sondamos a natureza de cada emoção, suas partes componentes, sua lógica e ordem de sequência.

Ao começarmos nossas improvisações, o essencial é pôr em ação todos os desejos e objetivos que acaso brotem dentro de nós. Esses desejos e objetivos, a princípio, devem ser derivados não de fatos de ficção tirados da peça, mas das circunstâncias reais que envolvem o ator durante o ensaio. Que os seus impulsos interiores, formando-se nele espontaneamente, despertem os objetivos mais imediatos, e também o superobjetivo da improvisação. Entretanto, o ator, enquanto executa este trabalho, não deve esquecer as circunstâncias propostas pelo autor, que são aquelas que o ator já percorreu e que, de qualquer maneira, relutaria em abandonar, pois

O PERÍODO DA ENCARNAÇÃO FÍSICA

já se tornou muito chegado a elas no período precedente, em que experimentou emocionalmente o seu papel.

O ator agora começa a existir em seu ambiente de fato, que dessa vez não é imaginário, mas real, e está, ao mesmo tempo, influenciado pelo passado, presente e futuro de seu papel, e repleto de impulsos interiores simpáticos ao personagem que interpreta.

Como se consegue? Tenho de formar um elo entre o meu ambiente real — um ensaio no *foyer* do Teatro de Arte de Moscou —, as circunstâncias da casa de Famusov, Moscou na década de 1820 e a vida de Chatski, o que quer dizer minha própria vida colocada dentro das condições da vida do herói da peça, com o seu passado, presente, e as perspectivas de sua vida futura. Antes, não tinha sido difícil encaminhar-me pelas circunstâncias imaginárias de sua vida, tanto mental como emocionalmente. Mas como posso fazê-lo aqui em meio à vida contemporânea e às realidades de hoje? Como poderei dar sentido à minha presença no Teatro de Arte de Moscou? Como encontrar uma base para as circunstâncias que me cercam neste ensaio? Como poderei justificar o fato de estar aqui, nesta sala, sem romper o estreito elo com uma vida análoga à de Chatski?

Este novo objetivo criador, antes de mais nada, põe em ação as forças motoras de minha vida interior — minha vontade, cérebro e sentimentos — e desperta minha imaginação. Ela já está começando a funcionar.

— Por que não poderia eu, mesmo nas circunstâncias da vida de Chatski, ter amigos entre os atores do Teatro de Arte de Moscou? — sugere minha imaginação.

— Seria estranho se não os tivesse — afirma o meu cérebro. — As pessoas como Chatski não poderiam deixar de se interessar pela arte. O próprio Chatski, se vivesse nas décadas de 1820 e 1830, poderia ter pertencido ao grupo dos eslavófilos, os patriotas, entre os quais havia atores, e até mesmo o próprio Mikhail Shchepkin. Se Chatski vivesse hoje, sem dúvida frequentaria assiduamente os nossos teatros, e teria amigos entre os atores.

— Quem são estas pessoas todas? — perguntam agora os meus sentimentos.

A CRIAÇÃO DE UM PAPEL

— O mesmo que são na vida real, atores do Teatro de Arte de Moscou — explica minha imaginação.

— Não. Acho que aquele homem sentado ali na minha frente não é ator, e sim aquele sujeito moreno com pernas de cegonha[1] — decidem os meus sentimentos não sem alguma acidez.

— Tanto melhor. Aliás, ele é muito parecido com "aquele sujeito moreno" — dizem os meus sentimentos, concordando com eles mesmos.

Descobrir a semelhança com o "sujeito moreno" me dá muito prazer, pois, receio, o ator diante de mim não me é muito simpático. O próprio Chatski olharia para aquele "sujeito moreno" exatamente como eu estou olhando agora para o meu parceiro na improvisação.

Agarrando-me a esse sentimento incipiente que me relaciona com Chatski, apresso-me a cumprimentar o "sujeito moreno", como o faria Chatski, o homem elegante, adestrado nas maneiras dos *salons* estrangeiros.

Mas sou rudemente punido pela minha pressa e impaciência. Todas as formas estereotipadas das maneiras polidas e do bom gosto estão à espreita, prontas para saltar e me apanhar desprevenido. Meu cotovelo projeta-se para um lado quando lhe aperto as mãos, meu braço está mais recurvado que uma canga de boi, engulo todas as minhas palavras. Com meus modos afetadamente casuais, distorço o meu jeito de andar, a trivialidade teatral invade meu ser por todos os lados e toma conta de mim.

Amortecido pela vergonha, odeio meu parceiro e me odeio também. Fico sentado, imóvel, por muito tempo, me consolando com o pensamento: "Não tem importância, isso é normal. Eu já devia saber qual seria o resultado da pressa. Até que os milhares e milhares de desejos criadores, finos como teias de aranha, se tenham unido para formar uma pesada corda, eu serei incapaz de dominar os espasmos musculares. Tenho de esperar até que mi-

---

[1] É como Chatski descreve, zombeteiramente, um convidado onipresente nas festas de Moscou. (*N. do T.*)

O PERÍODO DA ENCARNAÇÃO FÍSICA

nha vontade criadora fique mais forte e possa submeter todo o meu corpo à sua iniciativa."

Enquanto assim raciocino, o meu "sujeito moreno", exagerando como um louco, como se fosse de propósito, vai me demonstrando os horríveis resultados do descontrole muscular.

Como se quisesse me repreender, vai atuando com grande *élan*, segurança, brilhantismo, elegância barata, e faz tudo o que eu fiz. É como se, de repente, tivéssemos baixado no palco de algum teatro provinciano de terceira categoria. Fico gelado de embaraço, vergonha, medo. Não me atrevo a erguer os olhos. Não sei como livrar-me dele, como escapar do seu autocomplacente *aplomb* de ator. E ele, para piorar a situação, continua espinoteando alegremente diante de mim, arrastando por toda parte as suas "pernas de cegonha", brincando com o seu monóculo fictício e rolando os erres como o pior tipo de ator provinciano em papel de grã-fino.

Quanto mais isso se prolonga, mais idiota vai se tornando o seu palavrório incessante. O "sujeito moreno" parece-me mais repelente do que nunca, e fico louco para despejar em cima dele os meus sentimentos de antipatia.

Mas como fazê-lo? Por meio de palavras? Isto o ofenderia. Com as minhas mãos, meus gestos, minhas ações? Não poderia armar uma briga com ele. Só me restam meus olhos e minha face. Não é à toa que dizem que os olhos são o espelho da alma. Nossos olhos são o órgão de maior responsividade de nosso corpo. São os primeiros a reagir às manifestações de vida interior ou exterior. A linguagem dos olhos é eloquentíssima, sutil, direta, e ao mesmo tempo a menos concreta. Além disso é muito conveniente. Pode-se dizer muito mais, e com mais força, com os olhos do que com as palavras. E, ainda assim, o que dizemos não dá motivo para que se fique ofendido, pois apenas transmite um estado de espírito de ordem geral, o caráter geral dos sentimentos, e não pensamentos ou palavras concretas, capazes de provocar objeção.

Em minha necessidade, recorro agora a meus olhos, para que me auxiliem, compreendendo que, de início, devemos evitar o máximo possível a ação, os movimentos, as palavras, para não pro-

A CRIAÇÃO DE UM PAPEL

vocar a destruidora anarquia dos músculos. Assim, quando encontro uma saída para meus sentimentos, sem ser forçado a lhes dar forma física, a representá-lo, sinto-me aliviado de minha tensão muscular, torno-me calmo e deixo a sensação de ser uma máquina de representar alguma coisa, para voltar a ser simplesmente humano. Então, tudo em meu redor volta a seu estado normal e natural. Aqui estou eu, sentado tranquilamente, observando as palhaçadas do "sujeito moreno", rindo-me dele, interiormente. E, sem vontade de esconder meus sentimentos, dou-lhes rédea solta.

— Sabe — reboa imponentemente em meus ouvidos sua voz de *basso* —, ocorreu-me, ainda agora, que o escritor tinha um motivo para dar à personagem que eu interpreto o nome de Skalozub ("mostre os dentes"). Evidentemente, ele deve ter o costume, sabe, de...

— ... mostrar os dentes — sugiro.

Não posso tolerar cérebros lerdos no campo das artes. Vem-me à ponta da língua uma observação irritada, quase cortante, mas me lembro outra vez da improvisação de Chatski, e me parece que ele teria encarado de outra forma essa estranha criatura. Por isso, contenho-me.

— Não me havia ocorrido — replico, com leveza. — Deve ser por isso. Griboyedov caracteriza as pessoas pelos seus nomes. Não somente Skalozub, como outros também. Por exemplo, Klyostova (ferrão) tem esse nome porque faz gracejos que ferem como ferroadas. Tugoukov (orelha lerda), porque ouve mal. Zagoretski (cabeça quente), provavelmente porque se esquenta com tanta facilidade. Repetilov (repetidor)? Sem dúvida porque o seu papel exige muitos ensaios. Diga isso ao ator que o interpreta, porque ele é preguiçoso. E, a propósito, não vá se esquecer de mim. Pense no motivo que levou Griboyedov a chamar meu personagem de Chatski.

Ao deixá-lo, tenho a impressão de que meu comparsa de raciocínio lento está se preparando para pensar profundamente no assunto. Sem dúvida, Chatski ter-se-ia expressado com mais espírito do que eu fui capaz de fazer. Parece-me, entretanto, que a sua palestra com o meu estranho colega teria sido análoga à conversa que eu tive.

O PERÍODO DA ENCARNAÇÃO FÍSICA

Ao mesmo tempo, reflito: embora quase sem me dar conta, eu estava falando no lugar de Chatski, e de um modo perfeitamente simples, nem um pouco forçado. No entanto, meia hora atrás, as palavras reais de meu papel não me serviram para nada. Por que será? O segredo disso é que, entre nossas próprias palavras e as de um outro, "a distância é de tamanho mui incomensurável". Nossas palavras são a expressão direta de nossos sentimentos, enquanto as de um outro nos são estranhas, e até que nos tenhamos assenhoreado delas, não passam de meros sinais de emoções futuras, que ainda não cobraram vida dentro de nós. Nossas palavras são necessárias na primeira fase da encarnação física de um papel, por serem as mais capazes de extrair de nosso íntimo sentimentos vivos que ainda não encontraram sua expressão exterior.

É com o auxílio dos olhos, do rosto, da mímica, que um papel mais facilmente encontra a sua expressão física. Depois, o que os olhos não podem soletrar é assumido pela voz, que o exprime por palavras, por entonações, pela fala. Para reforçar e explicar nosso sentimento e pensamento, os gestos e os movimentos contribuem com uma viva ilustração. Essa ação física, finalmente, é coroada e transformada em fato pelo esforço de nossa vontade.

A linguagem dos olhos e do rosto é tão sutil que transmite as emoções, os pensamentos e os sentimentos por meio de movimentos musculares quase imperceptíveis. Os músculos devem estar plena e diretamente subordinados ao sentimento. Qualquer contração arbitrária e mecânica dos músculos dos olhos e da face — quer seja proveniente da indignação, da excitação, de algum tique nervoso, ou de outros tipos de força — destruirá essa "linguagem" sutil. quase imperceptível.

Portanto, a primeira preocupação do ator deve ser a de proteger o seu delicado aparelho facial e visual contra qualquer desgoverno da parte de seus músculos, por meio de hábitos contrários, solidamente implantados, graças a exercícios sistemáticos. É impossível arrancar pelas raízes um mau hábito, a não ser que se ponha em seu lugar alguma coisa melhor, mais verdadeira e natural.

A CRIAÇÃO DE UM PAPEL

Depois dos olhos, os centros de ação imediatos para expressar os sentimentos são o rosto e sua mímica. O rosto é menos sutil que os olhos, mas é mais concreto e possui eloquência bastante para transmitir as mensagens do subconsciente e do superconsciente. A mímica do rosto também corre mais perigo de cair no descontrole. A tensão e o artificialismo faciais podem distorcer uma emoção até torná-la irreconhecível. É preciso lutar contra esse risco, de modo que a expressão facial se mantenha em relação direta com as emoções interiores e as transmita imediatamente e com exatidão.

Depois de ter utilizado o máximo possível os sutis meios de expressão dos olhos e do rosto, pode-se começar a fazer uso da voz, dos sons, das palavras, das entonações e da fala. É claro que, sob as palavras e entre as palavras, há muita coisa que pode ser transmitida com o auxílio da expressão facial, dos olhos e de pausas psicológicas. Mas, para exprimir tudo o que for concreto, definido, consciente, pessoal, as palavras são necessárias. Tornam-se indispensáveis quando temos de transmitir pensamentos e ideias de modo particular. Entretanto, o perigo da tensão e dos clichês também é inerente ao reino da voz e da fala. A tensão vocal arruína o som da voz, sua pronúncia, sua entonação, tornando-a inflexível e áspera. E os clichês vocais são de uma teimosia fora do comum. Devem ser combatidos, para que a voz e a fala permaneçam na dependência total dos sentimentos interiores, e sejam a sua expressão direta, exata e subserviente.

À medida que se esclarecem os objetivos isolados, as unidades e, finalmente, toda a partitura, vem logo em seguida o impulso natural de efetivar os desejos e as aspirações. Sem saber, o ator começa a agir. A ação, naturalmente, requer o movimento de todo o corpo, e então são feitas ao corpo as mesmas exigências que, antes, haviam sido feitas aos olhos e ao rosto: ele terá de reagir aos sentimentos interiores mais sutis, mais imperceptíveis, e transmiti-los com eloquência. O corpo também precisa ser protegido contra a força arbitrária, contra a tensão muscular. É esta uma das razões pelas quais a encarnação física do papel tem de ser refreada até a fase final, quando as facetas interiores do papel já estão aperfeiçoadas e sufi-

128

O PERÍODO DA ENCARNAÇÃO FÍSICA

cientemente fortes para poderem controlar não apenas os olhos, a expressão facial e a voz, mas também o corpo. Quando este último está sob a administração direta dos sentimentos interiores, o poder mortífero da atuação estereotipada torna-se menos venenoso.

Deixemos que o corpo entre em ação quando já não for possível contê-lo, quando ele sentir a profunda essência interior das emoções experimentadas, dos objetivos interiores por ela despertados. Então, voluntariamente, surgirá um anseio natural, instintivo, de executar as aspirações da vontade criadora, sob a forma da ação física.

Na batalha do corpo contra os artificialismos e as tensões convém que o ator se lembre de que nada se consegue com as proibições. Não podemos proibir nosso corpo de fazer certas coisas, mas podemos persuadi-lo a agir no rumo da expressão exterior dotada de beleza. Se se tentar as proibições, em vez de um tipo de ação estereotipada e de um tipo de tensão, se terá dez. É uma espécie de lei: os clichês ocupam os espaços vazios, da mesma forma como as ervas daninhas ocupam os terrenos. Um gesto que for feito apenas por fazê-lo é um ato de força perpetrado contra nossos sentimentos interiores e sua manifestação natural.

Os hábitos mecânicos de um corpo exercitado, e de seus músculos, são muito fortes e teimosos. São como um escravo disposto porém estúpido, que muitas vezes é mais perigoso que um inimigo. Adquirimos os métodos exteriores e os artificialismos mecânicos com uma rapidez extraordinária, e os guardamos por muito tempo. Afinal, a memória muscular de um ser humano, sobretudo a de um ator, é extremamente desenvolvida; enquanto sua memória afetiva, com a lembrança das sensações, das experiências emocionais, é, ao contrário, extremamente frágil.

Ai do ator se houver um fosso entre seu corpo e sua alma, entre sua atividade interior e seus movimentos externos. Ai dele se seu instrumento corpóreo falsifica seus sentimentos, desvia-os da tonalidade certa. É o que ocorre com uma melodia tocada em instrumento desafinado. E quanto mais sincero for o sentimento, mais dolorosa será a discordância.

A CRIAÇÃO DE UM PAPEL

A encarnação corporal de um papel, de uma paixão, deve não apenas ser exata, mas também cheia de beleza, graciosa, sonora, colorida, harmoniosa. Como se pode manifestar o que exalta usando recursos triviais, ou o que é nobre usando meios vulgares, o que é belo pelo que é deformado? Um músico de rua, um mau violinista, não precisa de um Stradivarius, um violino comum é suficiente para transmitir seus sentimentos. Mas para um Paganini, um Stradivarius é indispensável. Quanto mais substancial for a criatividade interior do ator, mais bela deve ser a sua voz, mais perfeita a sua dicção, mais expressivos os seus movimentos faciais, mais gracioso o seu corpo, mais flexível todo o seu equipamento físico. A encarnação no palco, como qualquer outra forma artística, só é boa quando é fiel, e ao mesmo tempo executa de forma artística a substância interior da obra. O feitio deve conformar-se à substância interior. Se o formato é um fracasso, a culpa está com o sentimento criador interior que o engendrou.

Até agora temos falado sobre a procura de uma forma física para a partitura interior do papel, a imagem que contém a sua essência. Mas todo organismo vivo tem, também, uma forma exterior, um corpo físico que usa maquilagem, tem uma voz típica quanto à entonação e ao modo de falar, tem um modo típico de andar, e também maneiras, gestos etc.

O meio consciente de dar corpo a um papel começa com a criação intelectual de uma imagem exterior, com o auxílio da imaginação, da visão e ouvido interiores, e assim por diante. O ator, com sua visão interior, procura visualizar o exterior, o traje, o andar, os movimentos etc. da personagem que deve interpretar. Mentalmente, procura amostras em sua memória. Recorda a aparência de pessoas que conhece. De umas, toma de empréstimo certas qualidades; de outras, toma outras qualidades. Faz a sua própria combinação e compõe a imagem exterior que tem em mente.

Se, entretanto, não encontra em si mesmo nem em sua memória o material de que precisa, terá, então, de procurá-lo, Como faz o pintor ou o escultor, ele terá de buscar um modelo vivo, procurando em toda parte, na rua, no teatro, em casa, ou nos lugares

O PERÍODO DA ENCARNAÇÃO FÍSICA

onde possa encontrar grupos de pessoas de determinadas categorias — militares, burocratas, comerciantes, aristocratas, camponeses etc. — conforme sua necessidade.

Todo ator deve constantemente juntar material que o ajude a ampliar sua imaginação ao criar a aparência externa dos papéis. Material para maquilagem, figuras inteiras, porte etc. Com este fim, deve colecionar toda espécie de fotografias, gravuras, esboços de maquilagens, rostos típicos, como se vê nas reproduções ou em descrições literárias. Nas horas em que a sua imaginação se esgotar, esse material o despertará, fará sugestões criadoras, lembrar-lhe-á coisas que talvez já foram familiares mas fugiram de sua memória.

Se esse material não lhe valer, então o ator terá de tentar outros meios para estimular sua imaginação adormecida. Que experimente fazer com cuidado um esboço do rosto ou da figura que está procurando, desenhar as feições, a boca, sobrancelhas, rugas, o contorno do corpo, o corte dos trajes. Esse esboço, feito com uns poucos traços do lápis, fornecerá uma combinação de linhas semelhante a uma caricatura, sugerindo os aspectos mais típicos de sua imagem exterior.

Uma vez esboçado esse desenho, o ator terá de transferi-lo, com todas as suas linhas características, para o seu próprio rosto e o seu próprio corpo.

Frequentemente o ator procura essa imagem em si mesmo. Experimenta todos os modos de arranjar o cabelo, de usar as sobrancelhas. Contrai vários músculos da face e do corpo, tenta várias formas de usar os olhos, de andar, gesticular, curvar-se, apertar mãos, movimentar-se. A experiência prossegue com a maquilagem. Ele põe uma série completa de perucas, gruda no rosto barbas e bigodes de todos os tipos, usa cremes coloridos, buscando achar o perfeito tom de pele, os traços para as rugas, as sombras, os claros, até esbarrar com aquilo que está procurando — alguma coisa que, aliás, frequentemente o surpreende. Quando a imagem exterior cobra vida, a imagem interior reconhece o seu corpo, seu andar, seu modo de movimentar-se. O mesmo trabalho precisa ser repetido quando se vai escolher um traje. Primeiro, o ator rebusca em

A CRIAÇÃO DE UM PAPEL

sua memória afetiva, visual, depois em desenhos, fotografias, quadros, e depois em sua própria vida. Faz esboços, experimenta roupas de vários cortes, prende-as com alfinetes, modifica-lhes o aspecto, até encontrar, conscientemente ou por acaso, o que procurava, ou então o que de modo algum esperava achar.

A capacidade de manter nosso corpo completamente a serviço dos nossos sentimentos é uma das preocupações primordiais da técnica externa de encarnação de um papel. Há, entretanto, muitos sentimentos incomunicáveis, superconscientes, invisíveis, que nem o equipamento físico mais perfeito pode transmitir. São passados diretamente de alma para alma. As pessoas comungam umas com as outras por meio de correntes interiores invisíveis, radiações de seu espírito, compulsões da sua vontade. Estas têm, no palco, um efeito direto, imediato, poderoso, e transmitem coisas que nem as palavras nem os gestos são capazes de transmitir. A pessoa vive um estado emocional e pode fazer com que outras, com as quais está em comunhão, o vivam também.

Um grande e inveterado erro dos atores é suporem que, na vasta expansão do edifício do teatro, só tem qualidade cênica o que é visível e audível para o público. Mas será que o teatro existe para atender somente aos olhos e ouvidos do público? Será que tudo o que passa pela nossa alma só se presta às palavras, aos sons, aos gestos e aos movimentos?

A irresistibilidade, a contagiosidade e o poder da comunhão direta por meio de radiações invisíveis da vontade e dos sentimentos humanos são grandes. Esse poder é usado para hipnotizar as pessoas, domar animais selvagens ou multidões enfurecidas. Os faquires fazem morrer as pessoas e as ressuscitam. E os atores podem encher grandes auditórios com as radiações invisíveis de suas emoções.

Alguns creem que a condição de ter de criar em público é um empecilho. Ao contrário, isso estimula esse tipo de comunhão, porque o ambiente de um espetáculo, fortemente impregnado com a excitação nervosa da multidão, serve como o mais eficiente dos canais para a criatividade do ator. O sentimento da massa realça o

O PERÍODO DA ENCARNAÇÃO FÍSICA

seu sentimento de estar eletrizado, intensifica o clima do auditório e aumenta o fluxo das correntes interiores. Despeje o ator as radiações de suas emoções quando estiver silencioso ou imóvel, na escuridão ou em plena luz, consciente e inconscientemente. Ele deve acreditar que elas representam o meio mais eficaz, irresistível, sutil e poderoso de transmitir as coisas importantíssimas, superconscientes, invisíveis, que não podem ser formuladas em palavras pelo dramaturgo.

SEGUNDA PARTE *Otelo*, de Shakespeare

Foi entre 1930 e 1933, quando preparava o estudo que se segue, baseado em *Otelo,* que Stanislavski imaginou a forma de apresentação que viria a usar em *A preparação do ator* e *A construção da personagem.* A conhecida lista de personagens — inclusive Stanislavski-como-professor-Tortsov e Stanislavski-como-estudante-Kóstia apareceu aqui, e também no estudo de *O inspetor geral,* que vem logo a seguir. Como indicam os títulos dos capítulos, os conceitos básicos desenvolvidos com relação a *A desgraça de ter espírito* são aqui levados adiante, mas com uma mudança de ênfase para o "novo" e inesperado "método" de libertar a vida interior de um papel, criando primeiro sua vida física.

O COORDENADOR EDITORIAL (NORTE-AMERICANO)

CAPÍTULO IV Primeiro encontro

Tortsov começou dizendo: "Vocês agora já sabem o que é um estado criador em ação no palco. Isto lhes possibilita entrar na fase seguinte de nosso programa para a preparação de um papel. Para isto, precisamos de um papel específico sobre o qual trabalhar. Seria ainda melhor se tivéssemos uma peça inteira, de modo que cada um de vocês tivesse nela um trabalho adequado a fazer. Por isso, é com a escolha de uma peça que começaremos. Vamos decidir o que interpretaremos, ou antes, o que utilizaremos para pôr em ação tudo que aprendemos até agora."

Toda a aula foi dedicada à escolha de papéis, cenas isoladas e uma peça inteira sobre a qual trabalharíamos.

Para minha grande alegria, Tortsov fixou sua escolha em *Otelo*. Não entrarei nos detalhes, nas longas discussões inevitáveis nesse tipo de decisão. Nós todos conhecemos cenas semelhantes com relação a grupos e espetáculos de amadores. Prefiro registrar os motivos que levaram Tortsov a confirmar, como peça escolhida para o prosseguimento de nossas atividades, justamente aquela que ele havia considerado difícil e perigosa demais para jovens principiantes.

Foram estes os seus motivos:

— Precisamos de uma peça que interesse a vocês todos, e na qual possamos achar papéis convenientes para vocês todos ou quase todos. *Otelo* é absorvente para todo mundo, e os papéis são otimamente distribuídos: Brabâncio-Leão; Otelo-Kóstia; Iago-Gricha; Desdêmona-Mária; Rodrigo-Vânia; Cássio-Paulo; Emília-Dacha; e Doge-Nicolau. Só o Vássia ficou sem papel.

"Além disso, *Otelo* é uma escolha adequada porque tem muitos papéis pequenos, e também há cenas de multidão. Estas, eu distri-

A CRIAÇÃO DE UM PAPEL

buirei entre os elementos de um grupo de aprendizes de teatro, com os quais trabalharemos, como já o fizemos antes, ao elaborarmos nosso método.

"Como eu já disse antes, esta tragédia de Shakespeare é difícil demais para quem ainda está principiando. Além disso, é muito complicada para encenarmos em nosso palco. Isto os impedirá de se entregarem a tentativas de realizar uma encenação descosida, ou de dar interpretações capazes de abalar suas forças, ainda pouquíssimo seguras. Como veem, não vou obrigá-los a *representar* a tragédia. Só precisamos dela como material utilizável em estudo. Para isto, não poderíamos achar peça melhor. Do ponto de vista artístico, é indiscutível a sua qualidade de primeiríssima ordem. Além de tudo, esta tragédia é bem definida quanto ao traçado e à construção de suas seções individuais, à consecutividade e desenvolvimento lógico de sua tragédia de emoções, à sua linha direta de ação e ao seu superobjetivo.

"Há, ainda, uma consideração de ordem prática. Vocês, como principiantes, sentem-se atraídos, acima de tudo, pela tragédia. Na maioria dos casos, esse desejo decorre do fato de que vocês ainda não estão plenamente cônscios dos seus problemas e exigências. Portanto, aprendam a conhecê-los o mais depressa e o mais intimamente possível, para que no futuro não se deixem arrastar irrefletidamente por tentações perigosas.

"Todo diretor tem sua maneira individual de abordar a preparação de um papel, e o seu próprio programa para a execução desse trabalho. É uma coisa para a qual não é possível estabelecer regras fixas. Entretanto, as etapas fundamentais, os métodos psicofisiológicos de executar esse trabalho, devem ser rigorosamente observados. Vocês têm de conhecê-los, e eu devo demonstrá-los a vocês na prática. Devo fazer com que os sintam e os ponham à prova em suas próprias pessoas. Esse é, por assim dizer, o protótipo de todo o processo da preparação de um papel.

"Além disso, vocês devem conhecer, compreender e aprender a controlar todas as formas possíveis de abordar este trabalho, pois o diretor fará variações segundo as necessidades, o desenvolvimento

PRIMEIRO ENCONTRO

do trabalho, as suas condições, as peculiaridades individuais dos atores. Devo demonstrar também essas formas a vocês. É por isso que farei as muitas cenas de *Otelo* de diferentes modos. Embora a primeira seja feita, por mim, de acordo com um plano fundamental, clássico, introduzirei nas outras, constantemente, novas variações em sua composição. À medida que for introduzindo essas variações, eu as anunciarei antecipadamente."

— Vamos ler *Otelo* — propôs Tortsov no começo da aula.

— Nós já conhecemos! Já lemos! — exclamaram vários alunos.

— Tanto melhor. Nesse caso, retirem os exemplares da peça, e só os tragam de volta quando eu disser. E terão de me prometer que não arranjarão outros. Já que conhecem a peça, digam-me o seu conteúdo.

Ficamos calados.

— É difícil narrar o conteúdo de uma peça complexa, psicológica. Portanto, para começar, contentemo-nos com o simples enredo exterior, o fio dos acontecimentos.

Ninguém atendeu, tampouco, a esse pedido.

— Bem, comece você — disse Tortsov a Gricha.

— Para fazer isso, sabe, é preciso conhecer bem a peça — replicou ele, evasivamente.

— Mas você disse que a conhecia.

— Desculpe-me, por favor. Conheço de cor todo o papel de Otelo, porque, sabe, eu sou do tipo dele. Mas aos outros papéis eu só dei uma olhada — confessou o nosso trágico.

— Então foi assim que você travou seu primeiro conhecimento com o *Otelo*! — exclamou Tortsov. — Que tristeza! Talvez *você* nos diga o conteúdo da peça — disse apontando para Vânia, que estava sentado perto do Gricha.

— Eu seria incapaz de fazê-lo. Por nada neste mundo. Li, mas não li tudo. Faltava uma porção de páginas.

— E você? — perguntou Tortsov a Paulo.

— Eu não me lembro da peça na íntegra. Vi alguns astros estrangeiros nela. Eles fazem muitos cortes, como o senhor bem sabe,

A CRIAÇÃO DE UM PAPEL

cortam principalmente os trechos que não estão diretamente ligados aos seus papéis — respondeu Paulo.

Tortsov balança a cabeça.

Nicolau vira a peça numa cidadezinha, e tão mal levada que antes nunca a tivesse visto.

Vássia lera a peça num trem, e fazia uma enorme confusão sobre ela. Só se lembrava das cenas principais.

Leão estava familiarizado com toda a crítica literária que havia sobre *Otelo,* de Hervinus[1] para baixo, mas foi incapaz de afirmar qualquer fato referente às ações ou à sua ordem de sequência.

— Isso é muito mau. Um acontecimento tão importante como o seu primeiro encontro com a obra de um poeta ocorre num lugar qualquer, um trem, um táxi, um bonde! O pior de tudo é que vocês leram a peça não para conhecê-la, mas para se lisonjearem, escolhendo a dedo papéis vantajosos.

"Então é assim que os atores travam seu primeiro conhecimento com os melhores clássicos, que no devido tempo deverão encarnar! É assim que abordam um papel com o qual, mais cedo ou mais tarde, terão de identificar-se, no qual deverão encontrar o seu *alter ego*!

"Ora, esse momento de seu primeiro encontro com um papel deveria ser inesquecível!

"Como sabem, eu atribuo uma importância decisiva a essas primeiras impressões. Se as impressões de uma primeira leitura forem recebidas corretamente, teremos nisso uma grande medida do êxito futuro. A perda desse momento é irreparável, porque uma segunda leitura já não contém o elemento de surpresa, tão poderoso no reino da criatividade intuitiva. É mais difícil corrigir uma impressão prejudicada do que criar pela primeira vez uma impressão certa. *Temos de estar extraordinariamente atentos ao nosso primeiro encontro com um papel, porque essa é a primeira etapa da criatividade.*

"É perigoso arruinar esse instante, abordando de modo errado a obra de um poeta, pois isso pode nos dar uma concepção errônea da peça e do papel ou, o que é pior, um preconceito sobre ela."

---

[1] O especialista alemão em Shakespeare. (*N. do T.*)

PRIMEIRO ENCONTRO

Interrogado pelos alunos, Tortsov explicou o que queria dizer com isso.

— O preconceito tem muitos aspectos. Deixem-me começar com o fato de que tanto pode ser a favor de alguma coisa como contra ela — disse. — Vejam, por exemplo, os casos de Gricha e Vânia. Ambos travaram conhecimento parcial com *Otelo*. Um deles só leu o papel do próprio Otelo, o outro desconhece o conteúdo das partes que estão faltando no seu exemplar do texto.

"Desconhecendo o texto integral da peça, e conhecendo apenas aquele único papel, que é magnífico, Gricha está encantado e julga o resto na base da confiança. Isso está muito bem quando lidamos com uma obra-prima como é *Otelo*. Mas há muitas peças ruins que têm papéis magníficos: *Kean, Luís XI, Ingomar, Don César de Bazan*.[2]

"Vânia poderia enxertar o que bem entendesse nas páginas arrancadas de seu exemplar. Se ele acreditasse em seu próprio conteúdo imaginário, isso poderia ser a base de um preconceito que não corresponderia às ideias de Shakespeare. Leão encheu a cabeça de críticas e comentários. Serão infalíveis? Em grande parte, não passam de tolices sem talento e, se vocês se abastecerem neles, formarão um preconceito que vedará o acesso direto à peça. Vássia, lendo a peça num trem, embaralhou as impressões que ela lhe deu com as da viagem. Aí temos de novo um solo fértil para o preconceito. Nicolau, não sem razão, teme evocar a montagem que viu de *Otelo,* na província. Não me surpreende nada constatar que ele tem uma impressão negativa da peça.

"Imaginem que vocês recortaram de um quadro uma figura lindamente traçada, ou que alguém lhes mostre pedacinhos cortados de uma bela pintura. Será que, por meio disso, poderiam julgar ou conhecer o quadro todo? Ainda bem que *Otelo,* em todas as suas partes componentes, é uma obra de arte tão perfeita! Mas se fosse outro o caso, se o papel-título fosse o único bem escrito e os outros

---

[2]*Kean,* de Alexandre Dumas Pai: *Luís XI,* de Casimir Delavigne; *Ingomar,* de Fr. Halmá, *Don César de Bazan,* de Lumanoir e Lennery. (*N. do T.*)

A CRIAÇÃO DE UM PAPEL

não merecessem ser feitos, o ator que julgou a peça inteira por um só papel teria em relação a ela um preconceito favorável, porém errado. Poderíamos chamar a isto um preconceito positivo. E se as coisas se passassem do modo oposto, e o autor tivesse obtido êxito na delineação de todos os papéis, menos no do herói, as impressões incorretas e o preconceito seriam negativos.

"Deixem-me citar-lhes um exemplo.

"Uma conhecida atriz nunca havia assistido, em sua juventude, a representações de *A desgraça de ter espírito* ou de *O inspetor geral*. Só conhecia essas peças de suas aulas de leitura. As coisas que lhe restavam na lembrança não eram as peças, propriamente ditas, mas a dissecação crítica a que elas eram submetidas pelo seu professor, não muito bem-dotado. Ela guardou sua impressão de aula, segundo a qual estas duas peças clássicas eram obras admiráveis, mas... muito cacetes.

"Felizmente para essa atriz, ela eventualmente atuou em ambas as peças. Mas só anos depois, quando se havia integrado firmemente em seus papéis, foi que pôde finalmente arrancar os espinhos do preconceito implantado nela, e ver as peças não mais com os olhos alheios, e sim com os seus. Hoje, não há outra admiradora mais ardorosa dessas duas comédias clássicas. E vocês precisavam ouvir o que ela pensa de seu professor!

"Tratem de evitar que isto lhes aconteça, por causa de um modo errado de abordar o *Otelo*!"

Nós nos defendemos, dizendo que não tínhamos lido a peça na escola, e que ninguém tinha instilado ideias estranhas a respeito dela em nossa cabeça.

— Os preconceitos também podem ser formados fora da escola — replicou Tortsov. — Suponhamos, por exemplo, que, antes de lerem a peça, vocês ouviram toda sorte de comentários, legítimos e falsos, a seu respeito, críticas boas e más. Vocês, então, começariam a criticá-la também, por sua conta. Muitos, entre nós, realmente acreditamos que, para aquilatar e entender uma obra de arte, temos de ser capazes de achar falhas nela. Na realidade, é

PRIMEIRO ENCONTRO

muito mais importante saber procurar e encontrar o que é excelente, descobrir os méritos de um trabalho.

"Só se vocês mesmos tiverem, diante de uma obra, uma atitude livre e desimpedida poderão resistir ao ataque da estimativa geralmente aceita de uma obra clássica, estimativa que tem a tradição para apoiá-la. Esta os forçará a aceitar *Otelo* exatamente como a 'opinião pública' lhes disser que devem fazer.

"A leitura de uma peça nova é frequentemente entregue à primeira pessoa que aparece, e cujos únicos atributos são uma voz forte e uma dicção clara. Além disso, o texto só lhe é entregue uns poucos minutos antes da hora de começar a leitura. Será acaso surpresa se esse leitor acidental apresentar a peça na base do palpite, sem nenhuma noção de sua essência interior?

"Sei de um caso em que um desses leitores leu o papel principal de uma peça com a voz trêmula de um velho, sem saber que o herói, que tinha o apelido de 'velho', ainda era bem moço, mas ganhara o apelido porque estava desiludido da vida. Um engano assim pode mutilar uma peça inteira.

"Uma leitura modelar, excessivamente talentosa, benfeita, vívida, dando a interpretação do próprio leitor de modo por demais imaginativo, pode criar preconceitos de outro tipo. Por exemplo, a concepção do leitor pode diferir da do autor e, assim mesmo, ser de tal modo talentosa e fascinante que o ator se deixe arrastar por ela. Nesse caso, o preconceito é favorável, mas a luta com ele é difícil. Em tais circunstâncias, o ator fica numa situação impossível: por um lado, é incapaz de se desprender daquilo que o seduziu na interpretação do leitor, e por outro, isso não 'cola' com a peça.

"Eis mais um exemplo. Muitos dramaturgos são ótimos leitores de suas peças, e suas leituras frequentemente dão grande popularidade a essas peças. Depois da evocação concedida ao autor, a obra é cerimoniosamente entregue ao teatro, e a companhia, eletrizada, está prontinha para se lançar a um trabalho interessante. Que enorme desilusão quando a segunda leitura vem provar que os atores foram blefados, que a parte talentosa da peça, aquilo que lhes despertou o entusiasmo, era um atributo do leitor e desapareceu

A CRIAÇÃO DE UM PAPEL

com ele, enquanto a parte menos importante ou pior pertencia ao escritor e foi deixada com eles, sob a forma da peça. Como nos livrarmos do que era fascinante e talentoso, e como nos conformarmos com o aspecto sem graça, decepcionante, da peça?

"Neste caso, o preconceito ainda é mais poderoso e inevitável, porque o autor da peça comparece, com toda a panóplia, diante da plateia desprevenida. O leitor é muito mais forte que os seus ouvintes, porque já concluiu sua tarefa criadora, e eles ainda não começaram a deles. Não é de espantar que o primeiro conquiste os segundos, que estes se rendam incondicionalmente ao efeito produzido por ele.

"Até mesmo estando a sós em nosso quarto, em casa, precisamos saber como abordar uma nova peça e evitar a entrada de qualquer espécie de preconcepção. Como é que ela poderia entrar, perguntam vocês, de onde viria? De impressões pessoais desagradáveis, dificuldades de ordem pessoal que nada têm a ver com a peça, mau humor, um estado de espírito em que tudo parece errado, ou uma disposição preguiçosa, apática, pouco demonstrativa, ou ainda qualquer outra razão pessoal ou particular.

"Depois, há certo número de peças que têm de ser estudadas demoradamente, lidas e relidas, a fim de lhes penetrar o espírito, porque são esquivas, complicadas ou confusas em seu conteúdo interior. Assim o são as peças de Ibsen, Maeterlinck e muitos outros autores, que tendem a se afastar do realismo para a generalização, estilização, síntese, para o grotesco ou toda sorte de convenções de que está repleta a arte moderna. Essas obras têm de ser decifradas. Nós as abordamos como quem aborda um enigma. Elas requerem um grande esforço intelectual. Entretanto, é preciso não sobrecarregá-las, à primeira vista, com um excesso de processamento puramente intelectual, pois isto poderia criar o preconceito perigoso de que elas são cacetes.

"Convém ter medo de entrar de cabeça logo na primeira leitura dessas peças. Os processos que fazem dos miolos ponta de lança muitas vezes fornecem os piores de todos os preconceitos.

PRIMEIRO ENCONTRO

"Quanto mais intrincado for o raciocínio, mais nos distanciará da experiência criadora, levando-nos a uma atuação puramente intelectual ou então exagerada. Todas as peças que pedem símbolos e estilização exigem particular cautela no contato inicial. São difíceis porque, nelas, uma parte importantíssima é deixada à intuição e ao subconsciente. Não se pode exagerar no simbolismo, na estilização ou no grotesco. De início, o que se deve fazer é sentir os elementos essenciais da peça e a forma artística dos mesmos. A razão é o que menos conta, ao passo que o mais importante de tudo é a intuição, que, como vocês sabem, é extraordinariamente tímida.

"Não a assustem ainda mais, com os preconceitos."

— Mesmo assim — protestei —, há casos, segundo li, em que o ator compreende o papel imediatamente, em todos os seus mínimos detalhes; em que o papel o transporta logo da primeira vez que o lê. São esses surtos de inspiração que mais me atraem no trabalho criador do teatro. A genialidade transparece neles com um fulgor tão vivo, tão fascinante!

— Eu imagino! É sobre isso que os ficcionistas gostam de escrever — foi a réplica irônica de Tortsov.

— O senhor quer dizer que isso não acontece?

— Pelo contrário, é perfeitamente possível, mas nem de longe é a regra comum — explicou Tortsov. — Na arte, como no amor, uma atração pode flamejar num instante. Mais ainda, pode ter não só uma gênese instantânea, mas também uma consumação imediata.

"Em *Minha vida na arte*, há um exemplo de dois atores aos quais foram distribuídos os papéis principais de uma nova peça e que, ao saírem da sala onde se efetuara a primeira leitura, já foram andando como seus novos personagens. Não só sentiram imediatamente os seus papéis, como também reagiram a eles fisicamente. É evidente que dezenas de coincidências acidentais da vida real haviam preparado o material criador para o seu uso imediato. Parecia até que a natureza tinha predestinado aqueles dois homens para interpretar aqueles dois papéis.

"É uma alegria quando a fusão do ator com o seu papel ocorre imediatamente, por meios insondáveis. Esse é um exemplo do modo

A CRIAÇÃO DE UM PAPEL

direto, intuitivo, de ataque, no qual não há lugar para as preconcepções. Em tais casos, é melhor esquecer a técnica e nos entregarmos totalmente à nossa natureza criadora.

"Mas, infelizmente, essas ocorrências são raríssimas. Só se apresentam ao ator uma vez na vida. Não se pode tomá-las como regra.

"O acidental representa um grande papel em nosso trabalho. Por exemplo, como se explica que uma certa peça ou um certo papel cause repulsa a um ator, impossibilitando-o de atuar, embora as qualidades desse ator indiquem que ele foi feito para o papel? Ou o oposto: como se explica que um outro papel, aparentemente inadequado de todo para um ator, o seduza e encontre nele um ótimo intérprete? É claro que em tais casos esteve agindo algum preconceito benéfico ou maligno, acidental, inconsciente, que afeta o ator, de modo incompreensível, para seu bem ou seu mal.

"Certas vezes, no entanto, o ator tem preconceitos contra uma peça, e ainda assim não fica impedido de apreender seus aspectos mais essenciais, mais íntimos, e exprimi-los em cena."

A essa altura, Tortsov novamente nos citou *Minha vida na arte* e a descrição de um diretor que redigiu um esplêndido plano de produção para um novo tipo de peça, que ele não só não compreendia como nem sequer chegava a apreciar. Neste caso o subconsciente artístico desse diretor veio à tona e se manifestou por meio de impulsos criadores despertados. Apesar dos sentimentos conscientes do diretor, a nova tendência da peça cobrou vida nele e foi transmitida ao ambiente do teatro.

— Todos os exemplos que citei mostram que o processo de travar conhecimento com um papel merece muito mais atenção do que normalmente lhe é dada. O triste é que esta simples verdade está longe de ser reconhecida pelos atores, inclusive vocês. Vocês travaram conhecimento com *Otelo* nas circunstâncias menos favoráveis possíveis. É provável que já tenham recebido uma impressão incorretíssima da tragédia, uma impressão que já formou preconceitos em vocês.

— Mas, de acordo com o que o senhor está dizendo — interrompeu Gricha —, o ator não deve ler nem as peças clássicas nem

PRIMEIRO ENCONTRO

qualquer outra espécie de peça, para não estragar o seu primeiro contato com elas, e porque mais cedo ou mais tarde pode obter um papel numa delas. E não deve, também, como o senhor bem sabe, ler críticas nem comentários, nem mesmo os bons, porque pode se contagiar com opiniões falsas e preconcebidas. Mas me desculpe, por favor, a gente não pode se proteger contra as opiniões alheias, não pode tapar os ouvidos com algodão quando se fala das peças antigas ou novas, não se pode saber quem é que, mais cedo ou mais tarde, estará representando que peça!

— Concordo inteiramente com você — respondeu Tortsov com calma —, e justamente porque é tão difícil nos isolarmos contra os preconceitos é que precisamos aprender a evitá-los ou a contrabalançar seus efeitos.

— Como se consegue isso? — perguntei.

— Que é que podemos fazer, e como é que devemos fazer, para conhecer uma peça pela primeira vez? — perguntaram os outros alunos.

— Vou lhes dizer — respondeu Tortsov. — Antes de mais nada, vocês devem ler e ouvir tudo, todas as peças que for possível, críticas, comentários, opiniões. Isso abastece e estende o seu estoque de material criador. Mas, ao mesmo tempo, têm de aprender a salvaguardar sua independência e afastar os preconceitos. Vocês devem formar suas opiniões próprias, e não ir aceitando irrefletidamente as opiniões alheias. Precisam aprender a ser livres. É uma arte difícil, que só dominarão por meio do conhecimento e da experiência. Estes, por sua vez, serão adquiridos não por meio de uma lei qualquer, mas por todo um complexo de conhecimentos teóricos e trabalho prático no campo da técnica artística, e principalmente pela reflexão pessoal, pela penetração nas essências, por muitos anos de prática.

"Usem o seu tempo de escola para aumentar seus conhecimentos científicos e para aplicar na prática a teoria que aprendem, à medida que forem conhecendo peças e papéis.

"Gradualmente, ficarão peritos em selecionar suas impressões sobre uma nova peça. Aprenderão a rejeitar o que é falso, excessivo,

A CRIAÇÃO DE UM PAPEL

sem importância; a descobrir o que é fundamental, a ouvir os outros e vocês mesmos, e a descobrir seus próprios caminhos por entre as opiniões alheias.

"O estudo da literatura mundial os auxiliará tremendamente nesses processos. Em toda peça, como em todos os seres vivos, há uma estrutura óssea, membros: mãos, pés, cabeça, coração, cérebro. Uma pessoa literariamente treinada estudará, como o anatomista, a estrutura e a forma de cada osso e articulação, e reconhecerá os seus componentes. Dissecará a peça, avaliará seu significado social, fará surgir seus erros, o ponto onde ela bloqueia o desenvolvimento do tema principal ou se desvia dele. Poderá perceber rumos novos e originais numa peça, suas características internas e externas, o entrelaçamento das falas, o inter-relacionamento das personagens, os fatos, os acontecimentos. Toda essa ciência, habilidade e experiência é extraordinariamente importante na apreciação de uma obra. Lembrem-se de tudo isso, e usem suas aulas tão zelosa, profunda e plenamente quanto lhes for possível, para estudar a língua, as palavras, a literatura que lhes é ensinada nesta escola.

"Mas lembrem-se, também, de que os especialistas literários nem sempre são competentes nas questões que se referem, especificamente, aos nossos problemas como atores e diretores. Nem toda peça serve para o palco, por mais admirável que seja como obra literária. As exigências da cena, embora possam ser estudadas, não estão fixadas em nenhum cânone. Não existe uma gramática do palco. Assim, vocês devem aquilatar uma nova obra pela primeira vez sem contar com o auxílio de colegas sapientes, na base dos métodos práticos ensinados aqui. Neste campo, o que posso acrescentar agora ao que vocês já sabem ou saberão dentro em breve? Só posso dizer que devem ler cada peça nova lembrando sempre, durante seu primeiro contato com ela, de se defender contra a aquisição de uma atitude errada ou preconceituosa em relação a ela."

— Por mais infeliz que tenha sido o primeiro contato de vocês com o *Otelo,* somos forçados a levá-lo em conta e utilizá-lo, na medida em que isso influenciará seu trabalho subsequente.

PRIMEIRO ENCONTRO

"Procurem lembrar com exatidão o que permaneceu em sua memória, da primeira leitura da peça. Construindo um papel, vocês terão de se adaptar ao que quer que seja que tenha penetrado fundo em vocês, nessa primeira ocasião. Quem sabe é possível que, entre seus sentimentos, existam alguns contendo elementos do seu futuro papel, as sementes da vida real. Kóstia, quero que me diga tudo o que você se lembra sobre a peça e os diversos papéis, o que mais afetou sua memória, o que produziu em você a mais forte impressão, o que seus olhos mentais veem com mais clareza, o que seu ouvido interior ouve."

— Quanto ao início da tragédia — disse eu, começando a analisar minhas recordações —, eu esqueci... e no entanto ainda agora tenho a sensação de que havia climas interessantes: um rapto, aglomerações, uma perseguição. Não, não é bem isso. Tenho consciência destas coisas mais por meio de meu cérebro do que dos meus sentimentos. Tenho lampejos de percepção a respeito delas, mas não as vejo com a minha visão interior. O próprio Otelo também não está claro para mim, nessa parte da peça. O seu aparecimento, a ordem para que vá ao Senado, sua saída, o próprio Senado — tudo isso está nublado para mim. O primeiro momento vívido é a fala de Otelo ao Senado, mas depois dela tudo escurece outra vez. A chegada a Chipre, depois a cena da bebedeira e a briga com Cássio, esqueci completamente. Não me lembro, tampouco, das cenas seguintes, o pedido de Cássio, a chegada do general e a cena de amor com Desdêmona. Depois disso, vem um pedaço claro, aliás toda uma série, que vai crescendo e se alargando. Depois há uma lacuna até o final. Só consigo ouvir uma cançãozinha triste sobre um salgueiro, e os meus sentimentos se comovem com a morte de Desdêmona e Otelo. Acho que isso é tudo o que restou comigo.

— Devemos ser gratos até mesmo por esse pouco — disse Tortsov. — Desde que você, de fato, sente alguns momentos isolados, deve utilizá-los e reforçá-los.

— Que quer dizer com reforçá-los? — perguntei.

— Ouça — explicou Tortsov —, há um cantinho de sua alma que ainda contém lampejos dos sentimentos que se acenderam

A CRIAÇÃO DE UM PAPEL

quando você travou conhecimento com a peça. Isso é como se fosse um quarto sem luz, com janelas fechadas. Se não fosse a existência de algumas frestas, buracos, rachaduras, a escuridão seria total.

"Entretanto, brilhos isolados, largos ou estreitos, brilhantes ou embaçados, cortam essa escuridão, formando manchas de luz das mais variadas formas. Esses lampejos modificam a escuridão. Embora você não possa enxergar nenhum dos objetos no escuro, pode calcular que eles estão ali, por certas sugestões de contorno.

"Se você ao menos pudesse aumentar as frestas das venezianas, as manchas de luz ficariam cada vez maiores, e os brilhos mais fortes. Finalmente, a luz encheria todo o espaço e expulsaria toda a escuridão. Só restariam algumas sombras, aqui e ali, nos cantos.

"É essa a imagem que eu vejo no estado interior de um ator, depois de ter lido uma peça pela primeira vez e, subsequentemente, depois que ampliou seu contato com ela.

"O mesmo está se passando com vocês, depois que travaram conhecimento com o *Otelo*. Só momentos isolados, em diferentes trechos, fixaram-se em seus sentimentos e memórias. Tudo o mais está envolto em trevas e distante da área de suas emoções. Somente aqui e ali há insinuações, que vocês tentam inutilmente recapturar. Essas fortuitas impressões e pedacinhos de sentimentos espalham-se a esmo pela peça como lampejos na escuridão.

"Mais tarde, quando vocês vierem a conhecer a peça mais intimamente, esses instantes ficarão maiores, mais amplos, entrarão em contato uns com os outros, e finalmente preencherão todo o papel e toda a peça.

"Esse modo de iniciar a criação, a partir de lampejos e momentos isolados de sentimento, ocorre também em outras formas de arte.

"Em *Minha vida na arte* descreve-se justamente isso, como aconteceu a Anton Tchekov antes de sentar-se para escrever *O jardim das cerejeiras*. Primeiro, ele viu alguém pescando, e perto, num reservatório, uma pessoa nadava. Então, vem um cavalheiro meio desamparado, que gosta de jogar bilhar. Depois ele sentiu uma janela toda aberta, pela qual penetrava um ramo de cerejeira em flor.

PRIMEIRO ENCONTRO

Daí, surgiu um cerejal inteiro... que sugeriu a Tchekov o belo mas inútil luxo que estava desvanecendo na vida russa. Onde se pode achar qualquer lógica ou elo entre o desarvorado jogador de bilhar, o ramo florido de uma cerejeira e... a revolução russa que se aproximava?

"Os caminhos da criação, na verdade, não podem ser conhecidos."

Depois de mim, Vânia descreveu o que lembrava da peça, e mostrou como é perigoso ler uma obra incompletamente. Sua memória estava toda tomada por um duelo inexistente entre Otelo e Cássio.

Paulo, que conhecia a peça por tê-la visto na interpretação de astros estrangeiros em visita, guardava uma lembrança visual dos pontos culminantes e mais vívidos da representação: dos modos diferentes como Otelo estrangulava primeiro Iago, e depois Desdêmona; de como arrancava o lenço que ela lhe atara e quase com asco se afastava de sua amada. Lembrava-se, consecutivamente, de uma pose depois de outra, um gesto após o outro. De como Otelo foi exacerbando seu ciúme na cena principal, de como, no fim dessa cena, ele rolava pelo chão num acesso de epilepsia, e como, no final da peça, se apunhalava e morria. Eu tive a impressão de que tudo isso estava visualmente fixado em seu cérebro por meio de alguma luz reflexa, mas sem nenhuma verdadeira sequência de desenvolvimento nos acontecimentos ou nas emoções do papel. Por fim, parecia que Paulo conhecia muito bem a atuação dos atores visitantes em *Otelo,* mas não conhecia a peça propriamente dita. Por sorte, esquecera-se de todo do papel de Cássio, que deverá interpretar, e que em geral é mal representado, por atores de terceira classe.

A mesma investigação dos momentos marcantes foi feita com outros alunos, e verificou-se que muitos trechos da peça, como por exemplo a fala de Otelo no Senado, sua grande cena com Iago, sua morte, afetavam quase todo mundo com a mesma intensidade. Essa descoberta suscitou muitas perguntas: por que algumas partes da peça despertavam o sentimento, enquanto outras, logicamente ligadas a elas, não o faziam? Por que alguns pontos evocavam viva e instantaneamente as emoções, tocavam nossa memória afetiva,

A CRIAÇÃO DE UM PAPEL

enquanto outros só nos atingiam com frieza, de um modo consciente, intelectual? Tortsov explicou a afinidade que há entre emoção e pensamento: algumas experiências nos tocam intimamente por natureza, outras nos são estranhas. Mas então assinalou que a criatividade às vezes pode também brotar de fontes que, à primeira vista, não têm nada em comum com a essência espiritual de uma obra.

— O verdadeiro poeta espalha, de mão aberta, as pérolas de seu talento por toda a extensão da peça. É esse o melhor material estimulante, a matéria quente, explosiva, com que se acende a inspiração.

"As belezas de uma obra de gênio lhe são inerentes em todos os seus aspectos — tanto em suas formas exteriores como em suas ocultas profundidades. Se o autor espalhou os estímulos do ardor criativo apenas à superfície da peça, veremos que a própria obra, o interesse e os sentimentos dos atores serão meramente superficiais. Mas se a riqueza emocional estiver profundamente incrustada ou escondida na região do subconsciente, então a peça, o entusiasmo criador e as reações vivas que ela desperta serão profundos. E quanto mais fundo penetrarem, mais se aproximarão da natureza genuinamente humana das personagens retratadas e dos próprios atores.

"Esse *entusiasmo,* decorrente de nosso primeiro contato com uma peça, é a primeira insinuação de um elo íntimo entre o ator e várias partes de seu papel. Esse elo é precioso, porque se forma direta, intuitiva, naturalmente."

— O primeiro contato que vocês tiveram com o *Otelo* deixou certas impressões e retalhos em suas memórias. Teremos agora de adotar certas medidas para ampliá-las e aprofundá-las.

"Antes de mais nada, temos de ler cuidadosamente a peça inteira. Mas, ao fazê-lo, vamos evitar os erros que vocês cometeram em seu primeiro contato com ela.

"Procuraremos, nesta leitura, observar todas as regras que deveriam prevalecer em todo estudo das obras de um escritor.

156

PRIMEIRO ENCONTRO

"Vamos empreender esta segunda leitura como se fosse a primeira. É claro que uma grande parte do impacto direto e emocionante está perdida, sem recuperação possível. Mesmo assim, quem sabe, talvez se despertem alguns sentimentos em vocês. Só que, desta vez, nossa leitura terá de obedecer às regras."

— E em que consistem essas regras? — perguntei.

— Primeiro, temos de decidir onde e quando será a leitura — explicou Tortsov. — Cada um de nós sabe, por experiência própria, onde e como recebe melhor as impressões. Uma pessoa gosta de ler uma peça na tranquilidade do seu quarto; já outras preferem ouvir alguém fazer a leitura em voz alta, diante de toda a companhia.

"Onde quer que resolvam travar esse segundo conhecimento, é importante preparar um clima favorável a que suas emoções se abram para receber com alegria as impressões artísticas. Nada deverá obstruir a intuição, o livre curso de sentimentos cheios de vida. O leitor deve conduzir os atores ao longo do fio fundamental do impulso criador do dramaturgo, ao longo da linha mestra do desenrolar da vida de um espírito humano, de um organismo vivo, em cada parte da peça e em toda ela. Deve ajudar o ator a encontrar imediatamente, na alma de seu papel, um fragmento dele mesmo, de sua própria alma. Ensinar-lhes isso é ensinar a compreender e sentir a arte do ator.

"Quando, entretanto, essa identificação com a peça é apenas parcial, ou quando falta um contato emotivo de ordem geral entre o ator e seu papel, é necessário arcar com a tarefa árdua de preparar esse *entusiasmo* sem o qual não pode haver criatividade.

"O entusiasmo artístico é uma força motora da criatividade. A fascinação excitada que acompanha o entusiasmo é um crítico sutil, um inquisidor incisivo, e também o melhor dos guias para chegar às profundezas do sentimento, inacessíveis a uma abordagem consciente.

"Após esse primeiro encontro com a peça, os atores devem dar, cada vez mais, rédea solta ao seu entusiasmo artístico. Contagiem-se uns aos outros com ele, deixem-se transportar pela peça, e leiam-na e releiam-na, inteira ou aos pedaços. Meditem sobre os trechos

A CRIAÇÃO DE UM PAPEL

de que gostarem particularmente, mostrem uns aos outros cada joia e beleza recém-descoberta, discutam, gritem, se exaltem. Sonhem com seus próprios papéis e com os dos outros atores, com a produção inteira. O entusiasmo — deixarmo-nos transportar pela peça e por nosso papel —, é esse o melhor modo de nos aproximarmos dele e conhecê-lo de fato. As emoções criadoras do ator, assim despertas, sondarão inconscientemente o papel em toda a sua extensão, agitando profundidades de sentimento que seus olhos não veem, seus ouvidos não ouvem, sua razão não percebe, mas que só suas ardentes emoções artísticas podem, inconscientemente, adivinhar.

"A capacidade de incendiar seus próprios sentimentos, a vontade, o cérebro, eis uma das virtudes do talento do ator, um dos principais objetivos de sua técnica interior."

Depois de ouvirmos Tortsov, surgiu a pergunta: seria *Otelo*, texto conhecido por todos, a peça indicada para mostrar o processo do primeiro contato? Para ser um *primeiro* contato, seria preciso que não fosse *universalmente conhecida*. Baseados nessa consideração, os estudantes, liderados por Gricha, concluíram, para minha decepção, que *Otelo* não era uma boa escolha.

Mas Tortsov encarava de outro modo a questão. Embora crendo que uma renovação de conhecimento com a peça seria mais complicada, por causa das primeiras impressões estragadas, acreditava que a solução técnica do problema seria ao mesmo tempo mais sutil. Por esse motivo, concluiu que seria simultaneamente prático e instrutivo estudar essa técnica em tais circunstâncias — em outras palavras, utilizando não uma nova peça desconhecida, mas a universalmente conhecida *Otelo*.

Como chamarei, como posso definir a leitura de *Otelo*, hoje, por Tortsov? Ele não se propôs nenhum objetivo artístico. Ao contrário, dispensou-os, para não impor sua interpretação pessoal, sua individualidade, a seus ouvintes, e para não despertar neles quaisquer noções preconcebidas favoráveis (embora não deles mesmos) ou desfavoráveis. Eu não poderia chamar a sua leitura de reportagem, porque geralmente associamos a esta palavra a aridez. Pode

PRIMEIRO ENCONTRO

ser que nos tenha feito um esclarecimento da peça. Sim. Em determinados pontos, salientava este ou aquele verso, que julgava de importância para a peça toda, e interrompia sua leitura para explicálo. Tive a impressão de que, acima de tudo, Tortsov fez o máximo que lhe foi possível para expor o enredo e a estrutura da peça. De fato, muitas cenas e trechos, que antes haviam passado despercebidos, agora ganhavam vida e, ao mesmo tempo, sua verdadeira posição e significado. Ele mesmo não se comovia com o que estava lendo, mas insinuava os pontos que exigem a participação de emoções.

Teve o cuidado de assinalar as belezas literárias do texto. Em certos trechos, chegava mesmo a parar e repetir frases e expressões, comparações ou palavras soltas. Ainda assim, não conseguiu realizar tudo que esperava. Por exemplo, não conseguiu revelar o ponto de partida do dramaturgo — eu não compreendi o que levou Shakespeare a sentar-se e escrever *Otelo*. Tortsov não me ajudou a encontrar a mim mesmo no papel-título. Entretanto, pareceu-me sentir qualquer coisa da tendência, da linha, que se deveria seguir.

Ele também demarcou bem vividamente as fases principais da peça. Antes, eu nunca percebera o significado da cena inicial. Mas agora, graças à sua leitura e a diversos comentários que ia largando, pude apreciar a perícia com que foi construída. De fato, em vez da surrada exposição por meio de um mordomo e uma criada, que dramaturgos menos hábeis costumam se permitir, ou de um encontro artificialmente armado entre dois rústicos, Shakespeare criou toda uma cena, preenchida por um acontecimento interessante e de importância para a ação da peça. O essencial é que Iago está querendo armar uma confusão, mas Rodrigo reluta. É preciso convencê-lo, e o motivo usado para isso é que nos leva diretamente à peça. Deste modo, matam-se dois coelhos de uma só cajadada: evita-se o tédio, e a ação dramática se põe em movimento logo ao subir do pano.

Depois, simultaneamente com o desenvolver do enredo, a exposição é engenhosamente reforçada com a partida para o Senado

A CRIAÇÃO DE UM PAPEL

e a chegada ali. O final desta cena, a maquinação da trama diabólica de Iago, também se esclareceu para mim agora. Mais adiante, eu descobria, agora, uma cena parecida com esta, uma continuação no desenvolvimento do plano de Iago, quando ele conversa com Cássio durante a orgia em Chipre. O tumulto, levado aos seus extremos limites, vem ampliar a culpa de Cássio no perigoso momento em que se acentua a excitação dos povos conquistados. Na leitura de Tortsov, sentia-se não apenas uma briga entre dois bêbados, mas qualquer coisa de muito maior, um indício de amotinação por parte dos nativos. Tudo isso realçava muito a importância do que se passava em cena. Ampliava as dimensões do quadro e me entusiasmava com passagens que antes não me haviam afetado em nada.

O resultado mais importante da leitura, ao que senti, foi a revelação dos dois protagonistas principais, as linhas em conflito, de Otelo e de Iago. Antes disso, eu apenas sentira uma única linha — a do amor e do ciúme. Sem a vívida ação contrária, que ora se definia em Iago, a minha diretriz anterior para a peça não tinha nem de longe a significação que adquiria agora, graças ao impacto contrário. Eu senti com que poderosa força o nó trágico se apertava.

E a leitura de hoje teve, ainda, mais um resultado importante: fez-me sentir o impacto do espaço nesta peça, lugar bastante para uma ação grandiosa. Eu ainda não o sentia plenamente, sem dúvida porque ainda não estava cônscio da meta final interior do dramaturgo, que jazia oculta sob suas palavras, e por fim me atrairia para si. Apesar disso, eu sabia que a peça refervia de atividade e movimento interior, na direção de um objetivo universal, ainda não designado, por enquanto.

Tortsov ficou satisfeito com os resultados da leitura.

— Não é preciso que seja executado integralmente todo o programa que eu tracei, mas conseguimos realizar mais alguma coisa para somar-se ao que vocês receberam de sua primeira leitura. As manchas de luz foram mais ou menos ampliadas.

"Agora, depois dessa leitura, vou pedir a vocês muito pouca coisa. Digam-me, porém, pela ordem, qual é a sequência dos fatos da tragédia ou, como se costuma dizer, do enredo, e você — e

Tortsov voltou-se para mim —, como nosso eterno escriba, vá anotando o que cada um disser.

"Em primeiro lugar, vocês têm de pôr tudo em ordem, para obter o fio da peça. Isso é necessário a vocês todos, porque sem isso não há peça. Cada peça tem seu esqueleto, e qualquer distorção desse esqueleto é prejudicial. Agora, antes de mais nada, esse esqueleto precisa manter vocês unidos, como mantém unida a carne de um corpo. Como é que se acha o esqueleto de uma peça? Eu proponho este método: respondam à pergunta: sem que coisa, que circunstâncias, acontecimentos, experiências, não haveria a peça?"

— Sem o amor de Otelo por Desdêmona.

— E que mais?

— Sem a ruptura entre duas raças.

— Claro, mas isso não é o principal.

— Sem a intriga malvada de Iago.

— Que mais?

— Sem a sua esperteza, vingança, ambição e ressentimento diabólicos.

— Que mais?

— Sem a confiança do bárbaro...

— Agora, vamos examinar suas respostas separadamente. Por exemplo: sem o que não haveria amor entre Otelo e Desdêmona?

Não fui capaz de dar uma resposta.

Tortsov respondeu por mim:

— Sem o êxtase romântico de uma linda jovem: sem as histórias fascinantes, lendárias, do mouro, sobre suas proezas militares; sem os inúmeros obstáculos ao seu casamento desigual, que despertam as emoções de uma visionária jovem revolucionária; sem a súbita guerra, que impõe o reconhecimento das núpcias de uma jovem aristocrática com o mouro, para salvar o país.

"E sem o que não haveria ruptura entre as duas raças? Sem o esnobismo dos venezianos, sem a honra da aristocracia; sem o seu desdém pelos povos conquistados, a um dos quais o próprio Otelo pertence; sem uma sincera convicção do opróbrio que é misturar o sangue negro e o branco...

A CRIAÇÃO DE UM PAPEL

"E agora digam-me: vocês creem que tudo aquilo sem o que não haveria a peça, o arcabouço, é necessário a cada uma das personagens?"

— Acreditamos que sim — tivemos de reconhecer.

— Nesse caso, vocês têm, agora, toda uma série de condições firmemente fundamentadas pelas quais se devem guiar, e que os orientarão como sinais em seus caminhos. Todas estas circunstâncias propostas pelo autor afetam cada um de vocês, e devem ser registradas, desde o início, na partitura de seus papéis. Por isso, fixem-nas firmemente no cérebro.

CAPÍTULO V A criação da vida física
de um papel

Prosseguindo em nossa busca de uma forma direta, material, intuitiva, de abordar inteiramente uma peça e um papel — disse hoje Tortsov —, vamos nos deparar com um novo e inesperado método, que recomendo à atenção de vocês. O meu sistema baseia-se na estreita relação das qualidades interiores com as exteriores, pretende ajudá-los a sentir o papel, criando *uma vida física para ele.* Eu o explicarei por meio de um exemplo prático, que será demonstrado no curso de várias aulas. Para começar, quero que Gricha e Vânia subam ao palco e representem para nós a primeira cena de *Otelo,* entre Rodrigo e Iago, diante do palácio de Brabâncio.

— Como é que eles podem representar, sem texto e sem preparação? — foi como reagiram os alunos, perplexos.

— Não podem representar tudo, mas podem fazer uma parte. Por exemplo, a cena começa com a entrada de Rodrigo e Iago. Façam uma entrada. Depois os dois venezianos começam a dar alarme. Eles podem fazer isso, também.

— Mas isso não é representar a peça.

— Estão enganados se pensam assim. Eles estariam representando de acordo com a peça. É claro que apenas no seu plano mais superficial. Mas isso já é bem difícil. A coisa mais difícil de fazer talvez seja executar os objetivos físicos mais simples, como o faria um ser humano de verdade.

Gricha e Vânia dirigiram-se para os bastidores, bastante inseguros, e logo surgiram na frente do palco, detendo-se, hesitantes, perto da caixa do ponto.

— É assim que vocês andam numa rua? — foi o comentário crítico de Tortsov. — Isso é apenas o modo dos atores "pisarem em

A CRIAÇÃO DE UM PAPEL

cena". Mas Iago e Rodrigo não são atores. Não vieram aqui para "representar" nada, nem para "divertir" o público, sobretudo porque não há mais ninguém por aí. A rua está deserta, pois todos estão dormindo.

Gricha e Vânia repetiram sua entrada e, outra vez, deram uma freada completa na frente do palco.

— Vocês agora estão vendo como eu tinha razão ao dizer que, para cada papel, a gente tem de aprender tudo, desde o começo: a andar, ficar de pé, sentar. Toca pra diante! E agora, sabem onde é que estão? — perguntou Tortsov. — Onde está o palácio de Brabâncio? Tracem algum tipo de plano, o que lhes ocorrer.

— O palácio está... ali, e a rua... lá — disse Vânia, marcando o contorno com algumas cadeiras.

— Agora saiam e façam sua entrada outra vez! — ordenou Tortsov.

Cumpriram a sua ordem. Porém, esforçando-se mais, estavam ainda menos naturais.

— Não entendo por que é que vocês fizeram outra vez um desfile até a boca de cena e pararam, de costas para o palácio e olhando para nós — disse Tortsov.

— Não vê que de outro modo ficaríamos de costas para o público? — explicou Gricha.

— E nunca se deve fazer isso! — disse Vânia, com muita ênfase.

— Quem lhes disse para pôr o palácio no fundo do palco? — perguntou Tortsov.

— E então, onde?

— À direita ou à esquerda, o mais para a frente do palco possível. Assim, vocês poderiam encarar o edifício e ficar de perfil para nós ou, andando, por pouco que fosse, mais para o alto do palco, poderíamos ver três quartos de seus rostos — explicou Tortsov. — Vocês têm de aprender a manejar e controlar as convenções do palco. Elas exigem que, no ponto culminante do seu papel, o ator se coloque, tanto quanto possível, num lugar em que o público possa ver seu rosto. É uma condição que temos de aceitar de uma vez por todas. E assim, como o ator deve estar voltado o máximo pos-

A CRIAÇÃO DA VIDA FÍSICA DE UM PAPEL

sível para os espectadores, e já que sua posição não pode ser alterada, só resta mudar a posição do cenário e planejá-lo em função desse fato.

— Certo! — aprovou Tortsov, quando as cadeiras foram transferidas para o lado direito do palco. — Lembrem-se de que eu já lhes disse, mais de uma vez, que todo ator tem de ser seu próprio diretor. Este caso vem confirmar minhas palavras.

"E agora, por que estão aí parados, olhando para as cadeiras? Afinal de contas, elas representam o palácio de Brabâncio. Esse é o objetivo que trouxe vocês a esse lugar. Será que está aí somente para que vocês o contemplem? Vocês precisam saber como ficar interessados no objeto de sua atenção, como inventar um objetivo ligado a ele, provocar alguma ação. O que têm de fazer é perguntar a vocês mesmos: que faria eu se essas cadeiras fossem as paredes do palácio e eu viesse aqui para dar alarme?"

— Seríamos forçados — sugeriu Vânia — a olhar para todas as janelas. Haverá luz em algum lugar? Se houver alguma luz, saberemos que alguém está acordado. Isso significa que eu gritarei para essa janela.

— Isso tem lógica — disse Tortsov encorajadoramente a Vânia. — Mas se essa janela estiver escura, que é que você faz?

— Procuro outra. Jogo uma pedra, faço barulho para acordar alguém. Escuto. Esmurro a porta.

— Está vendo quanta ação você arrolou, quantos *objetivos físicos simples*? — brincou Tortsov. — E assim vocês têm — confirmou — uma sequência lógica para a partitura de seus papéis:

"Um. Vocês entram, olham em volta, ficam convencidos de que ninguém os está vendo nem ouvindo.

"Dois. Vocês examinam todas as janelas do palácio. Não haverá luz em nenhuma delas, nenhum sinal de algum dos habitantes da casa? Se perceberem o menor indício de que há alguém perto de uma das janelas, tentarão atrair-lhe a atenção. Com este fim, não se limitem a gritar. Movimentem-se, sacudam os braços. Repitam essa busca em diferentes pontos, diante de várias janelas. Façam isso nos termos mais simples, mais realistas, mais naturais, de modo

A CRIAÇÃO DE UM PAPEL

a serem forçados, fisicamente, a sentir a autenticidade do que estão fazendo, e o aceitarem fisicamente. Quando, após terem feito várias experiências, se convencerem de que ninguém os ouve, inventem medidas mais fortes, mais decisivas.

"Três. Apanhem mais pedrinhas e atirem nas janelas. Está claro que somente poucas serão atiradas com boa pontaria, mas, se alguma delas atingir o alvo, observem com cuidado para ver se alguém chega à janela. Afinal, basta que despertem uma única pessoa, e esta despertará o resto da casa. A princípio, vocês não acertarão, por isso será preciso tentar outras janelas. Se seus esforços permanecerem inúteis, terão de recorrer a meios e ações mais enérgicos.

"Quatro. Tentem aumentar o ruído, batendo na porta para reforçar a voz e os gritos. Usem as mãos, batam palmas, batam com os pés no degrau de pedra diante da porta. Ou cheguem até a porta, onde acharão um martelinho pendurado no lugar da campainha de hoje. Batam com esse martelo num disco de metal ou façam barulho com a pesada aldrava. Ou apanhem um pau e batam no que quer que encontrem. Isso também aumentará a algazarra.

"Cinco. Usem seus olhos: espreitem as janelas ou espiem pelo buraco da fechadura. Usem os ouvidos: encostem um deles na porta ou na fresta de uma janela e escutem atentamente.

"Seis. Não se esqueçam de mais um fator que dará base a uma atividade ainda maior: o caso é que Rodrigo deveria ser a principal pessoa nesse alarme noturno. Mas está zangado com Iago, emburra, empaca, de modo que Gricha tem a tarefa de convencer esse homem relutante a assumir o papel mais ativo na provocação inventada. Já não temos aí um objetivo físico, mas um objetivo psicológico simples.

"Nessas ações e objetivos, pequenos e grandes, busquem encontrar as *verdades físicas* pequenas e grandes. Só quando as tiverem sentido é que a grande ou pequena crença de vocês na realidade de seus atos físicos surgirá espontaneamente. E em nosso tipo de trabalho a crença, a *fé,* constitui um dos mais poderosos ímãs para atrair os sentimentos e fazer-nos experimentá-los intuitivamente. Quando acreditamos, sentimos que nossos objetivos e ações se tor-

A CRIAÇÃO DA VIDA FÍSICA DE UM PAPEL

naram uma coisa real, viva, intencional. Com esses objetivos e ações, pode-se formar uma linha contínua. Mas o principal é crer até o fim em alguns poucos objetivos e atos, por menores que sejam.

"Se pretendem apenas ficar aí, junto dessas cadeiras, olhando para elas, vocês se arriscam a cair no pior tipo de falsidade.

"Retirem-se e tornem a entrar, e façam o máximo possível para cumprir a série de objetivos e ações que traçamos. Repitam e corrijam, até que este pedacinho de seus papéis seja uma coisa que vocês realmente sintam, uma coisa verdadeira, na qual possam crer e ter fé."

Gricha e Vânia saíram e, pouco mais de um minuto depois, entraram e foram-se afobando para baixo e para cima, diante das cadeiras, levando as mãos aos olhos, andando na ponta dos pés, como se quisessem espiar no andar de cima. Tudo isso foi feito com extremo alvoroço e teatralismo. Tortsov interrompeu-os.

— Em todos os seus movimentos, vocês não criaram sequer uma pequenina parcela de verdade. Foi pura falsidade o que os levou a todas as costumeiras convenções, aos clichês, às ações ilógicas e incoerentes.

"A primeira nota falsa foi o excesso de alvoroço. Era decorrente da grande ânsia que vocês tinham de nos entreter, e não de qualquer intenção de executar objetivos específicos. Na vida real, o *tempo* rápido é completamente diverso do modo como os atores o retratam em cena. A ação, propriamente, não é apressada, leva exatamente o tempo necessário para a sua execução. Mas nem um só instante é desperdiçado com galopes pra cá e pra lá, depois da execução de cada pequeno ato e antes da transição para o pequeno objetivo seguinte. Vocês se agitaram por aí, tanto durante a ação como depois dela. O resultado foi uma atividade puramente teatral, e não uma ação dotada de vitalidade.

"Por que será que, na vida real, a energia nos faz mover-nos com precisão, enquanto, no palco, quanto mais o ator 'representa', de modo puramente teatral, mais esmaece seu objetivo e torna confusa a ação que executa? Porque o tipo representacional de ator não sente necessidade de nenhum objetivo. Seu único interesse é

A CRIAÇÃO DE UM PAPEL

agradar ao público. Como o diretor e o dramaturgo lhe pedem que execute certas ações, ele as faz apenas por fazer, sem a menor preocupação com os resultados. Mas para Iago e Rodrigo, o possível resultado de seu plano está longe de causar-lhes indiferença. Ao contrário, é uma questão de vida e morte. Portanto, procurem uma luz nas janelas, chamem aos gritos, não para fazer agitação em torno dessas cadeiras, mas para obter um contato estreito, vivo, genuíno, com as pessoas lá de dentro. Batam e berrem, não para nos despertar a nós da plateia, ou mesmo a vocês, mas para acordar Brabâncio-Leão. Vocês precisam tomar por alvo aqueles que estão dormindo atrás das grossas paredes do palácio. Precisam irradiar seu desejo de varar aquelas paredes."

Quando eles atuaram de acordo com as instruções de Tortsov, nós, que assistíamos, acreditamos realmente em sua atividade. Mas isso não durou muito, porque a força magnética de uma plateia voltou, mais uma vez, a distrair a atenção de Gricha e Vânia. Tortsov buscou por todos os meios ancorar-lhes a atenção no palco.

— A segunda nota de falsidade é que vocês estão se esforçando demais. Já lhes disse mais de uma vez que o ator, em cena, pode facilmente perder seu senso de medida, de modo a ter a impressão de que está fazendo muito pouco, de que, para uma grande plateia, precisa fazer muito mais. E então se vira pelo avesso. Na realidade, devia fazer justamente o oposto. Sabendo dessa peculiaridade do palco, o ator deve sempre lembrar-se de não aumentar sua atividade, mas diminuí-la em três quartas partes. Você faz um gesto ou executa uma ação qualquer — pois bem, da próxima vez faça-lhes um corte de setenta e cinco a noventa por cento. Durante seu período inicial de estudo, aprenderam o processo de relaxar os músculos e ficar espantados ao descobrir tanta tensão supérflua.

"A terceira coisa que fazem de errado é que não têm nenhuma lógica nem continuidade em suas ações. O resultado é falta de acabamento e de controle..."

Gricha e Vânia representaram de novo a cena, desde o início, e Tortsov os observou com cuidado, para fazê-los executar suas ações

A CRIAÇÃO DA VIDA FÍSICA DE UM PAPEL

físicas até o ponto em que eles próprios acreditassem nelas. Interrompia e corrigia cada vez que davam uma guinada no rumo errado.

— Vânia — advertiu —, o seu foco de atenção não está no palco, mas na plateia! Gricha, você está pensando em você mesmo, não deve fazer isso. Não fique se admirando. Não tenha tanta pressa, isso é falso. Você não pode ver nem ouvir o que se passa dentro do palácio tão depressa assim. Precisa de mais tempo e concentração. Seu modo de andar é afetado e soa falso. É muito "de ator". Faça-o mais livre e mais simples. Ande com uma finalidade. Faça-o para Leão — para Brabâncio — e não para você mesmo ou para mim. Relaxe os músculos! Menos esforço. Não é preciso ser gracioso, fazer poses! Não misture movimentos estereotipados às ações verdadeiras. Faça tudo de acordo com seu objetivo!

Tortsov tinha a firme intenção de inculcar hábitos, de nos treinar na elaboração dos clichês certos — como ele disse para a partitura dos nossos papéis. Quando manifestamos espanto ao vê-lo empregar a palavra clichês, e insistir conosco para que os produzíssemos, ele replicou:

— Pode haver bons clichês ou estereótipos, assim como existem os maus. Um hábito bom, arraigado, que ajude a manter o rumo certo num papel, esse, é uma coisa útil. Aliás, se vocês adquirirem o firme hábito de fazer todas as coisas que devem fazer quando chegarem ao teatro para a representação — fazer o exercício de recapitular e revitalizar todos os seus objetivos, em toda a extensão da partitura de seus papéis; a linha direta de ação, o superobjetivo — eu não vejo nisso nada de mau.

"Se vocês se ensinarem a obter uma execução matematicamente exata da partitura de seus papéis, e levarem isso a ponto de tornar-se um clichê, eu não protestarei. Não me oponho a um clichê capaz de reproduzir sentimentos genuínos e verdadeiros num papel."

Depois de muito trabalho, durante muito tempo, ficamos com a impressão de que a cena do alarme estava, finalmente, em ordem. Mas Tortsov ainda não estava satisfeito. Tentou dar-lhe mais veracidade, uma maior simplicidade natural em cada ação e movimento.

A CRIAÇÃO DE UM PAPEL

Lutou principalmente com o modo de andar de Gricha, que ainda era pomposo e falso. Tortsov lhe disse:

— É difícil andar em cena, e principalmente fazer uma entrada. Isto, entretanto, não é motivo para transigir com a teatralidade e o convencionalismo, pois ambos são falsos, e enquanto persistirem você não poderá obter nenhuma fé em suas próprias ações. A nossa natureza física rejeita até mesmo a mais íntima imposição de força. Os músculos farão o que lhes for mandado, mas isso não garante o estado criador necessário. De fato, uma pequena inverdade contamina e destrói todo o resto. Se no quadro de toda a ação genuína houver "uma só mancha... por acaso trazida, isto significará catástrofe"[1], e todo o teor da ação perverter-se-á em falsidade teatral.

"Há um exemplo disto em *Minha vida na arte:* tome uma retorta de experiências químicas e ponha dentro dela uma substância orgânica qualquer. Depois, acrescente qualquer outra substância orgânica. As duas combinam-se. Mas basta que se adicione uma só gota de qualquer substância química artificial, e tudo se estraga. Fica embaçado, surgem sedimentos, flocos, e outros sinais de desintegração. Uma atitude ou movimento artificial é como essa gota de produto químico sintético, estraga e desintegra todos os outros movimentos do ator. Ele deixa de crer na veracidade do que está fazendo, e sua perda de fé produz outros elementos prejudiciais ao seu estado criador interno, predispondo-o a atuar de forma convencional, de carimbo."

Tortsov não conseguiu libertar Gricha dos espasmos nas pernas, e essa contração de sua entidade física trazia uma série de outros hábitos teatrais falsos, que impediam Gricha de crer no que estava fazendo.

— Agora, a única coisa que me resta fazer é tirar de você esse seu modo de andar — decidiu Tortsov.

— Que quer dizer o senhor? Queira me desculpar, mas eu simplesmente não posso ficar parado no mesmo lugar, como uma estátua de pedra — protestou o nosso artificial Gricha.

---

[1]Citação de *Boris Godunov,* de Pushkin.

A CRIAÇÃO DA VIDA FÍSICA DE UM PAPEL

— Você quer dizer que todos os venezianos são feitos de pedra? No entanto, em sua maior parte, eles preferem andar de gôndola a caminhar. Sobretudo um rapaz rico, como Rodrigo. Por isso, agora, em vez de andar se pavoneando pelo palco, suba o canal numa gôndola. Assim, não terá tempo de virar estátua de pedra.

Essa ideia foi agarrada com entusiasmo por Vânia.

— Não darei mais um passo a pé — declarou ele, reunindo algumas cadeiras para formar uma gôndola, como fazem as crianças quando estão brincando.

Dentro da gôndola, nossos dois atores se sentiram muito mais à vontade, encerrados, por assim dizer, num pequeno círculo. Além disso, acharam muitas coisas para fazer ali, vários pequenos objetivos físicos que tiravam sua atenção da plateia, fixando-a no palco. Gricha tomou o lugar do gondoleiro. Um comprido pedaço de pau serviu de remo. Vânia sentou-se ao leme. Foram vogando, pararam, atracaram o barco, e depois novamente o desamarraram. De início, faziam tudo isso simplesmente pelas ações, porque estavam emocionalmente empenhados nelas. Mas logo, com o auxílio de Tortsov, puderam transferir o que faziam no barco para alguma coisa mais diretamente ligada ao enredo, ou seja, soar um alarme dentro da noite.

Tortsov os fez repetir uma porção de vezes a sequência de ações físicas, a fim de "firmá-la". Depois, passou a ampliar o fio de ação da cena. Mas, no instante em que Leão apareceu na janela de faz de conta Gricha e Vânia emudeceram de repente, sem saber o que fariam a seguir.

— Que houve? — perguntou Tortsov.

— Bom, o senhor está vendo, nós não temos nada pra dizer. Não temos nenhum texto — explicou Gricha.

— Mas vocês têm pensamentos e sentimentos, que podem formular com suas próprias palavras. O essencial não são as palavras. A linha de um papel se tira do subtexto, e não do próprio texto. Mas os atores têm preguiça de mergulhar até o subtexto, preferem ir deslizando pela superfície, usando palavras fixas, que podem pronunciar mecanicamente, sem gastar energia na procura de sua essência interior.

A CRIAÇÃO DE UM PAPEL

— Desculpe, mas eu não posso me lembrar em que ordem se expressam os pensamentos de um papel com o qual não estou familiarizado.

— Como é que me diz que não pode se lembrar deles? Ainda agora li a peça toda para você! — exclamou Tortsov. — Será que já teve tempo de esquecer?

— Só me recordo das linhas gerais, sabe? Lembro-me que Iago anuncia o rapto de Desdêmona pelo mouro, e oferece-se para organizar uma caçada aos fugitivos — explicou Gricha.

— Bom, então vá em frente e faça o seu anúncio e sua oferta! Não é preciso mais nada — disse Tortsov.

Quando repetiram a cena, constatou-se que Gricha e Vânia se lembravam muito bem da ordem dos pensamentos. Chegaram até a incluir algumas das palavras exatas do texto, que ainda recordavam. Transmitiram corretamente o teor da cena, se bem que não fosse na exata sequência fixada pelo autor.

A propósito disso, Tortsov nos deu algumas explicações interessantes. Disse:

— Vocês mesmos descobriram o segredo do meu método e o expuseram com sua atuação. O fato é que se eu não lhes tivesse retirado o texto, vocês teriam trabalhado demais com as palavras impressas, e as teriam dito sem pensar, formalmente, antes de terem penetrado no sentido latente que dá forma à linha de seus papéis. Se tivessem agido assim, sofreriam a consequência inevitável daquele método desnaturado. As palavras perderiam seu sentido ativo, vital, tornar-se-iam meros exercícios ginásticos, mecânicos, para suas línguas, que fariam os ruídos para os quais tinham sido treinadas. Mas eu fui precavido demais para deixar que isso acontecesse. Preferi privá-los do texto, por enquanto, até que a linha de seus papéis esteja firmada. Guardei para vocês as palavras magníficas do autor, até o momento em que tenham melhor aplicação, para que não sejam meramente disparadas a esmo, e sim usadas para cumprir algum objetivo fundamental.

"Obedeçam rigidamente à minha ordem e, enquanto eu não lhes permitir, não abram o livro da peça. Levem o tempo que for

A CRIAÇÃO DA VIDA FÍSICA DE UM PAPEL

preciso para fixar firmemente o hábito do subtexto e formar a linha do papel. Deixem que as próprias palavras sejam para vocês apenas armas para entrar em ação, um dos meios externos de encarnar a essência interior de seu papel. Esperem até que as palavras se tornem necessárias a vocês, para a melhor execução de seu objetivo: convencer Brabâncio. Quando essa hora chegar, as palavras do autor serão de primeira necessidade para vocês. Vocês logo compreenderão, assim que se tenham identificado com os verdadeiros objetivos de seus papéis, que não há melhor meio de atingi-los se não através das palavras escritas com a genialidade de Shakespeare. Então, vocês se agarrarão a elas com entusiasmo, elas virão ao seu espírito cheias de viço, e não manchadas e gastas por terem sido arrastadas por aí durante todo o rude trabalho de preparação.

"Poupem como um tesouro as palavras de um texto, por dois motivos importantes: primeiro, para não lhes desgastar o brilho, e segundo, para não introduzir no subtexto da peça um palavreado mecânico, aprendido de cor e desprovido de alma."

A fim de "pregar bem pregada" a linha do subtexto que eles acabavam de criar, Tortsov fez Gricha e Vânia representarem a cena toda, seguindo a ordem dos objetivos psicológicos simples e das ações.

Algumas coisas ainda não funcionaram bem, e Tortsov explicou por quê.

— Vocês ainda não captaram a natureza do processo de persuadir uma pessoa. É preciso compreender os sentimentos quando os estamos mostrando. Se a notícia dada é desagradável, a pessoa que a recebe erguerá instintivamente, no íntimo, todos os para-choques que puder, para afastar o infortúnio iminente. Assim é com Brabâncio, ele não quer acreditar no que lhe estão dizendo. Por instinto de autodefesa, prefere atribuir essa perturbação noturna a bêbados folgazões. Passa-lhes uma reprimenda e expulsa-os dali. Isso complica as coisas para os que querem convencê-lo. Como poderão captar-lhe a confiança e dissipar o conceito errôneo em que os tem? Como fazer com que o rapto se torne mesmo um fato aos olhos do infortunado pai? Para ele, é aterrador enfrentar a realidade. A ter-

A CRIAÇÃO DE UM PAPEL

rível notícia, que transtornará toda a sua vida, é qualquer coisa que ele não pode aceitar logo de uma vez, como faz o ator de teatro. O ator o mostraria alegre e sereno enquanto não sabe de nada. Depois, mal ouve a notícia, já estará correndo por todo lado, arrancando o colarinho para não sufocar. Mas, na vida real, essa crise ocorre através de uma série de etapas lógicas, de uma sequência psicológica que leva à conscientização da terrível desgraça ocorrida.

Tortsov dividiu essa descida em objetivos coerentes, cada um decorrente daquele que o precede:

1. Primeiro Brabâncio está apenas zangado, e repreende os farristas bêbados, que lhe perturbaram o sono agradável.

2. Ele fica indignado quando esses vadios começam a fazer estardalhaço com o bom nome de sua família.

3. Quanto mais perto está de compreender a terrível notícia, mais força faz para não lhe dar crédito.

4. Mesmo assim, várias palavras penetram em seu coração e ferem gravemente seus sentimentos. Apesar disso, ele repele, com mais fúria ainda, o infortúnio que avança.

5. Prova mais convincente é apresentada. Ele precisa encontrar outro terreno para firmar-se, uma nova posição para assumir. Como poderá viver? Para onde voltar-se? É preciso fazer alguma coisa! A inércia é o que há de mais doloroso numa situação como esta.

6. Finalmente, decide o que fazer. Correr, alcançá-los, vingar-se, despertar a cidade toda! Salvar sua preciosa filha!

Leão é uma pessoa de sensibilidade literária. Pode seguir o fio do subtexto, embora o faça por meio do raciocínio ponderado, e não através dos sentimentos. Assim não foi preciso discutir com ele por causa das palavras. Encontrou facilmente suas próprias palavras, para exprimir seus pensamentos, e manteve-se fiel à intenção principal da cena, pois compreendia seu sentido interior. Tortsov concordou em que não havia discrepância entre ele e o texto, no que se refere à sequência lógica, a não ser pela escolha

A CRIAÇÃO DA VIDA FÍSICA DE UM PAPEL

de algumas palavras bastante inexatas ou infelizes. Gricha e Vânia acharam mais fácil ir seguindo o firme fio verbal traçado por Leão.

E assim a cena se foi desenvolvendo razoavelmente bem. Mas Gricha tinha de estragá-la. Pulou fora da gôndola e começou a pavonear-se outra vez pelo palco. Tortsov, entretanto, logo o amansou, recordando-lhe que não seria conveniente para Iago pôr-se muito em evidência. Antes, pelo contrário, seria melhor para ele ficar encoberto, gritando de um esconderijo, para não ser reconhecido. Onde se esconderia? Quanto a isto, houve uma longa discussão a respeito da arquitetura do cais, da plataforma e da entrada principal do palácio. Os atores queriam quinas ou colunas para se esconderem atrás delas. Além disso, como Gricha ainda se pavoneava, ensaiaram demoradamente a discreta saída de Iago.

Hoje, houve um ensaio da cena de multidão. Alguns aprendizes do teatro, que haviam assistido discretamente aos ensaios anteriores, sentados nas últimas filas da plateia, foram transferidos para as primeiras filas. Desde o início, eles nos haviam surpreendido por sua disciplina, e agora ficamos não somente atônitos, mas também humilhados com sua atitude para com o trabalho. Era evidente que Tortsov achava fácil e agradável trabalhar com eles — e com toda razão, pois compreendiam o que se devia fazer. O diretor ou o professor só precisava apontar erros ou clichês que deviam ser eliminados, ou trechos bons que deviam ser conservados e fixados. Esses aprendizes fazem o seu trabalho em casa e o trazem à aula para ser conferido e aprovado.

— Vocês conhecem a peça? — perguntou-lhes Tortsov.

— Conhecemos! — veio a resposta, enunciada com precisão militar e ressoando no auditório.

— Que é que vocês devem mostrar e experimentar na primeira cena?

— Alarme e perseguição.

— Sabem qual é a natureza dessas ações e experiências?

— Sim.

A CRIAÇÃO DE UM PAPEL

— Veremos. — Tortsov voltou-se para um dos aprendizes. — Quais são as ações e os objetivos física e psicologicamente simples que entram na composição dessa cena de alarme e perseguição noturna?

— Compreender, ainda meio adormecido, o que aconteceu. Esclarecer uma coisa que ninguém pode entender. Interrogarmos uns aos outros, discutir pra cá e pra lá. Se as respostas não forem satisfatórias, exprimir nossas próprias ideias, chegar a um acordo, conferir ou provar tudo que não estiver suficientemente fundamentado.

"Tendo ouvido gritos do lado de fora, olhar pela janela para entender o que se está passando. A princípio, não há lugar. Por fim, se consegue. Olha-se para fora e ouve-se o que esses arruaceiros estão gritando. Quem serão? Há discussões, alguns os tomam por pessoas completamente diferentes. Reconhecem Rodrigo. Nós o escutamos e procuramos compreender o que ele está berrando. A princípio, é impossível crer que Desdêmona fizesse uma coisa dessas. Procura convencer os outros de que isso é uma pilhéria ou um sonho de bebedeira. Repreendemos os barulhentos por nos perturbarem o sono. Ameaçamo-los e os expulsamos. Gradualmente, vamos acreditando na veracidade do que dizem. Trocamos primeiras impressões com os vizinhos. Censuramos ou lamentamos o acontecimento. Despejamos nosso ódio, nossas maldições e ameaças contra o mouro, esclarecemos o que deve ser feito e como fazê-lo. Pensamos em soluções de toda espécie para a situação. Defendemos nosso plano, criticamos os dos outros. Tentamos saber qual é a opinião dos líderes. Damos apoio a Brabâncio em seu diálogo com os arruaceiros. Incitamo-lo à vingança. Ouvimos as ordens referentes à perseguição. Precipitamo-nos para cumpri-las imediatamente.

"Outros objetivos e ações", prosseguiu o aprendiz, "estarão de acordo com os papéis das personagens, e também com as funções do pessoal do palácio. Alguns trarão armas, outros buscarão lanternas e iluminarão os aposentos. Vestirão suas cotas de malha e suas couraças, escolherão os capacetes, as espadas e as lanças. Uns ajudarão aos outros. As mulheres chorando, como se estivessem mandando seus homens para a guerra. Os gondoleiros aprestarão

A CRIAÇÃO DA VIDA FÍSICA DE UM PAPEL

suas gôndolas, remos, todo o equipamento. Os líderes formarão grupos, explicarão planos de ação, despachando os grupos em perseguição dos fugitivos em várias direções. Explica-se para onde ir e os pontos de reencontro. Os líderes consultam seus subordinados e os incitam contra os inimigos. Dispersam-se. Se for preciso alongar a cena, teremos de inventar pretextos para que voltem e executem os novos objetivos pelos quais voltaram."

— Como há poucas pessoas para uma cena de luta como essa, será preciso organizar um "giro" e uma "variação" — advertiu o porta-voz.

Tortsov apressou-se a nos explicar o sentido desses termos especiais. Um "giro" significava um movimento contínuo de vários grupos para um lado. A um dos grupos, Tortsov confiou o encargo de sair do palácio, conversar, formar um pelotão de homens e fazer sua saída pela direita. Outro grupo faria as mesmas coisas, porém saindo pela esquerda. Ambos os grupos, assim que chegassem aos bastidores, deveriam repetir imediatamente a manobra, mas não como as mesmas personagens, e sim como outros, de pelotões recém-formados. Para encobrir a mudança haveria, a postos, atrás de cena, assistentes do guarda-roupa e maquinistas, para tirar as partes mais conspícuas ou típicas de seus trajes e armamentos (capacetes, capas, chapéus, alabardas, lanças) e dar-lhes em troca vários elementos de traje e armadura diferentes dos que foram removidos.

Quanto à "variação", Tortsov a explicou assim: quando há um movimento de massa numa só direção, cria-se a impressão de um ímpeto dirigido para um determinado lugar; parece um movimento organizado. Mas se enviamos dois grupos em diversos sentidos, a fim de fazê-los encontrar, esbarrar, trocar palavras, separar e sair continuamente de cena, teremos assim uma impressão de azáfama, pressa, caos. Brabâncio não dispõe de forças organizadas. Organizam-se, na hora, com os seus servidores. Portanto, não podem ter nenhuma disciplina militar: tudo ocorre na hora, sem sentido, em movimento confuso. A "variação" ajuda a criar esse clima.

— Quem preparou vocês para o ensaio de hoje? — perguntou Tortsov, depois que encerrou o interrogatório.

A CRIAÇÃO DE UM PAPEL

— Petrunin — foi a resposta. — E Rakhmanov conferiu.

Tortsov agradeceu aos dois, cumprimentou o porta-voz, aceitou o plano proposto sem nenhuma alteração, e depois convidou os aprendizes a executá-lo junto com os atores, nós.

Os aprendizes ergueram-se como se fossem um só e subiram ao palco sem hesitar e na mais perfeita ordem.

— Não é assim que nós fazemos! — murmurei para Paulo, que estava sentado a meu lado.

— Que tal, hein? Cuidado! Estão fazendo isso para nos edificar! — respondeu Paulo.

— Puxa! Mas como trabalham bem! Encaixe perfeito! — exclamou Vânia, aprovadoramente.

Quando os aprendizes chegaram ao palco, levaram algum tempo, de início, para se concentrarem no melhor modo de atingir seus objetivos. Com muita concentração, moveram-se de um lado para o outro, tanto diante das cadeiras que definiam o palácio como atrás delas, isto é, dentro do palácio. Quando não conseguiam obter a ação desejada, paravam, refletiam, faziam algumas modificações, e repetiam aquilo que antes não tinha dado certo. Por sua vez, Tortsov, que, como disse, estava agindo como um espelho, refletindo o que via, formulou suas conclusões:

— Biespalov, não acredito em você! Donditch, ótimo! Vern, você está exagerando.

Fiquei impressionado com o fato de que, embora os aprendizes não usassem objetos de cena, se entendia o que estavam fazendo, quais as coisas que eles, supostamente, iam vestindo ou pegando. E eles não tocavam no que quer que fosse sem lhe dar a devida atenção. Cada coisa era "usada" integralmente.

Um clima solene, quase eclesiástico, envolveu a cena e a plateia. Os do palco falavam em tom baixo, a plateia estava imóvel, silenciosa.

Durante uma breve pausa, Tortsov pediu que lhe fosse explicado o papel que cada um interpretava. Cada participante, sucessivamente, acercou-se da ribalta e explicou quem era.

A CRIAÇÃO DA VIDA FÍSICA DE UM PAPEL

— O irmão de Brabâncio! — explicou um homem simpático, de aspecto imponente, já não muito moço. — Ele organiza a perseguição e atua, por assim dizer, como comandante em chefe da expedição. É uma pessoa enérgica, severa.

— Quatro gondoleiros — anunciaram dois rapazes bonitões, e dois outros nem tanto assim.

— A ama de Desdêmona — disse uma senhora troncuda, de certa idade.

— Duas criadas que ajudaram no rapto. Estavam em complô com Cássio, que organizou a fuga.

— Agora interpretem para mim as ações físicas da primeira cena. Vamos ver como sai.

Interpretamos. Descontando alguns erros, pareceu-nos que a cena correu bem, sobretudo o que fizeram os aprendizes.

Tortsov disse:

— Se adotarem sempre esta linha em seus papéis, e acreditarem sinceramente em cada uma das ações físicas, vocês logo criarão o que nós chamamos de partitura, a vida física de seus papéis. Já lhes falei sobre isso. Agora, estão vendo por experiência própria como se faz para coordená-las: se vocês comprimirem, concentrarem, fizerem uma síntese da essência de cada um desses objetivos e ações básicas principais, terão assim a partitura da primeira cena de *Otelo*.

"Vou dar-lhes o nome das principais subdivisões de que se compõe a partitura:

"O primeiro objetivo e ação fundamental é: Convencer Rodrigo a ajudar Iago.

"O segundo é: Despertar toda a casa de Brabâncio (o alarme).

"O terceiro: Pô-los em perseguição.

"O quarto: Organizar os pelotões e a perseguição propriamente dita.

"Agora, quando pisarem no palco para interpretar essa primeira cena, não pensem em coisa alguma, a não ser a melhor execução possível desses *objetivos* e *ações fundamentais*. Cada um deles foi conferido, discutido, estudado do ponto de vista de sua natureza

A CRIAÇÃO DE UM PAPEL

física e psicológica simples, bem como do ponto de vista de sua lógica e coerência. De modo que, a partir de agora, quando eu lhes mencionar qualquer uma das fases da partitura, como por exemplo: "Despertem toda a casa de Brabâncio", vocês já sabem como é que isso seria feito na vida real, e como se faz no palco. Preocupem-se em conseguir com que seja feito o mais rendosamente possível para as personagens principais e o objetivo primordial da peça. Por enquanto, é só isto que precisam fazer. Mas não esmoreçam no trabalho que começamos. Venham todos os dias e repassem a cena, se não toda, pelo menos em seu contorno geral. Reforcem assim, cada vez mais, os objetivos e ações fundamentais, fixando-os com mais precisão, como sinais numa estrada. Quanto aos detalhes, as pequenas partes componentes, com suas adaptações e sua execução, não pensem muito nelas. É preferível até improvisá-las a cada vez.

"Não tenham medo disso. Vocês já têm bastante material preparado para executá-las e as desenvolverão constantemente, de forma cada vez mais plena, mais profunda, de modo a torná-las mais *atraentes*. Afinal, os únicos bons objetivos e ações são aqueles que excitam o ator e o levam à criatividade. Quando atingimos este ponto, de penetrar mais fundo no desenvolvimento dos objetivos e ações fundamentais do esquema, chegamos a uma nova fase na criação de um papel."

— Agora, volto ao nosso ponto de partida, à coisa pela qual fizemos nossa última experiência na formação da vida física de um papel: a questão de como encontrar novos modos e meios de abordar interiormente um papel, de modo mais natural, direto, intuitivo.

"A criação da vida física é metade da elaboração do papel, porque, como nós, um papel tem duas naturezas, a física e a espiritual. Vocês me dirão que o principal objetivo da nossa arte não está em exterioridades, que o que ela procura é a criação da vida de um espírito humano, para informar o que fazemos em cena. Concordo plenamente, mas justamente por isso é que começo nosso trabalho com a vida física de qualquer papel.

A CRIAÇÃO DA VIDA FÍSICA DE UM PAPEL

"Deixem-me explicar o motivo desta conclusão inesperada. Vocês sabem que, se um papel não consegue formar-se espontaneamente dentro do ator, este não tem outro recurso senão abordá-lo de maneira inversa, partindo dos aspectos exteriores para dentro. É isso que eu faço. Vocês não sentiam seus papéis intuitivamente, e portanto eu comecei pela parte física desses papéis. Esta é uma coisa material, tangível, atende às ordens, aos hábitos, à disciplina, ao exercício, é mais fácil de manejar do que o esquivo, efêmero e caprichoso sentimento, que nos foge. Mas não é só isso. Há fatores mais importantes escondidos em meu método: o espírito não pode deixar de reagir às ações do corpo, desde que — evidentemente — estas sejam autênticas, tenham um propósito e sejam produtivas. Esse estado de coisas é particularmente importante no palco porque um papel — mais do que uma ação na vida real — precisa juntar as duas linhas (a da ação externa e a da ação interna), num esforço mútuo para atingir um determinado fim. O fator favorável, no teatro, é que ambas são tiradas da mesma fonte, a peça, o que lhes dá afinidade. Então, por que é que vemos tantas vezes, no palco, justamente o efeito contrário — a linha interior de um papel truncada e substituída pela linha pessoal do ator, que foi desviado da criatividade por preocupações triviais, enquanto continua a mover-se automaticamente, por força do hábito? A causa disso é uma atitude formalística, mercenariamente rotineira para com o trabalho de atuar.

"O acesso físico ao papel pode agir como uma espécie de acumulador para o sentimento criativo. As emoções e os sentimentos interiores são como a eletricidade: espalhados no espaço, desaparecem. Mas se a gente enche de sentimentos a vida física do papel, as emoções despertadas tomarão raiz em nosso ser físico, em nossas ações físicas profundamente sentidas. Elas se infiltrarão, serão absorvidas, recolherão sentimentos ligados a cada instante da vida física do papel, e assim se apossarão firmemente das efêmeras sensações e emoções criadoras do ator. Graças a essa via de acesso, a vida física de um papel, fria e pré-fabricada, adquire conteúdo interior. As duas naturezas de um papel, a física e a espiritual, fun-

A CRIAÇÃO DE UM PAPEL

dem-se uma na outra. A ação exterior adquire significado e calor interiores, graças ao sentimento interior, e este último encontra sua expressão em termos físicos, a encarnação externa.

"E aqui está mais um motivo, não menos prático, pelo qual eu comecei nosso trabalho sob o prisma físico. Uma das *iscas* mais irresistíveis para as nossas emoções está na *verdade* e na *fé* que tivermos nela. Basta que o ator em cena perceba uma quantidade mínima de verdade física orgânica, em suas ações ou em seu estado geral, para que instantaneamente suas emoções correspondam à crença interior na autenticidade daquilo que seu corpo está fazendo. Em nosso caso, é incomparavelmente mais fácil suscitar uma real veracidade — e a devida crença nessa verdade — no plano de nossa natureza física do que na região de nossa natureza espiritual. Basta que o ator creia em si mesmo, para que a sua alma se abra, acolhendo todos os objetivos e emoções interiores de seu papel. Mas se forçar seus sentimentos, jamais acreditará neles. E sem essa fé nunca sentirá realmente seu papel.

"Para saturar ações físicas externas com itens essenciais interiores, com a vida espiritual do papel, é preciso ter o material adequado. Este, vocês encontram na peça e em seus papéis. Portanto, voltaremos agora nossa atenção para o estudo do conteúdo interior da peça."

CAPÍTULO VI **Análise**

Hoje, a nossa aula começou com um cartaz, no qual estava escrito: *O Processo de Estudar a Peça e o Papel (Análise).*

Tortsov disse:

— Deixem-me repetir: o melhor que pode acontecer a um ator é que todo o seu papel se forme espontaneamente nele. Em tais casos, podemos esquecer todos os "sistemas", técnicas, e entregar-nos plenamente ao poder da mágica natureza. Isso, infelizmente, não aconteceu com nenhum de vocês. Portanto, tentamos todos os meios possíveis de que dispúnhamos para sacudir sua imaginação, atrair seus sentimentos, a fim de fazê-los pôr vida natural, direta, intuitiva, se não no papel todo, pelo menos numa parte do papel. Esse trabalho teve algum êxito. Em diferentes pontos da peça, houve lampejos de vida. Agora, é evidente, já percorremos todas as vias de acesso direto, imediato, intuitivo, à obra de Shakespeare. Que mais poderíamos fazer para produzir novas réstias de luz nos trechos que estão sem vida? Como poderemos forçá-los a se aproximarem do mundo interior das personagens mostradas em cena? Para isso, precisamos do processo da *análise.*

"Em que consiste essa análise, e qual o seu propósito? Seu propósito é desencavar *estímulos criadores para atrair o ator,* pois sem eles não pode haver identificação com o papel. O objetivo da análise é o *aprofundamento emocional da alma do papel,* a fim de compreender os elementos que compõem essa alma, sua natureza exterior e interior e, com efeito, toda a sua vida de espírito humano. A análise estuda as circunstâncias e os acontecimentos externos da vida de um espírito humano no papel; procura na alma do próprio ator as emoções que sejam comuns ao papel e a ele próprio,

A CRIAÇÃO DE UM PAPEL

as sensações, experiências, todos os elementos capazes de estabelecer ligações entre ele e seu papel e buscar descobrir qualquer matéria espiritual ou de outras espécies, favorável à criatividade.

"A análise disseca, descobre, examina, estuda, pesa, reconhece, rejeita, confirma. Desvenda a orientação e o pensamento básicos de uma peça e de um papel, o superobjetivo e a linha direta de ação. É com esse material que ela nutre a imaginação, os sentimentos, os pensamentos e a vontade.

"Como veem, a análise tem muitas missões a cumprir, mas em primeira instância, no início de nosso trabalho, ela procura encontrar, compreender e dar o justo valor às pérolas mais preciosas, aos estímulos criadores encravados na obra de um escritor talentoso ou genial, pérolas que ficaram despercebidas durante o nosso primeiro e casual contato com a peça. O talento do ator é sensível, reage a tudo que é excelente. Os estímulos criadores despertam nele, naturalmente, uma reação criadora. Esta reação, por sua vez, projeta faixas de luz sobre os trechos obscuros da peça, e evoca sensações autênticas, embora breves. Essas sensações parciais servem para levar o ator mais perto do seu papel. Portanto, nosso primeiro objetivo, agora, é dar caça aos estímulos criadores que o dramaturgo engastou em sua peça, para excitar o ator.

"Primeiro, como sabem, recorremos à razão, que está muito mais sujeita ao controle do que a emoção. Mas não o fazemos como um processo puramente intelectual. Usamos primeiro a nossa mente, para que ela, como um batedor, vá reconhecendo o terreno. A razão começa por estudar todos os planos, todos os rumos, todas as partes componentes da peça e dos papéis individuais. Como um soldado de vanguarda, abre novas trilhas para que nossos sentimentos possam fazer novas prospecções. Depois, as emoções criadoras vão seguindo por esses caminhos preparados pelo batedor, e por fim, terminada a busca, a mente volta outra vez, mas agora num novo papel, estritamente limitado. Agora, atua como uma retaguarda, arrecadando emoções triunfantes e consolidando as conquistas.

"Portanto, a análise não é apenas um processo intelectual. Nela entram muitos outros elementos, todas as capacidades e qualida-

ANÁLISE

des da natureza do ator. É preciso dar a estas o maior campo de ação possível, para que se manifestem. A análise é um meio de conhecer, isto é, de sentir uma peça. Só por meio da experiência emocional autêntica se pode penetrar até os mananciais secretos da natureza humana de um papel, e aí chegar a conhecer, a sentir, as coisas invisíveis que se escondem na alma das pessoas, essas coisas inacessíveis ao ouvido, à vista, ou à abordagem consciente. É uma desgraça que a razão seja seca. Embora ela, às vezes, chegue de fato a evocar um surto direto da inspiração inconsciente, muitas vezes também a mata. Devido à sua natureza consciente, muitas vezes avassala e esmaga sentimentos que são do maior valor para a criatividade. De modo que, no processo da análise, temos de usar a mente com o máximo cuidado e cautela.

"Quando, em criança, eu tinha de estudar os nomes das cidades às margens do Volga, com o único propósito de decorá-los, me chateava e não conseguia fixá-los na memória. Mas quando cresci e, com meus colegas de aula, viajei de barco pelo Volga, aprendemos os nomes não só das grandes cidades, mas também dos menores arraiais, atracadouros e paradas de barco, e os recordamos por toda a vida. Hoje, somos capazes de lembrar até mesmo quem morava lá, o que se podia comprar e a produção local. Sem querer, entrávamos em contato com os aspectos mais íntimos da vida, inclusive alguns detalhes picantes e fofocas do lugar. Tudo o que vínhamos a conhecer era, sem nenhum esforço de nossa parte, cuidadosamente colocado nas prateleiras de nossa memória.

"Há uma grande diferença entre estudar uma coisa apenas para saber, e estudá-la para utilizá-la. No primeiro caso, não achamos lugar para guardá-la; no segundo, o espaço já está preparado, e o que aprendemos coloca-se imediatamente lá, com a mesma naturalidade com que a água corre para um poço ou um canal que tenha sido preparado para ela.

"O mesmo se aplica à análise de uma peça. Se estivéssemos fazendo uma análise e buscando sentimentos experimentados apenas para ter sensações, encontraríamos pouco espaço ou utilidade para eles. Mas se o material derivado da análise for qualquer

A CRIAÇÃO DE UM PAPEL

coisa de que precisamos para preencher, justificar ou dar vivacidade à vida física excessivamente rasa de nossos papéis, então o novo material, extraído de dentro da peça e dos próprios papéis, terá uma aplicação importante e fornecerá um solo fértil para o desenvolvimento.

"A partitura para a vida física de um papel é apenas o começo de nossa tarefa. A parte mais importante vem depois: o aprofundamento dessa vida, até atingir as maiores profundidades, onde começa a vida espiritual do papel, cuja criação é o objetivo principal de nossa arte. Esse objetivo, agora, foi em grande parte preparado, e não será tão difícil alcançá-lo. Quando tentamos alcançar os sentimentos diretamente, sem preparo ou apoio, é que é difícil apreender ou captar com firmeza a delicada substância de seu traçado. Mas agora, que têm o firme apoio de uma linha material, física, tangível, para a vida física de seus papéis, vocês já não ficarão balançando no ar: estarão prosseguindo por um caminho bem batido.

"O conhecimento de nossa entidade física é um campo fértil e esplêndido para o crescimento. Tudo que aí se planta tem uma base tangível no mundo material. As ações baseadas nele ajudam particularmente a estabelecer um papel, porque nesta área é mais fácil achar grandes ou pequenas verdades, que produzem fé naquilo que estivermos fazendo em cena. E vocês já sabem que a fé e a verdade são ímãs poderosos para suas emoções.

"Recapitulem: será que seus sentimentos permaneceram impassíveis, quando vocês viviam sinceramente na entidade física de seus papéis? Se sondarem mais fundo este processo e observarem o que se passa em sua alma num momento desses, verão que, tendo fé em suas ações físicas em cena, sentem emoções relacionadas com a vida exterior de seus papéis, e possuem uma ligação lógica com sua alma.

"O corpo é convocável. Os sentimentos são caprichosos. Portanto, se vocês não puderem criar espontaneamente um espírito humano em seus papéis, criem a entidade física do papel."

— Temos muitos modos de aprender por meio da análise de uma peça e de seus papéis.

ANÁLISE

"Podemos renarrar o conteúdo da peça, fazer listas dos fatos e acontecimentos, das circunstâncias determinadas que o autor propõe. Podemos dividir a peça em pedaços — dissecá-la e dividi-la em camadas, imaginar perguntas e dar as respostas, ler o texto com palavras e pausas exatamente proporcionais, e lançar os olhos sobre o passado e o futuro das personagens, organizar discussões generalizadas, argumentações e debates. Podemos ficar de olho no aparecimento e difusão das áreas de luz, pesar e calcular todos os fatos, encontrar nomes para as unidades e objetivos, e assim por diante. Todos esses diferentes métodos práticos fazem parte do processo único da análise, ou seja, o de ficar conhecendo a peça e seus papéis.

"Vou dar-lhes exemplos práticos. Mas esses não podem ser feitos todos de uma vez e só com a única cena que estamos ensaiando. Isso viria a confundi-los, ficaria em sua cabeça, permanecendo ali para dar uma impressão de extrema dificuldade. Portanto, vou apresentar-lhes gradualmente os métodos técnicos da análise, aplicando-os a cada cena."

No fim da aula, Tortsov distribuiu-nos tarefas. Mandou-nos ir à sala de Rakhmanov e dizer que nos devolvesse os exemplares do *Otelo* que nos tinham sido tomados. Antes de sair dali, cada um de nós teria de copiar as instruções do dramaturgo. Disse-nos ainda que selecionássemos e copiássemos também, dos diálogos e monólogos dos personagens, tudo que se relacionasse com suas características, suas relações recíprocas, a explicação e justificação dos fatos dados, os lugares onde transcorre a ação, os trajes, as explicações das emoções interiores e assim por diante — tudo o que pudéssemos extrair da mina que é o texto da peça. De todos esses extratos, deveríamos fazer, sob a direção de Rakhmanov, uma lista geral e inscrevê-la no relatório de nossa aula. Cada um de nós receberia uma cópia da lista, mas os textos da peça seriam outra vez recolhidos.

— Quanto a mim — anunciou Tortsov —, vou ver o pintor que está fazendo os esboços do cenário e dos trajes. Vou pensar no pla-

A CRIAÇÃO DE UM PAPEL

no geral de produção da primeira cena, e além das indicações do autor, direi a vocês na próxima aula quais são as minhas sugestões. Assim, terão todos os dados ao seu dispor.

Rakhmanov leu-nos a peça em voz alta, e nós o detínhamos sempre que chegava a alguma coisa capaz de caracterizar as personagens, suas relações mútuas, sua psicologia, as notas do autor quanto à produção, direção, cenários etc. Tudo isto somou várias páginas de notas. Estas foram classificadas em grupos (cenário, trajes, notas do autor, caracterização, psicologia, pensamentos etc.). Isso formou uma nova lista, que amanhã apresentaremos a Tortsov.

— A fim de obter absolutamente tudo o que o escritor põe em seu texto e cercá-lo por todos os lados — disse hoje Tortsov —, e também para esclarecer coisas que ele apenas insinua (informação que o ator precisa ter), eu lhes sugiro outro recurso técnico, que adotamos em nosso processo de refletir sobre a peça. O que tenho em mente é uma série de perguntas e respostas. Por exemplo:

"*Quando* transcorre a ação? Na época do florescimento da República de Veneza, no século XVI.

"Em que estação? De dia ou à noite? A primeira cena, diante do palácio de Brabâncio, passa-se no outono ou no inverno, quando há fortes tempestades no mar. Há nuvens carregadas no céu, e um temporal se anuncia. A ação ocorre tarde da noite, quando toda Veneza vai mergulhando num sono profundo. Se quisermos informar o público quanto à hora, o relógio de uma torre poderá dar as onze. Mas como este efeito é muito usado no teatro para criar climas, ternos de exercer a máxima cautela, e só recorrer a ele em caso de extrema necessidade.

"*Onde* transcorre a ação? Em Veneza. No bairro aristocrático, não muito distante do Grande Canal, onde estão situados os palácios dos grandes. Uma boa parte do palco é ocupada pela água, e só uma pequena parte por um passeio estreito — isso é típico da cidade, construída sobre as águas — e por um patamar diante do

ANÁLISE

portão que dá para o canal, ou diante da entrada do palácio. Convém que as janelas inferiores e superiores do palácio fiquem visíveis ao público, para que as luzes noturnas, as lanternas e a correria lá dentro transmitam a impressão de que uma casa inteira foi despertada, uma impressão vinda de dentro, por trás das janelas."

Os alunos manifestaram dúvidas quanto à possibilidade de reproduzir o efeito de água verdadeira e de gôndolas flutuando, mas Tortsov disse que o teatro estava equipado para todas essas coisas. A ondulação da água é reproduzida por um tipo especial de projetor com um cromotrópio, que gira mecanicamente em velocidades diferentes. Ele projeta reflexos de lampejos de luz, mais ou menos como uma lanterna mágica, e produz o efeito exato da água encrespada. Há também aparelhos mecânicos para reproduzir as ondas. Por exemplo, em Bayreuth, na encenação de *O navio fantasma,* mostram dois grandes veleiros que navegam, são manobrados, fazem uma volta completa e se separam. Um deles entra no porto. Nestas manobras e giros, as ondas vêm quebrar-se a bordo, de vários pontos, e lambem os navios como água de verdade.

— Agora, temos de apontar nosso telescópio para as réstias quase imperceptíveis, nada claras, da peça, para ajudá-las a instilar vida nelas. Corno faremos?

"Temos de lavrar novamente o texto, o que significa relê-lo, ponderadamente. Vocês, atrevo-me a dizer, protestarão: Nós já lemos! Já conhecemos! Mas eu vou provar com vários exemplos que, embora tendo lido a peça, vocês ainda não a conhecem.

"E não é só isso. Em alguns trechos, vocês nem mesmo conseguiram fazer a análise gramatical do texto. Além de tudo, mesmo nos trechos que nós chamamos de claros, vocês só fazem uma ideia aproximada daquilo que se está dizendo.

"Vejam, por exemplo, um daqueles grandes trechos claros, brilhantes: a fala de Otelo no Senado:

A CRIAÇÃO DE UM PAPEL

Digníssimos e mui Poderosos
Nobres Senhores e meus bons Patronos:
que a este ancião raptei a filha, é certo;
que a tomei por esposa, é também certo.
Toda a larga extensão da minha culpa
daí não passa...[1]

"Vocês compreendem — vocês sentem — *todos* os conteúdos que foram postos nesta fala?"

— Sim. Achamos que compreendemos o que ele está falando. É do rapto de Desdêmona! — afirmaram os estudantes.

— Não, não é precisamente isso — interrompeu Tortsov. — Ele fala sobre o rapto da filha de um alto dignitário, e o faz na posição de um estrangeiro, que por acaso está a serviço do Senado. Digam-me, qual é o serviço em que Otelo está engajado? Ele chama aos senadores de *patronos*. Qual é a relação entre ele e eles?

— Ele é um general, um militar — decidimos.

— Será ele, em nossa linguagem, uma espécie de ministro da guerra, e eles formam um conselho de ministros, ou será simplesmente um soldado mercenário, e eles os governadores plenipotenciários que tomam todas as decisões com força de lei no país?

— Não tínhamos pensado nisso, e ainda agora não vejo por que os atores precisam saber de todas essas minúcias — confessou Gricha.

— O que é que você está dizendo! Que não percebe por que precisa saber estas coisas? — exclamou Tortsov com espanto. — Isto é uma questão de conflito não só entre duas classes diferentes, mas também entre nacionalidades. Além disso, trata-se também da dependência do Senado em relação a um negro que eles desprezam. Ora, esse conflito, para os venezianos, é terrível — é toda uma tragédia! E vocês não querem saber dela? Então não se interessam

---

[1]*Otelo,* de William Shakespeare, I Ato, Cena III. Tanto esta como todas as outras citações desta obra, neste livro, foram extraídas da tradução de Onestaldo de Pennafort. (Civilização Brasileira, 3ª edição, revista, 1968.) *(N. do T.)*

pela posição social das personagens? Como poderão sentir, sem isso, as suas inter-relações, ou a pungência do choque entre elas, que representa um papel tão tremendo na tragédia toda, de um modo geral, e particularmente na história de amor dos protagonistas?

— Claro, o senhor tem toda razão — concordamos.

— Prossigamos — continuou Tortsov.

Que a este ancião raptei a filha, é certo;...

— Agora me digam como ocorreu esse rapto. Para julgar a extensão de sua culpa, é preciso conhecer os detalhes, e isto não só do ponto de vista das partes ofendidas — Brabâncio, o doge, os senadores — mas também sob o prisma daquele que deu início ao crime — Otelo —, e ainda do ponto de vista de Desdêmona, a heroína da história de amor.

Não nos ocorrera pensar nessa questão, e não pudemos responder.

— Vou prosseguir — disse Tortsov.

... que a tomei por esposa é também certo...

— Digam-me agora, quem os casou? Onde, em que igreja? Foi numa igreja católica? Ou será que, sendo Otelo muçulmano, não houve sacerdote que os quisesse casar? Neste caso, a que cerimônia daria Otelo o nome de casamento? Ou teria sido um concubinato? Para aqueles tempos isso seria, talvez, muito ousado, muito insolente.

Quando nada tivemos a dizer também quanto a isto, Tortsov manifestou sua opinião sobre nós.

— É evidente — concluiu — que, com algumas exceções, vocês são capazes de ler e de chegar a uma compreensão quase formal daquilo que as palavras dizem, daquilo que as letras impressas num exemplar do *Otelo* indicam. Mas isso está longe de ser o que Shakespeare pretendia exprimir quando escreveu sua peça. Para compreender suas intenções, vocês têm de tomar as letras impressas, inertes, e restabelecer não só os seus pensamentos, mas tam-

A CRIAÇÃO DE UM PAPEL

bém suas visões, emoções, sentimentos, numa palavra, todo o subtexto, que jaz, latente, sob as palavras do texto formal. Só então poderemos dizer que não só lemos, como também conhecemos a peça.

"O erro que todos vocês cometeram quando narraram de novo o conteúdo da peça foi que repetiram o que todo mundo já sabia há muito tempo — o que o autor escreveu, a peça no *presente*.

"Mas e seu passado, e a sua perspectiva futura? Quem nos falará sobre eles?

"Não nos ocultem as insinuações que vocês mesmos percebem sob as palavras, nas entrelinhas, as coisas sugeridas por Shakespeare, exatamente como vocês mesmos veem, ouvem e pressentem a vida de um espírito humano na peça. Sejam criadores, e não simples narradores.

"Quem sabe você, Gricha, vai empreender essa tarefa difícil?"

— Desculpe-me, por favor — replicou Gricha, querendo discutir —, mas eu vou repetir o que o autor disse. Se o senhor não gostar, se achar que é chato, a responsabilidade é do autor.

— Oh, não senhor — interrompeu Tortsov. — O autor só escreveu o que acontece depois que subiu o pano. Isso é, por assim dizer, o tempo *presente* da peça. Mas pode o presente existir sem o *passado*? Tente eliminar todos os antecedentes de seu próprio presente. Imagine um instante que você está aqui sentado, preparando-se para tornar-se um ator, mas no seu passado não há nada que leve a este trabalho atual. Você não se preparou, nem mesmo em pensamento, para ser ator, nunca representou, nunca entrou num teatro. Não acha que um presente como este perderia todo o valor, seria como uma planta sem raízes, condenada a murchar e morrer?

"O presente não pode existir sem o passado, e tampouco sem o futuro. Vocês dirão que nós não podemos saber, nem prever, o futuro. Mas não só podemos, como temos de desejá-lo e de pensar sobre ele.

"Que vantagem teria o seu presente, digamos, os seus estudos para se tornar ator, se você não estivesse se preparando para ingressar no teatro e dedicar sua vida a esta profissão?

ANÁLISE

"Naturalmente, suas ocupações presentes tornam-se mais interessantes porque dão fruto no futuro.

"Se na vida comum não pode haver presente sem passado e futuro, no teatro, que reflete a vida, não pode ser diferente. O dramaturgo nos dá o *presente* mas, por certos meios, também nos fornece indícios do *passado* e do *futuro*.

"Um escritor de livros nos dá mais, de fato nos dá todos os três. Escreve até prólogos e epílogos. Não admira. Ele não é limitado pela extensão de seu livro, nem por considerações de tempo.

"Mas, com o dramaturgo, o caso é diferente. Ele está confinado nos estreitos limites de uma peça. Esses limites estão fixados quanto ao tempo — e este é bem pouco, também. O dramaturgo pode, no máximo, levar quatro horas ou quatro horas e meia, contando com três ou quatro intervalos de quinze minutos cada um. Não pode ocupar o palco por mais de quarenta ou quarenta e cinco minutos de cada vez. Este é o limite até onde pode contar com a atenção do público. Que pode dizer em tão curto tempo? E tem muito a dizer. Portanto é nisso que recorre aos atores, para que o ajudem. O que o autor não tem tempo de dizer sobre o passado e o futuro os atores devem suprir.

"A isso, vocês dirão que eles não podem usar nada além das palavras do autor. Não é exatamente assim. Há coisas que são transmitidas por outros meios que não as palavras.

"Quando a Duse, no último ato de *La dame aux camélias,* lê, pouco antes de morrer, uma carta que Armand lhe enviou quando ela o conheceu, os seus olhos, a sua voz, suas inflexões, todo o seu ser exprimiam convincentemente o que ela via, sabia e estava revivendo até o último detalhe, desse momento de seu passado.

"Poderia a Duse ter conseguido tal resultado se ela mesma não estivesse cônscia de todos esses detalhes minuciosos, se não tivesse pensado nas coisas que a heroína, ao morrer, está vendo com os olhos do espírito?

"Depois do trabalho que já efetuamos, parece que poderíamos dizer, agora, que sabemos todas as palavras escritas no texto, e o que quer que esteja oculto sob elas, no subtexto: pensamentos, sentimentos, coisas vistas e ouvidas.

"Isso já é muita coisa. Mas não é tudo. Sabemos, por experiência, que o dramaturgo não explica textualmente muitas coisas que são necessárias ao ator. Por exemplo, Iago e Rodrigo aparecem. De onde vieram? Que teria acontecido cinco, dez, quarenta minutos, ou um dia, um mês, um ano antes? Então o ator não precisa saber? Será supérfluo, para o intérprete de Rodrigo, saber onde, quando e como ele encontrou, conheceu, cortejou Desdêmona? Se não estiver ciente destes fatos e das imagens que lhes correspondem, como poderá dizer as falas que Shakespeare lhe deu? Há no texto insinuações mínimas, e nós as levaremos em consideração, mas e o resto? Quem nos falará sobre isso? Não é possível ressuscitar o autor, e não há ninguém mais que vocês possam procurar. Só lhes resta a confiança que depositam no diretor da peça. Mas nem todos os diretores estão dispostos a seguir a mesma linha que seguimos. Além disso, o que ocorre ao diretor pode ser uma ideia totalmente estranha a nós como atores. Portanto, só lhes resta confiar em vocês mesmos. E assim, mãos à obra. Vamos sonhar um pouco e inventar o que o autor não redigiu. Vocês terão de virar coautores e arrematar o que ele não fez por conta própria. Quem sabe, talvez tenhamos de escrever uma peça inteira...

"Enquanto isso, é uma pena que vocês discutam e conversem tão pouco sobre a peça uns com os outros. Como poderei instigá-los? Os debates são a melhor forma de despertar o interesse, de chegar aos pontos essenciais e esclarecer os mal-entendidos."

Tentamos explicar a Tortsov por que não ocorriam essas discussões sobre a peça, fora de aula.

— Estou vendo que terei de ajudá-los — observou Tortsov, ao sair da sala.

— Estava marcada para hoje uma palestra entre professores e alunos sobre o tema de *Otelo*. Reunimo-nos num dos saguões do teatro, ao redor de uma grande mesa coberta com uma toalha de baeta verde, e sobre a qual havia folhas de papel, lápis, canetas — todo o

ANÁLISE

aparato de uma verdadeira conferência. Tortsov sentou-se à cabeceira da mesa e declarou aberta a sessão.

— Quem quer falar sobre o *Otelo*, tal como o compreende? Ficamos todos embaraçados, e permanecemos imóveis e silenciosos como se tivéssemos a boca cheia d'água.

Julgando que talvez a ideia da reunião ainda não estivesse bem clara, Tortsov começou a explicá-la. Disse:

— A certa altura, de um modo ou de outro, vocês leram *Otelo* apressadamente, casualmente. Disso guardaram algumas manchas de recordação. A segunda leitura acrescentou alguma coisa a essas impressões. Mas tudo isso ainda é muito pouco material interior para os seus papéis. A palestra de hoje foi programada para completar esse material. Portanto, vou pedir a cada um que manifeste, com toda franqueza, a sua opinião sobre a peça.

Evidentemente, ninguém tinha qualquer ideia sobre ela, porque ninguém se dispôs a dizer coisa alguma. Depois de uma pausa prolongada e bastante incômoda, Rakhmanov pediu a palavra.

— Até agora, fiquei calado. Não disse nada quando Kostia pediu que trouxessem o *Otelo* para dentro de casa, nem quando Tortsov confirmou a escolha da peça para o nosso trabalho com um papel. Calei-me, apesar do fato de que nunca concordei com isso. Por que me oponho a essa escolha? Em primeiro lugar, porque não é uma peça para estudantes, e em segundo lugar — e este é o motivo principal — essa tragédia está longe de ser o melhor trabalho de Shakespeare. Realmente nem chega a ser uma tragédia, é um melodrama. Por isso, o enredo, os seus acontecimentos, são tão improváveis que é impossível acreditarmos neles. Julguem vocês: um general negro! Onde é que se viram generais negros? E estou falando agora dos nossos tempos avançados. Que diria na distante Idade Média de Veneza? E esse inexistente general preto furta a mais linda, pura, ingênua princesa de contos de fada, Desdêmona. Isso é absolutamente improvável! Só quero ver um selvagem roubar a filha de um inglês ou de quem quer que seja! Ele que experimente! Um Romeu desses ia comer fogo!

A CRIAÇÃO DE UM PAPEL

Os que estavam presentes sentiam vontade de interromper Rakhmanov, mas não tinham coragem. Mas, depois de Tortsov ter manifestado alguma dúvida, um tanto embaraçado com as observações do seu amigo, e depois de o haver detido, muitos de nós atacamos o orador e defendemos a peça. E então, a única coisa que Tortsov pôde fazer foi erguer os braços e ficar dizendo:

— Basta! Que é que vocês estão dizendo?

Cada uma dessas observações só servia para atiçar ainda mais a fogueira, e o debate ficou mais quente que nunca. Não havia meios de orientá-lo em qualquer sentido, e Tortsov, como presidente, tocava a sineta sem parar. Por estranho que pareça, Rakhmanov encontrou defensores em Vânia e — quem iria imaginar? — em Mária! Isto me perturbou e me fez entrar na refrega. Em pouco tempo, verificou-se que não havia unanimidade nem mesmo na oposição. Ao contrário, muitos deles faziam críticas. Parecia-me (talvez estivesse errado) que a maioria dos que estavam protestando, como por exemplo Gricha e Vássia, voltavam-se contra *Otelo* não porque a peça fosse boa ou má, mas porque não dava a cada um deles um papel a seu gosto. O salão reboava com os gritos e urros, principalmente quando Tortsov deixou seu lugar de presidente da mesa e ficou observando de fora os acontecimentos.

Terá essa baderna toda sido provocada de propósito por nossos professores? — a ideia luziu-me na mente. Nesse caso, acertaram em cheio, porque as discussões acerca do *Otelo* foram ardentes, e avançaram pelo anoitecer. Por causa disso houve graves multas, pois os estudantes não estavam em seus devidos postos, controlando a sonoplastia, durante o espetáculo daquela noite. Estavam, em vez disto, ocupados com o *Otelo*. Houve até relatórios contra alguns de nós. Por causa dessas discussões, nas quais tomaram parte alguns dos atores que representavam aquela noite, atacando Rakhmanov com ferocidade, houve um atraso no intervalo. Eles não ouviram o sinal da campainha, de tão interessados que estavam no debate.

Agora que voltei para casa, depois de terminado o espetáculo da noite, estou fazendo, na quietude noturna, uma súmula dos acontecimentos, tentando anotar tudo aquilo de que me recordo. É di-

ANÁLISE

fícil. Tenho tudo tão em baralhado na cabeça, e estou mortalmente cansado. Por isso, não há ordem nestas notas.

— Agora, é como após arar de novo a terra e semeá-la: temos de examinar o que brotou e colher os frutos — anunciou Tortsov, entrando hoje na aula. — Não há qualquer coisa de novo em seus sentimentos, depois de suas longas discussões?

— Se há! — foi a vociferação unânime. — Mas é tão caótico que não dá para fazer nada.

— Mesmo assim, vamos tentar pôr em ordem — propôs Tortsov. Para nosso espanto, após um cuidadoso interrogatório, verificou-se que não tínhamos acrescentado nenhum trecho de luz, embora esta agora tivesse, incrustadas em torno dela, em número infinito, diferentes sensações, insinuações, perguntas. Assim é nos céus quando, ao lado das grandes estrelas luminosas, o telescópio descobre multidões de minúsculas estrelinhas, que mal parecem brilhar. Achamos difícil perceber que se trata mesmo de estrelas. É como se o céu estivesse envolto num véu branco e leitoso.

— Para um astrônomo, isto seria uma descoberta! — foi a alegre exclamação de Tortsov. — Vamos confirmar nossas manchas de luz. Talvez realcem as estrelas foscas que se juntam ao seu redor. Comecemos com a primeira mancha de luz: a fala de Otelo aos senadores. Como poderemos confirmar e aumentar esta mancha de luz em nossa memória?

— Depois de tudo que sucedeu, vamos decidir agora qual é a natureza de nossas memórias: auditiva, visual ou emocional.

— Não. Eu não ouço a voz de Otelo e dos outros — disse eu. — Mas vejo e sinto alguma coisa, muito fortemente, embora indistinta.

— Isso é bom. Que é que você vê ou sente? — perguntou Tortsov.

— Acontece que é muito pouca coisa, muito menos do que eu pensava — confessei, depois de me examinar demoradamente. — Vejo uma espécie de figura banal, de cantor de ópera, e pressinto nela a nobreza de uma personagem generalizada.

A CRIAÇÃO DE UM PAPEL

— Isso não é bom, porque você jamais sentirá nada que se assemelhe à vida real nesse tipo de "visão" — observou Tortsov. — E, no entanto, nesta parte da peça, há um tal entrechoque de excitações e paixões intensas, verossímeis, humanas, de ordem social, nacional, psicológica e ética, que pareceria impossível alguém não se comover com elas. Até mesmo a trama exterior é tão boa, tão inesperada, tão incisiva, que empolga o nosso interesse. Que entrelaçamento de circunstâncias! A iminência de uma guerra, a dolorosa necessidade que tem o país de seu único salvador, Otelo; a ofensa brutal perpetrada contra a classe dominante, porque houve mescla de sangue no casamento de uma aristocrata com um selvagem de cor, um semibruto. Tente acreditar em tudo isso e optar entre a altivez racial dos orgulhosos venezianos e a salvação da pátria pelos verdadeiros patriotas. Quantos fios diversos estão entrelaçados nesta única cena. Que habilidosa técnica teatral de espirituosa exposição e ação direta, impetuosa!

"Se quiser reforçar ainda mais esta cena, projete uma ponte ligando-a às duas cenas precedentes. Suponha que elas foram representadas de forma que você sentiu a explosão de um vasto escândalo, que estourou dentro da noite como uma trovoada e despertou toda a cidade. Pense só, enquanto você dormia suavemente, ouviram-se de súbito os gritos de uma multidão que avança, o marulhar das ondas contra as gôndolas que se apressam, carregadas de homens armados. Enquanto isso, as janelas do palácio do Doge enchem-se de luzes, e a isso acrescente os terríveis boatos de uma invasão turca, o rapto da popular Desdêmona por um negro, um furacão soprando... Misture tudo isso e acorde. Tenho a certeza de que sentirá que a sua Veneza já está nas mãos dos infiéis, que a qualquer momento invadirão sua casa. Veja como um trecho claro se mescla com outro igualmente vivo e forma uma grande área brilhante, que projeta luz, agora, sobre as partes contíguas e lhes dá vida. Realmente, o episódio da guerra entrelaçou-se agora com o do rapto de Desdêmona. Mas, será que você se esqueceu de que o rapto está fortemente ligado à vingança de Iago contra Otelo, devido ao seu ressentimento por causa de Cássio? Recorde-se tam-

ANÁLISE

bém de que, em toda esta fervente trama, um papel importante é representado por Rodrigo, sobre o qual só Otelo tem primazia como pretendente à mão de Desdêmona. Ao mesmo tempo, Rodrigo está envolvido com Iago, e assim por diante.

"Percebe como uma personagem, um episódio, afeta outro, e como, assim, a comparação com a luz refletida das estrelas é válida para o processo de análise que nos ocupa neste instante? Mal havíamos começado a estabelecer a cena do comparecimento de Otelo ante o Senado, e logo fomos envolvidos por outros episódios, intimamente relacionados com ela, e estes, por sua vez, iluminaram as cenas precedentes.

"Depois de lançarmos os olhos rapidamente sobre o que ficou em nossa memória, vemos que alguns dos trechos claros já se fundiram com outros do mesmo tipo, enquanto um terceiro grupo, embora não se tendo ainda fundido, já mostra uma tendência nessa direção, e o quarto, o quinto... o décimo grupo, tendo recebido a luz refletida do primeiro, já se vão tornando mais distintos, enquanto o resto desses momentos, em nossa memória, consiste em insinuações quase imperceptíveis, como as estrelas da Via Láctea.

"Mas, para dizer a verdade, tudo o que fizemos até agora, no sentido de criar novas áreas claras e combiná-las com os nossos papéis, visou a despertar nosso entusiasmo para com certos pontos da peça que não tinham chegado intuitivamente à nossa consciência.

"Agora que redescobrimos esses pontos notáveis, o nosso *entusiasmo* de atores pode, por sua vez, tornar-se instrumento de nossa análise, e ajudar-nos a prosseguir com o trabalho iniciado. O entusiasmo faz mais do que apenas servir de estímulo à criatividade. Ele é, também, um guia sábio, que nos conduz aos mananciais secretos do coração, é um pesquisador agudo e penetrante, um sensível crítico e avaliador."

— Os poetas de talento, como Shakespeare, nos dão peças transbordantes de genialidade, recheadas do começo ao fim de matéria sedutora para reflexão, em quantidade infinita, com interessantes "se" mágicos e circunstâncias determinadas. Quando elaboramos

A CRIAÇÃO DE UM PAPEL

um tema de outra pessoa para a ação criadora devemos seguir principalmente a linha *interior* da peça, porque o fio exterior dos fatos e acontecimentos já foi determinado pelo autor. Para compreender e avaliar a substância segregada por uma peça, temos de ter imaginação.

"Vamos fazer uma experiência. Vânia, você. Diga-nos o conteúdo do *Otelo*."

— Um mouro negro rouba uma moça branca. O pai vai ao Senado, mas enquanto isso estoura a guerra. O mouro deve ser enviado, o pai não tem importância. Decidam — diz Brabâncio — primeiro sobre nós. Os senadores decidem, mandam o negro para a guerra naquela noite mesmo. Eu vou com ele, insisto — diz a filha. Assim, eles vão. A guerra termina vitoriosamente. Eles moram num palácio...

— Que é que vocês acham — perguntou Tortsov, voltando-se para nós. — O Vânia entendeu e avaliou, realmente, o novo e fascinante tema de criatividade que Shakespeare nos oferece?

Em vez de responder, caímos na risada.

— Quem sabe você, Paulo, é capaz de nos ajudar?

— Otelo roubou a filha de um senador chamado Brabâncio, na mesma noite em que os turcos atacaram uma das colônias de Veneza — começou Paulo. — A única pessoa que poderia chefiar com êxito uma expedição militar era Otelo. Mas antes de lhe confiar a defesa de suas possessões, eles tinham de resolver o conflito entre ele e Brabâncio, que exigia reparações pela infâmia lançada sobre sua família por aquele homem de raça negra, que os altivos venezianos desprezavam.

"O raptor, o mouro, é intimado a comparecer ante o Senado, reunido em sessão extraordinária."

— Já me deu sono — declarou Tortsov. — Esse é o tipo de libreto que nos dão os programas de teatro. Tente você, Gricha, narrar o conteúdo do *Otelo*.

— Chipre, Cândia e a Mauritânia são províncias vencidas, sob o pesado calcanhar de Veneza — começou o nosso especialista em atuação estereotipada. — Os arrogantes doges, senadores e aristocratas não consideram como seres humanos os povos conquistados, e não permitem aliança matrimonial com eles. Mas, vocês sabem, a vida não liga pra essas coisas, e obriga as pessoas a aceitarem estranhas conciliações. E depois, há essa inesperada guerra com a Turquia...

— Desculpe, acho enjoado. Parece um manual de História. Tem pouca coisa capaz de me arrebatar. E no entanto, a arte e a criatividade baseiam-se, ambas, no fato de acenderem nossa imaginação, nossas paixões.

"Dizendo o que diz, você nada sente daquele caloroso interesse que há no material fornecido por Shakespeare. Não é fácil narrar a essência de um trecho literário."

Eu fiquei calado, pois não tinha nenhum plano próprio.

Depois de algum tempo, o próprio Tortsov resolveu a história, ou melhor, adornou imaginativamente o tema de Shakespeare. Disse:

— Vejo uma linda jovem de Veneza, que se criou num ambiente luxuoso, é mimada, impetuosa, cheia de sonhos, fantasias, como as moças criadas sem mãe, nutrindo-se de contos de fadas e romances. Essa flor apenas entreaberta, Desdêmona, se aborrece, trancafiada com os deveres domésticos, servindo os caprichos de seu altivo e importante pai. Ninguém pode visitá-la, e o seu jovem coração tem sede de amor. Há pretendentes à sua mão, rapazes venezianos arrogantes e dissipadores, que não cativam esta jovem sonhadora. Ela procura o inaudito, as coisas que lemos nos belos romances. Está à espera de um príncipe encantado ou um poderoso potentado, um rei. Ele virá de algum país maravilhoso e distante. Terá de ser um herói, belo, atrevido, invencível. Ela se entregará a ele e partirá, num magnífico navio, para algum reino de conto de fadas. Agora prossiga você — disse Tortsov, dirigindo-se a mim. Mas eu o ouvia com tanta atenção, que não estava preparado e não pude dizer nada.

— Não posso — disse, depois de uma pausa. — Não estou preparado.

— Então prepare-se — insistiu Tortsov.

A CRIAÇÃO DE UM PAPEL

— Não tenho com quê — reconheci.

— Eu lhe forneço — disse Tortsov. — Está vendo, mentalmente, o local da ação, onde sucede tudo o que você está narrando?

— Sim — repliquei, com vivo interesse. — Imagino que a ação transcorre numa Veneza que me parece idêntica à nossa Sebastopol. Por algum motivo, vejo também ali a residência do governador de Nijni-Novgorod. Parece que é lá que mora Brabâncio, fica na margem da baía Sul, onde pequeninos vapores correm para todos os lados, como fazem até hoje. E, no entanto, isso não interfere com as velhas gôndolas se apressando em todas as direções, os remos chapinhando na água.

— Suponhamos que seja assim — disse Tortsov. — Quem pode explicar os caprichos de uma imaginação de ator! Ela pouco está ligando para a História ou a Geografia, e não teme os anacronismos.

— E o mais curioso ainda — prossegui com minha fantasia — é que, na minha Veneza, parecida com Sebastopol, há uma escarpa na costa da baía, exatamente igual a de Nijni-Novgorod, nas margens do Volga, onde há recantos poéticos e afastados que eu amava e dos quais tenho lembranças ternamente infelizes.

Quando acabei de contar o que via com minha visão interior, senti-me logo tentado a criticar o tolo produto de minha imaginação, mas Tortsov sacudiu os braços excitadamente e disse:

— Não faça isso, pelo amor de Deus! Você não tem o poder de ordenar a si mesmo que evoque estas ou aquelas lembranças, conforme sua vontade. Deixe que elas revivam espontaneamente e atuem como poderosos estimulantes para a sua criatividade de ator. A única condição é que não contradigam essencialmente a trama fundamental da peça, como o dramaturgo a escreveu.

Para incentivar as minhas imaginações, Tortsov me deu em seguida mais uma indicação.

— *Quando* foi que aconteceu tudo isso que você vê com sua visão interior? — perguntou.

Quando minha fonte secava, ele me impelia de novo a trabalhar mais ainda.

ANÁLISE

— *Como* aconteceu tudo isso? — perguntou, e logo foi esclarecendo a pergunta. — Isto é, eu queria conhecer o fio desta ação interior, sua progressão e desenvolvimento graduais. Por enquanto, só sabemos que uma moça mimada, Desdêmona, mora num palácio de Nijni-Novgorod, na margem do Volga e não quer se casar com nenhum dos dissolutos jovens venezianos. Diga-me com que ela sonha, como vive e o que acontece depois.

Este novo estímulo de nada serviu, e por isso Tortsov continuou, em meu lugar, inventando toda sorte de boatos fascinantes, decorrentes das conversas sobre a popularidade do mouro, que precederam a sua chegada.

Tortsov insistia em que as proezas do mouro, e todas as vicissitudes que ele narrou para Desdêmona, deviam ser como contos de fadas, romanticamente lindos e cheios de efeitos, para poderem excitar o jovem cérebro ardente da moça, que em sonhos vinha aguardando a chegada do herói.

Após nova pausa, Tortsov tentou outra vez me pôr em marcha. Aconselhou-me a narrar os acontecimentos numa ordem lógica: onde eles se conheceram, como se apaixonaram, como se casaram?

Fiquei calado, porque achei muito mais interessante e instrutivo ver como funcionava a imaginação de Tortsov.

De modo que ele prosseguiu e descreveu como Otelo chegara à veneziana Sebastopol num grande navio. As lendas sobre os feitos do general atraíram ao cais uma grande multidão. A aparência de Otelo e sua pele escura despertaram curiosidade. Quando passava pelas ruas, a cavalo ou a pé, crianças em bando o seguiam correndo, os transeuntes segredavam uns com os outros, apontando-o com a mão.

O primeiro encontro desses futuros amantes foi na rua, e causou na jovem uma forte impressão. Otelo deixou-a fascinada, não só por sua brava aparência, mas também, e principalmente, por seus modos ingênuos de selvagem, sua modéstia e bondade, que reluziam em seu olhar. Essa modéstia e esse acanhamento, aliados à bravura e a um total destemor, formavam uma combinação incomum e bela.

A CRIAÇÃO DE UM PAPEL

Em outra ocasião, Desdêmona viu Otelo à frente de regimentos de cavalaria que regressavam de um exercício militar. A facilidade com que dominava sua montaria produziu na jovem uma impressão mais forte ainda. Foi essa a primeira vez que ela viu Cássio cavalgando com o seu general.

O trabalho de sua imaginação tirava o sono a Desdêmona. Certo dia, Brabâncio comunicou à filha, como dona da casa, que havia convidado o célebre Otelo para jantar. Ouvindo o nome, ela quase desmaiou.

É fácil imaginar o cuidado com que Desdêmona se vestiu e fez preparar o jantar, e como aguardou com expectativa o encontro com o seu herói.

Seu modo de olhar só podia ferir em cheio o coração do mouro. Embaraçou-o, aumentando o acanhamento, que ficava tão bem nesse herói, famoso pela invencibilidade.

O mouro, que não fora mimado pelo calor das efusões femininas, não pôde, a princípio, entender a excepcional amabilidade de sua anfitriã. Habituara-se a ser recebido e tolerado nas residências das altas autoridades venezianas como uma personalidade oficial. Entretanto, em meio às honrarias com que era cumulado, sentia-se sempre como se ocupasse uma situação de escravo. Jamais um par de olhos maravilhosos olhara antes, calorosamente, para seu rosto negro e, segundo ele acreditava, feio, até que, de repente, nesse dia...

Tampouco Otelo conseguiu dormir durante várias noites, e esperou impacientemente um novo convite de Brabâncio. Este não tardou em vir. Provavelmente por instâncias da jovem enamorada, foi convidado outra vez, e mais outra ainda, para que pudessem ouvi-lo narrar as histórias de seus feitos, da árdua vida nas campanhas. Após os jantares, tomando vinho e sentados no terraço com vista para a baía de Sebastopol, com a escarpa de Nijni-Novgorod, o mouro narrava, modesta porém fielmente, as suas proezas, como o próprio Shakespeare o descreve quando Otelo fala ao Senado, e como Tortsov, imaginativamente, o pintou.

ANÁLISE

Convenci-me realmente de que uma história como esta não podia deixar de virar a cabeça de uma jovem arrebatada e de espírito predisposto ao romantismo.

— Desdêmona não era pessoa para construir sua vida, como todas as outras, segundo os estreitos padrões burgueses — prosseguiu Tortsov. — Ansiava pelo extraordinário, pelo teor de um conto de fadas. Não se poderia imaginar melhor herói do que Otelo para uma jovem de sua natureza, flamejante.

"O mouro começava a sentir-se cada vez mais à vontade em casa de Brabâncio. Era a sua primeira oportunidade de conhecer de perto um verdadeiro lar. A presença de uma linda jovem aumentava o encanto, e assim por diante."

A esta altura, Tortsov interrompeu sua narrativa.

— Não acham que este modo de narrar o conteúdo de uma peça é mais interessante que a seca relação dos fatos? Se vocês me fizessem contar outra vez o conteúdo desta tragédia, e eu seguisse mais o traçado interior do que a forma exterior, eu imaginaria mais alguma coisa. E quanto mais vocês me fizessem repetir a história, maior seria a quantidade de material armazenado para ampliar imaginativamente as palavras do autor, para criar os "se" mágicos que vocês usarão para justificar o material fornecido pelo autor.

"Portanto, sigam agora o meu exemplo, e relatem o maior número de vezes que lhes for possível o conteúdo das peças e dos *sketches* que lhes derem para interpretar, abordando-os cada vez sob um prisma diferente, do seu próprio ponto de vista, em vocês mesmos, ou do ponto de vista de uma das personagens, isto é, colocando-se no lugar dela."

— Tudo isso é ótimo... mas com uma condição: a gente precisa ter uma brilhante imaginação natural, ou então altamente desenvolvida — disse eu tristemente. — Temos de procurar o que é que leva ao desenvolvimento de uma imaginação que ainda está apenas em fase embrionária.

— Sim. Vocês terão de achar meios de estimular suas imaginações, que ainda não estão "esquentadas" — concordou Tortsov.

A CRIAÇÃO DE UM PAPEL

— É isso! Disso é que precisamos! É justamente o que nos falta! — acrescentei ao que ele dissera.

— Iniciamos nossa análise camada por camada, começando de cima para baixo: das coisas mais acessíveis aos nossos sentimentos conscientes para as menos acessíveis a eles.

"A camada que está por cima de todas as outras é formada pelo *enredo,* os *fatos* e os acontecimentos da peça. Nós já os abordamos, limitando-nos porém a enumerá-los, com o objetivo de reproduzilos em cena. Agora, levaremos avante o seu estudo. A palavra *estudo,* em nossa língua, significa não só que afirmamos o fato, o olhamos e o compreendemos, mas também que calculamos o seu valor e sua significação.

"Este novo aspecto da análise é o que chamamos de *avaliação dos fatos.* Há peças (comédias ruins, melodramas, *vaudeville,* revistas, farsas) em que o enredo exterior constitui o trunfo principal da representação. Nas obras dessa qualidade, os próprios fatos de um assassinato, uma morte, um casamento ou o processo de despejar farinha de trigo ou água na cabeça de uma das personagens, de perder as calças, de entrar num quarto errado, onde um hóspede pacífico é tomado por um assaltante etc., todos esses fatos constituem os momentos principais da produção. Seria supérfluo avaliá-los, são compreendidos e aceitos instantaneamente por todo mundo.

"Mas, em outros trabalhos, o enredo propriamente dito e os fatos que ele contém muitas vezes não significam grande coisa por si mesmos. Nessas peças, não são os fatos, mas a atitude das personagens para com eles que fornecem o fulcro, o interesse central, que a plateia acompanha com o pulso latejando. Nelas, os fatos só se tornam necessários na medida em que fornecem motivação e oportunidade para revelar o conteúdo interior. As peças de Tchekov pertencem a esse gênero.

"Nas melhores de todas as peças, a forma e o conteúdo mantêm uma relação recíproca direta. Então, a vida do espírito é inseparável dos fatos e do enredo. Na maioria das peças de Shakespeare, entre as quais *Otelo,* existe essa total correspondência, essa interação recíproca entre a linha exterior, dos fatos, e a linha interior.

"Em tais obras, a avaliação dos fatos tem importância primordial. Examinando os acontecimentos externos, pomo-nos em contato com as circunstâncias determinadas que dão origem aos fatos. Estudando essas circunstâncias, passamos a compreender as razões interiores que se relacionam com elas. E assim mergulhamos cada vez mais fundo, até o âmago da vida espiritual do papel, chegamos à corrente subterrânea da peça, que provoca as ondas superficiais da ação.

"Para começar, a técnica da avaliação dos fatos é muito simples. De início, cancelamos mentalmente o fato que deve ser avaliado, para em seguida tentar descobrir de que modo isso afeta a vida do espírito em nosso papel."

— Vamos pôr este processo à prova com os seus papéis — disse Tortsov, voltando-se para Vânia e Gricha. — O primeiro fato com que vocês se deparam, na peça, é a *chegada diante do palácio de Brabâncio.* Será preciso explicar que, sem este fato, a primeira cena, toda ela, deixaria de existir, e vocês, durante o início da tragédia, poderiam ficar tranquilamente sentados em seus camarins, em vez de andarem excitadamente pelo palco? É claro que o fato da chegada de vocês ao palácio de Brabâncio é um fato essencial, e vocês têm de acreditar nele, e por conseguinte sentir seu impacto.

"O segundo dos fatos da primeira cena que nós registramos é *a discussão com Rodrigo; Iago defendendo sua inocência; a necessidade de dar alarme;* e de começar a *perseguição do mouro.* Retirem todos esses fatos, e o que acontecerá? Os dois personagens chegariam em cena dentro de uma gôndola, e começariam logo a dar o alarme. Em tal sucessão de acontecimentos, nós, os espectadores, ficaríamos ignorando a exposição da peça, isto é, das relações entre Rodrigo e Desdêmona, Iago e Otelo, do ressentimento de Iago contra Otelo, e da intriga regimental que desencadeia toda a tragédia.

"Isso se refletiria na interpretação da cena do alarme. Uma coisa é chegar em algum lugar, começar a berrar, fazer uma barulheira

A CRIAÇÃO DE UM PAPEL

para despertar pessoas profundamente adormecidas; outra coisa, muito diferente, é fazer o possível para salvar nossa felicidade, que vai desaparecendo, como é o caso de Rodrigo, que está perdendo a noiva, Desdêmona, em fuga. Uma coisa é armar uma baderna só por divertimento, e bem outra quando o fazemos por espírito de vingança, como é o caso de Iago, que dá vazão ao seu ódio por Otelo. Toda ação que é executada, não somente por causa de algum motivo externo, mas também por causa de algum impulso interior, é incomparavelmente mais eficaz, melhor fundamentada, e portanto mais emocionante para o ator que a executa.

"A apreciação dos fatos é inseparável de um outro aspecto de nossa análise, isto é, a *justificação dos fatos*. Esta é uma parte necessária do processo, porque um fato sem base fica solto no ar. O fato que não é experimentado, que não está incluído na linha interior de vida da peça, que não responde a ela, é inútil, e constitui até mesmo um estorvo para o desenvolvimento interior adequado. Esse fato injustificado é uma lacuna, uma ruptura no papel. É um ponto de carne morta num organismo vivo, é um buraco fundo numa estrada plana, impede o livre movimento e o livre curso dos sentimentos interiores. Temos de tapar o buraco ou lançar uma ponte sobre ele. É por isso que precisamos da *justificação dos fatos*. O fato, uma vez justificado, passa automaticamente a incluir-se na vida interior da peça, no subtexto. Promove o livre desdobramento da vida espiritual do papel. Os fatos que são justificados também promovem a lógica, e a consecutividade no sentimento do papel, e vocês já sabem como estes dois fatores são importantes em nosso trabalho.

"Agora, vocês já conhecem os fatos da primeira cena da peça. Mais ainda, vocês já os executaram com certa correção. Mas ainda não sondaram as profundidades da verdadeira validez desses fatos, e não o farão enquanto não os tiverem *justificado* com base em novas circunstâncias determinadas, propostas por vocês mesmos. Estas os obrigarão a visualizar o curso dos acontecimentos da peça como seres humanos, e não apenas como atores, como um iniciador ou autor, e não como um simples copista. Portanto, vamos

ANÁLISE

agora examinar esses fatos e ver se vocês avaliaram, do seu próprio ponto de vista, humano, tudo aquilo que acontece na primeira cena, colocando-se no lugar de Rodrigo e Iago. No que se refere à exposição exterior dos fatos, acredito no que vocês fizeram. Eles chegam, como vocês chegaram, ao embarcadouro e amarram a gôndola. Como eles, vocês a atracaram aqui, não vagamente, mas com um propósito: o de dar alarme. Por sua vez, o alarme foi dado com mais outro objetivo definido em sua mente: perseguir e prender o mouro e salvar Desdêmona.

"Mas vocês ainda não sabem — e com isto quero dizer ainda não sentem — *por que* estas ações eram tão urgentemente necessárias para vocês dois.

— Eu sei! Pode apostar que eu sei! — foi a verdadeira explosão de Vânia.

— Ora vejam, pois então me diga — sugeriu Tortsov.

— Porque estou apaixonado por Desdêmona.

— Isto quer dizer que você a conhece. Ótimo. Diga-nos: como é ela?

— Você se refere a Mária? Olha ela aí! — exclamou Vânia, sem parar para refletir.

Nossa pobre Desdêmona sacudiu os braços e saiu correndo do auditório. Quanto a nós, inclusive Tortsov, não pudemos conter o riso.

— Bom, não há dúvida que esse fato foi avaliado sob o prisma humano e não sob o teatral! — riu Tortsov. — Mas já que é assim, por que não dá o alarme para salvar sua bem-amada? Por que tem sido tão difícil convencê-lo de como é necessário fazer isso?

— Rodrigo é caprichoso — foi a resposta bastante confusa de Vânia.

— Mas deve haver um motivo até mesmo para ser caprichoso, senão nem você nem o público darão o menor crédito ao seu capricho. Nada pode acontecer irrelevantemente no palco — observou Tortsov.

— Ele brigou com Iago! — foi a resposta que Vânia conseguiu agora extrair de si mesmo.

A CRIAÇÃO DE UM PAPEL

— Quem é "ele"?

— Rodrigo. Não, sou eu.

— Se é você, então você sabe melhor do que qualquer outra pessoa o motivo da briga. Fale-nos sobre isso.

— Foi porque ele me enganou... Prometeu que eu me casaria com ela e não cumpriu a palavra.

— Como é que ele o enganou? E de que jeito?

Vânia ficou calado. Não tinha o que inventar.

— Não vê que Iago enrolou você direitinho, lhe extorquiu grandes somas de dinheiro e o tempo todo ia ajudando o mouro com o seu rapto?

— Então foi *ele* que arranjou o rapto! Cachorro sujo! — exclamou Vânia com sincera repulsa. — Vou arrebentar-lhe as fuças! Por que ele, quero dizer, por que eu não quero dar o alarme? — A essa altura, Vânia ergueu as mãos para o alto e calou-se outra vez, porque não podia imaginar nenhuma justificativa para a ação.

— Está vendo, eis um fato muito importante para seu papel, e você não o avaliou de modo algum. Isso é uma grande lacuna. E você não pode justificar a ação com nenhum pretexto banal. O que lhe falta aqui não é uma simples ação, mas uma ação mágica, deveras capaz de enfurecê-lo, levá-lo a fazer movimentos interessantes. Os pretextos secos e formais prejudicarão seu papel.

Vânia nada tinha a propor.

— Quer dizer que você não se lembra de que Desdêmona, por intermédio de Iago, lhe prometeu sua mão e seu coração, e que ele, por sua vez, o obrigou a comprar valiosos presentes de núpcias e a preparar uma casa. Você chegou a ter todo o trabalho e mobilizou o prédio com um luxo insensato. Quanto é que o seu amigo e agente lucrou com isso tudo? O dia da fuga estava marcado, a igreja e o padre para o casamento estavam preparados, tudo estava pronto para uma cerimônia íntima porém luxuosa, tudo pago pela sua bolsa generosa. Você estava tão transbordante de excitação, expectativa, impaciência, que nem podia comer ou dormir, e de repente... Desdêmona foge com um negro selvagem. E quem fez isto com você foi esse safado do Iago.

ANÁLISE

"Você está convencido de que eles estão se casando na própria igreja preparada para o seu casamento, que a maior parte do enxoval comprado por você foi parar nas mãos de Otelo. Isso é um deboche, isso é um roubo! E agora me diga, se as coisas se tivessem passado assim, que é que você faria?"

— Daria uma surra no malandro! — decidiu Vânia, e chegou mesmo a ficar meio vermelho de ressentimento.

— E se Iago levasse vantagem? Você sabe que ele é soldado e fortíssimo.

— Que é que eu posso tirar dele, afinal, o demônio! Eu me calaria e me afastaria dele! — A essa altura, Vânia estava perplexo.

— Nesse caso, por que você concordou com o pedido dele para que viesse em sua própria gôndola ao palácio de Brabâncio? Avalie essa ação — disse Tortsov, dando a Vânia novos fatos para avaliar.

Mas o nosso esquentado rapaz não conseguiu resolver a charada.

— E aqui está mais um fato que não foi avaliado, e que você terá de examinar até o fundo se quiser compreender a relação mútua desses dois importantes personagens da peça.

"Você, Gricha, que é que me diz da chegada de Rodrigo diante do palácio de Brabâncio? Como é que você, como Iago, conseguiu isso? — perguntou Tortsov, com alguma insistência.

— Agarrei-o, sabe, pelo pescoço, empurrei-o para dentro da gôndola, e levei-o para onde ele tinha de ir — resolveu Gricha.

— Você acha, então, que essa força bruta vai servir para despertar o seu interesse criador? Se acredita, muito bem. Mas duvido que dê certo. Afinal, a análise, a apreciação e a justificação dos fatos nos são necessárias se quisermos adquirir confiança neles a ser transportados pelo interesse que eles despertam. Se eu estivesse fazendo o seu papel, não conseguiria alcançar esse objetivo utilizando os meios primitivos, grosseiros, que você sugere. Acharia chato e realmente repulsivo agir como um sargentão. Preferia muitíssimo conseguir meu intento por meio de astúcias dignas do cérebro diabólico de Iago.

— Que é que o senhor faria? — perguntaram os estudantes a Tortsov.

A CRIAÇÃO DE UM PAPEL

— Eu me transformaria logo no mais inocente e manso dos cordeirinhos, já caluniado pela maledicência mais pérfida. Ficaria sentado de olhos baixos e assim continuaria até que Rodrigo, isto é, você, Vânia, acabasse de despejar toda a sua ira, fel e ódio. Quanto piores, quanto mais injustas as coisas que você dissesse, melhor para mim. Portanto, não haveria necessidade de interrompê-lo. Só depois que você desabafasse completamente o seu ressentimento, alijasse todo o fardo de sua alma, esgotasse toda a sua vitalidade, é que seria hora de entrar em ação. Até aí, a minha deixa é para guardar silêncio. Não devo discutir, responder, senão posso provocar novas acusações e exaltações. Tenho de preparar o chão sob os seus pés e deixá-lo cair de cara. Depois de perder todo apoio é que você ficará em meu poder, para que eu o manobre à vontade. Por isso, tenho de agir assim. Eu prolongaria a minha imobilidade e silêncio até atingirem as proporções de uma pausa enorme, cansativa e embaraçosa. Depois disso, iria até bem perto da janela, voltando as costas para você, e lhe ofereceria uma segunda pausa, mais desagradável ainda.

"Não era esse mal-estar e essa incompreensão que você, Vânia, pretendia obter com sua invectiva. Você provavelmente esperava que Iago se defendesse, como você o faria, batendo no peito, desesperado. Mas, em vez de uma explosão, oferecem-lhe silêncio, imobilidade, um olhar e uma expressão facial misteriosos, meio tristonhos, embaraço, desentendimento. Tudo isto lhe dá a impressão de que falhou o tiro. Você está desiludido, sem jeito, perplexo. Estas coisas logo o esfriam e o colocam no seu devido lugar.

"Depois disso, eu, Iago, iria até a mesa, perto da qual você está sentado, e começaria a pôr em cima dela o dinheiro e os objetos de valor que por acaso estivessem comigo. Nos dias idos, de amizade, foram-me dados por você, mas agora que a amizade está no fim, devem ser devolvidos. É este o primeiro instante em que eu posso dar uma reviravolta em meu estado interior. Depois disso, na sua frente, em pé (pois já não me considero nem amigo nem hóspede nessa casa), eu lhe agradeceria calorosa e sinceramente os favores passados, deixando escapar algumas observações sobre minhas lem-

216

branças dos melhores dias de nossa amizade. Em seguida, me despediria tristemente, sem tocar sua mão (já não sou digno de fazê-lo), e ao sair, deixaria escapar, muito por acaso, mas com muita clareza, a seguinte frase: 'o futuro dirá o que eu fui para você. Adeus para sempre!'

"E agora me diga, se estivesse no lugar de Rodrigo, você me deixaria partir? Você perdeu Desdêmona, e agora o seu melhor amigo, bem como toda esperança futura. Não se sentiria sozinho, abandonado por todos, desamparado? Essa perspectiva não o assustaria?"

— A *avaliação dos fatos* é uma tarefa complicada e vasta. É executada não só por nossa mente, mas também, e sobretudo, por nossos sentimentos e nossa vontade criadora. Esse trabalho se faz no plano da imaginação.

"Para avaliar os fatos através de seus próprios sentimentos, baseando-se em sua relação viva e pessoal com eles, você, como ator, deve fazer a si mesmo esta pergunta: que circunstâncias da minha própria vida interior — quais das minhas ideias, desejos, esforços, qualidades, deficiências e dotes inatos, pessoais e humanos, podem forçar-me, como homem e como ator, a adotar em relação às pessoas e aos acontecimentos uma atitude semelhante à da personagem que estou interpretando?

"Por exemplo, em *Otelo,* Shakespeare nos fornece toda uma série de fatos e acontecimentos. Eles devem ser avaliados. Os venezianos altivos, pretensiosos, amantes do poder, todo mundo os conhece. As colônias que caíram sob o jugo de Veneza, por direito de conquista — Mauritânia, Chipre, Cândia — foram todas escravizadas. As tribos que vivem nesses países nem sequer são consideradas como seres humanos pelos venezianos. E, de repente, um de seus membros se atreveu a raptar Desdêmona, o mais brilhante ornamento de Veneza, filha de um dos mais orgulhosos e influentes membros de sua aristocracia. Avaliem esse escândalo, crime, vergonha, esse insulto à família, e de fato a toda a arrogante classe do governo.

A CRIAÇÃO DE UM PAPEL

"E eis ainda outro fato: de súbito, como um trovão num céu sem nuvens, chega a notícia de que uma grande frota turca está se encaminhando para Chipre, outrora possessão dos turcos, que sempre sonharam recuperá-la.

"Para obter uma estimativa mais profunda deste fato, façamos uma comparação. Recordem-se do dia terrível em que despertamos com a notícia de que a Rússia estava em guerra com o Japão e que, além disso, a maior parte da armada russa já havia naufragado.

"Foi esse o tipo de perturbação — porém maior — que se apoderou de Veneza e de todos os seus habitantes naquela noite fatídica.

"A guerra começou. Às pressas, equipam uma expedição, à noite, durante uma terrível tempestade. Quem mandar, quem escolher para chefe da expedição?

"Que outro, senão o célebre, invencível mouro? Convocam-no ao Senado.

"Pensem nisso, pesem esse fato, e sentirão com que impaciência a vinda do herói e salvador é esperada no Senado.

"Enquanto isso, novos acontecimentos, uns após outros, vão se amontoando nessa noite fatal.

"Novo fato entra em jogo, torna mais aguda a crise: Brabâncio, ofendido, exige justiça, defesa, e que sejam reparados — não só a honra de sua família, mas também o prestígio de toda a classe dominante em Veneza.

"Examinem bem a situação do governo e tentem, vocês mesmos, desatar o nó de todos esses acontecimentos. Pesem o fato do sofrimento de um pai, que perdeu de um só golpe sua filha e o bom nome de sua casa. Pesem, ainda, a situação dos senadores, forçados pela pressão dos acontecimentos a refrear seu orgulho e promover uma conciliação. Avaliem todos esses fatos do ponto de vista dos principais personagens: Otelo, Desdêmona, Iago, Cássio. Passando de um fato a outro, de um acontecimento a outro, de uma ação a outra, vocês percorrerão toda a peça, e só aí poderão afirmar que conhecem o enredo e são capazes de narrá-lo.

"Depois de termos feito essa estudiosa análise da linha da peça, isto é, da obra do autor, teremos de repetir o processo, com todas

218

ANÁLISE

as circunstâncias propostas pelo diretor, pelo cenógrafo e por todos os outros que contribuem para a produção. Sua atitude e seu modo de encarar a vida imaginada no palco não podem deixar de ter interesse para nós.

"Mas as circunstâncias mais importantes de todas são aquelas com as quais nós mesmos preenchemos nossos papéis, em benefício de nosso próprio estado criador em cena. Ao mesmo tempo, cada um de nós deve também ter em conta as circunstâncias imaginadas por aqueles com os quais contracenamos, e dos quais dependemos consideravelmente.

"Mais uma vez, o mais fácil é começar pelos fatos externos que, pelos motivos já agora familiares a vocês, nós não abandonamos durante o esforço para aumentar o material espiritual."

— Passemos da teoria à prática — disse Tortsov —, e vamos percorrer a peça em vários níveis, de cima para baixo. Começaremos pela primeira cena. A camada de cima, já a examinamos suficientemente: os *fatos* e o *enredo*. No plano imediato, chegamos à *vida veneziana,* suas maneiras e costumes. Que acham deles?

Nenhum dos alunos falou, porque ninguém tinha sequer pensado nisso antes. Portanto, Tortsov teve de intervir. Em vista de suas instâncias, sugestões, insinuações, conseguiu espremer algumas manifestações nossas, mas, como de costume, foi ele que contribuiu com a parte do leão.

— Quem são eles, esse Rodrigo e esse Iago? Qual é a sua posição social? — perguntou.

— Iago é um oficial, e Rodrigo um aristocrata — sugerimos.

— Creio que vocês os lisonjeiam — replicou Tortsov. — Iago é grosseiro demais para um oficial, e Rodrigo excessivamente vulgar para um aristocrata. Não seria mais sensato rebaixá-los um pouco de posto e chamar Iago de um primeiro-sargento que subiu, graças às suas proezas de campanha, da categoria de simples soldado à de suboficial? E incluir Rodrigo simplesmente na classe dos comerciantes abastados?

A CRIAÇÃO DE UM PAPEL

Gricha, que prefere sempre representar personagens nobres, protestou vigorosamente. Achava que a psicologia de sua personagem era "sutilmente intelectual" demais para uma pessoa de baixa extração, e recusava-se a considerá-la como um simples soldado. Discutimos sobre isso, apresentamos exemplos da vida e da literatura, apontamos Fígaro, o Escapino e o Esganarelo de Molière, e os criados das comédias italianas, que tinham os miolos aguçados dos mais espertos malandros e trapaceiros, com que os "intelectuais" sempre se viam às voltas. Quanto a Iago, ele é, desde o início, um personagem diabólico, e nele o diabo é muito sutil, independente de qualquer posição ou tirocínio social.

Só conseguimos convencer Gricha de que Iago é grosseiro, por mais oficial que seja. Eu, por mim já percebia o clichê de "nobreza" que Gricha plantara em sua mente.

Visando a empurrar o teimoso Gricha para longe de sua posição errônea, Tortsov pintou um quadro da vida de regimento, no qual um soldado resolve chegar ao oficialato por bem ou por mal, e daí subir a alferes ou ajudante, e assim por diante, até o posto de general. Por meio de uma descrição verdadeira, esperava convencer Gricha a descer de seu pedestal e enfrentar a vida. Disse:

— Iago, por sua origem, é um simples soldado. Seu aspecto exterior é rude, bem-humorado, sincero, honesto. Ele é corajoso. Em todas as batalhas lutou lado a lado com Otelo. Mais de uma vez salvou-lhe a vida. É inteligente, astuto. Compreende muitíssimo bem as táticas de combate de Otelo, que as desenvolveu por ser um gênio militar. Constantemente, Otelo o consultava, tanto antes da luta como durante ela, e mais de uma vez Iago lhe deu conselhos inteligentes e bons. Há duas personalidades em Iago: uma é o que lhe parece; a outra, o que ele realmente é. Uma é agradável, tem uns modos meio grossos, mas possui um dom natural; a outra é repelente e má. O aspecto exterior assumido por ele despista com tamanha eficiência que todo mundo (até certo ponto, nisto, se inclui sua mulher) está convencido de que ele é o mais sincero e o mais camarada dos homens. Se Desdêmona houvesse dado à luz um filhinho negro, o grandalhão Iago, áspero e bonachão, tê-lo-ia criado, no lugar de uma ama. E quando o garotinho crescesse, consideraria como tio esse demônio de ar brincalhão.

"Embora Otelo tenha visto Iago em combate, e lhe conheça a ousadia e crueza, compartilha, ainda assim, da opinião geral sobre ele. Sabe que em combate os homens se embrutecem, ele mesmo é assim. Isto, porém, não o impede de ser, na vida particular, brando, terno, quase tímido. Além disso, Otelo tem alta consideração pela inteligência e esperteza de Iago, pois durante a guerra este muitas vezes lhe deu conselhos excelentes. Durante a campanha, Iago foi não apenas seu conselheiro, mas também seu amigo. Otelo lhe confiava todos os seus pensamentos amargos, suas dúvidas e esperanças. Iago dormia sempre em sua tenda. O grande líder militar, quando não conseguia dormir, conversava francamente com Iago, que era seu servo, seu ordenança e, quando necessário, seu médico. Melhor que nenhum outro, sabia fazer um curativo ou, se era preciso, animava, distraía, cantava canções obscenas mas divertidas, ou contava histórias desse mesmo gênero. Graças a seu bom humor, podia dizer o que quisesse.

"Quantas vezes as canções e as anedotas cínicas de Iago serviram a fins importantes! Por exemplo, quando o exército estava esgotado e os soldados resmungavam, lá vinha Iago cantar uma canção que, embora cínica, "pegava" com os soldados, mudando-lhes completamente o estado de espírito. Em outro momento crítico, quando era preciso aplacar o ressentimento dos soldados, Iago não hesitava em inventar alguma forma de tortura ou morte horrível e cruel para um prisioneiro, algum selvagem capturado em combate, e isso acalmava por algum tempo os sentimentos exaltados do exército. É claro que isto se fazia sem o conhecimento de Otelo, pois o nobre mouro não tolerava a brutalidade gratuita, embora fosse capaz, quando necessário, de decepar instantaneamente, de um só golpe, uma cabeça.

"Iago é honesto. Não furta dinheiro nem propriedades do governo. É esperto demais para correr tal risco. Mas quando pode espoliar um tolo (e em volta dele há muitos outros, além de Rodrigo), não perde a ocasião. Desses, lisonjeando-os, extrai di-

A CRIAÇÃO DE UM PAPEL

nheiro, presentes, convites para refeições, mulheres, cavalos, ca-
chorrinhos etc. São a sua remuneração extraordinária, e dão-lhe
meios de se divertir e farrear. Emília ignora tudo isso, embora talvez desconfie. A intimidade de Iago com Otelo, o fato de que foi
elevado das fileiras para a posição de seu lugar-tenente, dormindo
em sua tenda e atuando como seu braço direito, e assim por diante
— esses fatos, naturalmente, despertam inveja entre os oficiais e
afeição entre os soldados. Todos eles temem e respeitam Iago, pois
é um autêntico soldado e combatente, que mais de uma vez tirou
de dificuldades o seu regimento e o salvou da catástrofe. A vida de
campanha lhe convém.

"Mas em Veneza, com todo aquele esplendor, com as maneiras empertigadas e altivas das recepções oficiais, ou com as altas
personalidades que tratam com Otelo, Iago está deslocado. Nessas
coisas Otelo também é pouco experiente. Precisa ter a seu lado
alguém que preencha as lacunas de sua educação, um ajudante que
possa, sem nenhum receio, enviar como mensageiro ao próprio
Doge ou aos senadores. Precisa de alguém que seja versado em
redigir cartas ou possa explicar aspectos da ciência militar com os
quais ele não está familiarizado. Poderia acaso designar para um
posto destes um homem de combate, como Iago? É claro que o
estudioso Cássio seria uma escolha muito mais adequada. É floren-
tino, e Florença, naquela época, era o que é hoje Paris, um centro
de mundanismo e artes requintadas. Em suas relações com Brabâncio,
na preparação de encontros secretos com Desdêmona, poderia
utilizar como intermediário Iago? Para isso, seria impossível achar
alguém melhor do que Cássio. Portanto, existe alguma coisa de
surpreendente na nomeação de Cássio para seu ajudante pessoal?
Além de tudo, a candidatura de Iago a esse posto nunca passou pela
cabeça do mouro. Por que desejaria representar tal papel? Mesmo
sem isso, já é íntimo de Otelo, fica à vontade com ele, é seu amigo.
Que assim permaneça. Por que Otelo iria colocar seu amigo na
incômoda posição de um ajudante de ordens rude, tosco, destrei-
nado, que seria alvo das gargalhadas gerais? Foi assim que Otelo,
provavelmente, raciocinou.

ANÁLISE

"Mas Iago pensava de outro modo. Imaginava que seus serviços, sua bravura, o fato de ter salvado muitas vezes a vida de seu general, sua amizade e dedicação, davam-lhe, a ele e a ninguém mais, o direito de ser lugar-tenente. Talvez fosse justo preteri-lo em favor de alguma pessoa distinta, algum oficial de seu estado-maior entre os companheiros de combate. Mas ficar com o primeiro oficialzinho subalterno e bajulador, que nem mesmo sabe o que é combater ou o que é a guerra! Introduzir esse rapazinho idiota na intimidade do general só porque sabe ler um livro, falar muito bonito com as moças e fazer figura entre os poderosos do país — esta lógica é incompreensível para Iago. Por isso, a nomeação de Cássio foi um golpe, um insulto, uma humilhação, um gesto de tamanha ingratidão que ele não pode perdoar. O maior insulto de todos é que ele, Iago, nem sequer foi cogitado por ninguém para ocupar o posto. E o que acabou de aniquilá-lo completamente mesmo foi que todos os segredos do coração de Otelo, seu amor por Desdêmona e a fuga com ela, lhe foram escondidos, e confiados a esse garoto, Cássio.

"Não há nada de espantoso no fato de que, ultimamente, desde que Cássio foi nomeado ajudante de ordens, Iago anda bebendo e farreando muito. Pode ter sido numa de suas bebedeiras que conheceu Rodrigo e travou amizade com ele. O tema predileto das confidências entre esses novos amigos era, de um lado, o sonho de Rodrigo de fugir com Desdêmona, coisa que deveria ser arranjada por Iago, e do outro lado, as queixas de Iago sobre o tratamento injusto que o general lhe dispensava. Para dar vazão a seu ressentimento, e também para alimentá-lo, recorda e repassa todos os antecedentes — os serviços que ele próprio prestou e a antiga ingratidão de Otelo, na qual, antes, nem pensara, mas que hoje assume proporções criminosas. Chega mesmo a evocar anedotas de caserna a respeito de Emília.

"O fato é que, enquanto gozou da intimidade de Otelo, Iago foi alvo de inveja em muitos setores. Para desabafar seus sentimentos, essa gente inventava toda espécie de motivações para a estreita união que havia entre Otelo e Iago. Espalhavam boatos e faziam

A CRIAÇÃO DE UM PAPEL

com que estes chegassem aos ouvidos de Iago, no sentido de que houvera e ainda havia alguma coisa, talvez, entre Otelo e Emília. Na época, ele não dera a esses boatos a devida atenção. Isso porque não ligava muito para Emília, e era-lhe, ele mesmo, infiel. Gostava de seu viço robusto, ela é uma boa dona de casa, canta bem e toca o alaúde, é alegre, talvez tenha algum dinheiro, vem de uma boa família do comércio e, para a época, tem boa instrução. Mesmo se tivesse existido alguma coisa entre ela e o general (e ele sabia, então, que não havia nada), isso não o teria preocupado muito.

"Mas agora, depois da ofensa atroz que sofreu, recorda os boatos sobre Emília. Ela tem boas relações com Otelo. Este é uma ótima pessoa, bondoso, sozinho, não tem ninguém para lhe administrar a casa, falta em seu lar um toque feminino. E assim Emília, como dona de casa, administra os aposentos do general solteiro. Iago sabe disso. Viu-a muitas vezes em casa de Otelo, sem pensar nada de mal. Agora, porém, começa a acusar Otelo. Numa palavra, Iago sugestionou-se a tal ponto que acredita em coisas que de fato não existem. Isto lhe permite, com a sua maldade, vociferar, caluniar, acusar mais do que nunca o inocente Otelo, e inflamar em seu próprio íntimo o ressentimento e o fel.

"É esse o estado de coisas quando Iago ouve a notícia improvável, inesperada, para ele incompreensível, de que o rapto de Desdêmona é um fato consumado. Não pode crer em seus olhos quando, entrando nos aposentos do general, viu a famosa beldade quase nos braços do medonho diabo negro, que é como ele agora considera o mouro. Foi tão grande o choque que ele, a princípio, ficou atordoado. Quando lhe explicaram como os amantes, guiados por Cássio, puderam enganar todo mundo, inclusive a ele, o amigo íntimo de Otelo, quando ouviu alegres vozes que se riam dele, correu a esconder o ressentimento que ardia em seu peito.

"O rapto de Desdêmona vinha não só ofendê-lo, mas também colocá-lo numa situação embaraçosa perante Rodrigo, pois durante todo o tempo em que o esbulhara, Iago jurava constantemente que obteria para ele a lindíssima jovem, e a raptaria se Brabâncio negasse seu consentimento às núpcias dos dois. E de repente essa

ANÁLISE

afronta! Mesmo com a sua simplicidade de espírito, Rodrigo considerou que fora tapeado por Iago. Chegou até a duvidar de que Iago fosse de fato amigo íntimo de Otelo, deixou de crer em sua amizade. Em suma, suas relações ficaram logo arruinadas. Rodrigo enfureceu-se — cega, teimosamente, como uma criança e como um idiota. No momento, chegou a esquecer que certa vez Iago o salvara de uns bêbados folgazões dispostos a surrá-lo.

"O rapto e o casamento de Desdêmona foram lindos e bemsucedidos. Tudo correu com facilidade e simplicidade. Muito antes do dia marcado, Cássio iniciara um caso com uma das criadas da casa de Brabâncio. Mais de uma vez, fizera-a sair para um encontro, levando-a numa gôndola com cabine e trazendo-a de volta. Para essas escapadas amorosas, Cássio pagava grande suborno à criadagem de Brabâncio. Um dos encontros fora marcado para aquela noite, mas em vez da criada, quem saiu foi Desdêmona, e desapareceu para sempre de seu lar. Eles até mesmo já tinham usado esse estratagema outras vezes, quando Desdêmona escapulia para se encontrar com Otelo.

"Não se esqueçam de que Desdêmona não se parece nada com a imagem que geralmente lhe atribuem no palco. A maior parte das atrizes costuma fazer dela uma Ofélia tímida e assustada. Mas Desdêmona não é nenhuma Ofélia. É atrevida, resoluta. Não sonha com um casamento convencional, baseado em considerações de ordem social. Terá de ter um príncipe de conto de fadas.

"A propósito, voltaremos a ela mais adiante. Por enquanto, já se disse o bastante para mostrar claramente como ela consentiu no atrevido e perigoso plano de evasão.

"Quando soube do acontecimento, Iago resolveu não desistir. Acreditava que nem tudo estava perdido ainda. Se conseguisse promover bastante agitação na cidade, Otelo seria reprovado e, quem sabe, talvez até mesmo o seu casamento fosse anulado por ordens superiores.

"Talvez Iago tivesse razão. Isso poderia muito bem ter acontecido, se o casamento não coincidisse com a deflagração da guerra. Otelo era demasiado necessário para o governo. Eles não poderiam

A CRIAÇÃO DE UM PAPEL

sequer pensar na anulação de seu casamento num instante tão crítico. Não havia tempo a perder. Quando a ação se impunha, Iago manifestava uma energia diabólica. Era capaz de conseguir que tudo se fizesse a tempo.

"Ficando mais calmo Iago voltou a procurar o jovem casal, cumprimentou os dois, riu-se com eles, chamou-se de tolo. Chegou até a convencer Desdêmona de que só agira com tanta estupidez, quando soubera do rapto e do casamento, por ciúmes de seu adorado general. Em seguida, Iago foi correndo procurar Rodrigo..."

Vânia (no papel de Rodrigo) mostrou-se mais tratável do que Gricha. Imediatamente, e com certo entusiasmo, rebaixou seu personagem para a categoria de simples comerciante, sendo a sua presteza em fazê-lo atribuível principalmente ao fato de não conseguir achar para ele a mais íntima prova de uma origem nobre. Por mais estúpido que seja, um aristocrata ainda assim revelará vestígios da sociedade privilegiada e requintada em que se criou. Quanto a Rodrigo, nada se pode extrair da peça a respeito dele, senão suas bebedeiras, brigas e arruaças. Vânia não se limitou a seguir a linha traçada por Tortsov, mas também acrescentou coisas de sua própria imaginação, que se coadunavam com a vida de um homem simples. A vida que eles projetaram formava, mais ou menos, o seguinte quadro social:

Rodrigo, provavelmente, é filho de pais ricos. São proprietários de terras, trazem para Veneza o que elas produzem. Então, trocam esse produto por veludos e outros artigos de luxo. Navios transportam esses artigos para o exterior, até mesmo para a Rússia, onde alcançam elevados preços.

Mas os pais de Rodrigo morreram. Como poderia ele administrar uma tão vasta empresa? A única coisa que sabe fazer é esbanjar seu patrimônio. Graças à sua fortuna, tanto ele como seu pai eram recebidos nos círculos aristocráticos. Rodrigo, pessoalmente, é meio simplório e está sempre farreando. Por isso, fornece dinheiro (que, é claro, nunca lhe devolvem) a jovens venezianos de inclinação igualmente frívola. Onde o obtém? Graças à boa administração precedente e aos leais empregados, a firma de sua

ANÁLISE

família ainda marcha com o antigo impulso. Mas está claro que isso não poderá durar muito.

Infelizmente, certa manhã, depois de uma bebedeira, Rodrigo vogava por um canal quando viu, como numa visão ou num sonho, a belíssima jovem Desdêmona, que entrava numa gôndola para ir à igreja, acompanhada por sua ama. Ele perdeu o fôlego, parou a gôndola e, com os olhos esgazeados, ficou muito tempo olhando para ela. Isso chamou a atenção da ama, que logo jogou um véu sobre o rosto de Desdêmona. Eventualmente, Rodrigo seguiu-as e entrou, também ele, na igreja. Sua excitação era tanta, que já não estava bêbado. Rodrigo não rezava, apenas fitava Desdêmona. A ama queria escondê-la o tempo todo, mas a moça, pessoalmente, até gostava da atenção, não porque Rodrigo lhe agradasse, mas porque era tão cacete ficar em casa ou ir à missa, e também porque ansiava por um pouco de divertimento.

No decorrer da missa chegou o próprio Brabâncio, encontrou a filha e sentou-se ao lado dela e da ama. Esta segredou-lhe qualquer coisa e apontou para Rodrigo. Brabâncio lançou um olhar severo em sua direção. Isso, porém, não intimidava um tipo tão descarado como Rodrigo. Quando Desdêmona voltou à sua gôndola, viu que a mesma estava atapetada de flores. Brabâncio ordenou que todas as flores fossem atiradas à água, colocou pessoalmente sua filha na gôndola, e mandou-a para casa com a ama. Rodrigo, entretanto, manteve-se o tempo todo diante delas, juncando de flores seu percurso. A linda Desdêmona ficou muito contente com essas atenções e com a extravagância do rapaz. Por quê? Porque era uma coisa alegre, lisonjeira para o seu amor-próprio e também porque irritava a sua ama.

Depois do primeiro encontro, Rodrigo perdeu completamente a cabeça. Passava noites inteiras sentado numa gôndola, sob suas janelas, esperando que ela olhasse para fora. Ela de fato o fez, uma ou duas vezes, chegando mesmo a sorrir para ele, por travessura ou coqueteria. E ele era bastante simplório para pensar que fizera uma conquista. Começou a escrever versos, subornava os criados para que levassem à formosa dama as suas declarações de amor rimadas.

A CRIAÇÃO DE UM PAPEL

Finalmente, o irmão de Brabâncio, a seu pedido, saiu e falou com o admirador importuno, dizendo-lhe que, se não desistisse de perseguir Desdêmona, ele tomaria providências. Mas a perseguição não cessou.

Depois, uma vez, ficou de tocaia num canal escuro, à espera da gôndola de Desdêmona, e quando a alcançou, atirou lá dentro um vasto buquê e um madrigal de sua própria lavra, mas — que horror! — Desdêmona nem sequer lançou um olhar em sua direção! Com sua própria mão, jogou na água buquê e madrigal, voltando-lhe as costas com raiva e escondendo o rosto num véu. Rodrigo ficou arrasado. Não sabia o que fazer. Para vingar-se de tão cruel beldade, só lhe ocorreu uma ideia: a de se entregar a uma semana de farra.

Assim estavam as coisas, quando Otelo surgiu em cena. Rodrigo fazia parte da multidão quando Desdêmona viu o mouro na rua, pela primeira vez. Com o regresso do vitorioso Otelo a Veneza, os militares passaram a fazer furor, tornando-se os favoritos das cortesãs, nas orgias de todas as noites. Nessas farras, quem pagava a conta era Rodrigo. Isso lhe valeu a estima dos oficiais e o aproximou de Iago. Certa vez, num sururu de bêbados, alguns desses oficiais quase mataram Rodrigo de pancadas, mas Iago interferiu com bastante energia. Rodrigo ficou tão agradecido que queria recompensá-lo generosamente, mas Iago assegurou-lhe ter agido assim apenas porque o estimava. Foi esse o começo da amizade entre os dois.

Enquanto isso, o romance de Otelo com Desdêmona progredia cada vez mais. Cássio, que era o intermediário nesse caso de amor de Otelo e Desdêmona, sabia da paixonite de Rodrigo — também ele o conhecera numa das arruaças noturnas. Cássio conhecia muito bem a simplicidade de espírito de Rodrigo. Sabendo das relações que havia entre Otelo e Desdêmona, as esperanças de Rodrigo de ver retribuído o seu amor pareciam a ele perfeitamente ridículas. Por isso, pilheriava sempre a esse respeito, provocando Rodrigo, pregando-lhe peças. Garantia que Desdêmona estava passeando em determinado lugar, ou que marcara encontro com ele em algum outro local, e Rodrigo ficava esperando em vão, horas

ANÁLISE

a fio, na expectativa de ver sua bela dama. Insultado e humilhado, corria a buscar Iago, que o tomou sob a sua proteção e jurou que o vingaria e promoveria finalmente o casamento, pois jamais acreditara em qualquer romance com o diabo negro. Isso fazia com que Rodrigo se apegasse cada vez mais a Iago e o cobrisse de dinheiro.

Quando Rodrigo soube do casamento de Otelo e Desdêmona, o pobre toleirão primeiro rompeu em pranto, como se fosse um menino. Depois, despejou contra o amigo todos os palavrões de seu vocabulário e resolveu cortar relações com ele. O pobre Iago teve o maior trabalho deste mundo para convencer Rodrigo a ajudá-lo a fazer estardalhaço em toda a cidade, a fim de conseguir um divórcio ou o não reconhecimento do matrimônio. A primeira vez que vemos os dois amigos é quando Iago praticamente força Rodrigo a entrar numa gôndola (uma gôndola luxuosa, enfeitada com materiais de alto preço, como convém a um homem abastado) e o traz até a casa de Brabâncio...

CAPÍTULO VII Aferição do trabalho executado
e resumo

— Onde ocorre a ação? — perguntou Tortsov.

— Em Veneza.

— Quando?

— No século XVI. O ano não foi determinado, pois ainda não consultamos o cenógrafo — respondeu um dos aprendizes do teatro, encarregado desse assunto.

— Qual é a época do ano?

— O fim do outono.

— Por que você escolheu essa estação?

— Para que fosse mais difícil acordar numa noite fria e sair!

— É dia ou noite?

— Noite.

— Qual é a hora?

— Por volta da meia-noite.

— O que é que você estava fazendo a essa hora?

— Dormindo.

— Quem o despertou?

— Pietruchin — e ele designou outro aprendiz.

— E por que ele?

— Porque Rakhmanov o nomeou porteiro.

— O que foi que você pensou quando deu por si?

— Aconteceu alguma coisa ruim e eu vou ter de sair para algum lugar, já que sou gondoleiro.

— Em seguida, o que aconteceu?

— Me vesti correndo.

— E o que vestiu?

A CRIAÇÃO DE UM PAPEL

— Minha malha, calções, meu gibão, meu gorro e meus sapatões. Preparei minha lanterna, peguei minha capa e apanhei meu remo.

— Onde ficam guardados?

— Na entrada, no saguão, pendurados em cabides pregados na parede.

— E onde você dorme?

— No porão, abaixo do nível das águas.

— É úmido?

— Sim. Úmido e frio.

— Evidentemente, Brabâncio lhe dá pouca coisa.

— E o que é que eu posso esperar? Sou um simples gondoleiro.

— Quais são suas obrigações?

— Manter em ordem a gôndola e tudo o que lhe pertence. Os acessórios são numerosos: lindas almofadas para sentar ou deitar, uma quantidade! As das grandes ocasiões, as dos acontecimentos menos cerimoniosos, as de uso diário. Há também um maravilhoso baldaquino todo bordado a ouro. E remos de gala e ganchos ornamentados. Há também lanternas de uso comum, e uma porção de lanterninhas para a *grande serenata*.

— E depois, o que aconteceu?

— Fiquei surpreso com a correria na casa. Uns diziam que havia incêndio, outros que o inimigo estava perto. No vestíbulo, uma porção de gente tentava ouvir o que se passava lá fora. Alguém lá fora estava gritando como louco. Sem coragem de abrir as janelas de baixo, subimos correndo para o salão de recepções. Aí já tinham aberto as janelas, e aqueles que conseguiam botavam a cabeça pra fora. Foi quando ouvi falar no rapto.

— E o que sentiu a respeito?

— Um rancor medonho. Sabe, estou apaixonado pela mocinha da casa. Levo-a para passear de gôndola, ou até a igreja, e me orgulho disso, porque todo mundo olha pra ela e admira a sua beleza. Por sua causa, já tenho nome em Veneza. Sempre, como sem querer, deixo cair uma flor e fico contente quando ela acha e guarda.

AFERIÇÃO DO TRABALHO EXECUTADO E RESUMO

Se a flor toca na mão dela e ela a deixa na gôndola, eu a apanho, beijo e guardo como lembrança.

— Não vai me dizer que os rudes gondoleiros são assim sensíveis e sentimentais?

— Só por Desdêmona, que é nosso orgulho e nossa alegria. Esse motivo tem para mim especial valor, pois me acende a energia para sair na caçada que salvará sua honra.

— E que fez depois?

— Desci correndo. As portas já estavam abertas, levavam as armas para fora. No vestíbulo e no corredor, os homens vestiam suas cotas de malha e armaduras. Eu também me armei, para o caso de ter de lutar. Depois, nos reunimos todos e eu fui para meu lugar na gôndola, à espera de novas ordens.

— Com quem preparou seu papel?

— Com Proskurov, e Rakhmanov o conferiu.

— Excelente trabalho. Não tenho nada a corrigir.

E esse homem era apenas um figurante, escolhido entre os aprendizes do teatro — pensei comigo mesmo. E nós? Quanto trabalho ainda nos resta a fazer!

Depois de ouvir tudo que os aprendizes tinham preparado, Tortsov disse:

— Tudo isso é lógico e coerente. Aceito seus preparativos e calculo qual é seu plano.

Depois, chamou-nos para que nos uníssemos aos aprendizes no palco, e mostrou-nos a todos o traçado estabelecido para a produção de toda a primeira cena.

Parece que, durante todo o tempo em que estavam fazendo os primeiros exercícios baseados nesta cena, Tortsov anotara os momentos que melhor exprimiam a excitação do alarme e da perseguição, o clima necessário a essa cena, bem como as imagens que dela decorriam naturalmente. Agora, mostrava-nos sua *mise-en-scène,* adaptada à peça, com todas as anotações acerca de nossos exercícios. Assinalou que esse plano proposto para a cena, os movimentos e locais de ação, haviam sido, todos eles, produzidos por nós, e portanto eram espontâneos para nós.

A CRIAÇÃO DE UM PAPEL

Anotei do seguinte modo o seu plano de produção:

"Iago e Rodrigo chegam numa gôndola. Há um gondoleiro numa das extremidades. A cena começa com o som de duas vozes abafadas, à esquerda dos espectadores, e com o rumor do remo de um gondoleiro (mas não no mesmo ritmo das palavras). Vê-se primeiro o gondoleiro, à esquerda.

"As seis primeiras falas são enunciadas com muito calor, enquanto a gôndola vem flutuando até o desembarcadouro diante da casa de Brabâncio.

"Há uma pausa depois das palavras: 'Eu nem por sombras sonhava.' Iago faz calar Rodrigo. Pausa. Chegam ao ancoradouro. O gondoleiro atraca, faz ruído com umas correntes. Iago o detém. Explorem a pausa, atuando até o fim. Olhem em torno. Não há ninguém em nenhuma das janelas. Recomecem a calorosa discussão como antes da pausa, porém abafando as vozes. Iago se certifica de que não falam alto demais. Iago mantém-se o mais escondido que pode, para não ficar muito visível em relação às janelas.

"Iago diz a sua frase: 'E assim é; senão, que eu seja maldito!...' mas não com o fito de acentuar seus maus sentimentos e seu mau caráter, como se faz habitualmente. Ele está fervendo, furioso, e tenta pintar seu ódio a Otelo de modo a atingir seu objetivo imediato: forçar Rodrigo a gritar e fazer alarido.

"Rodrigo já cedeu um pouco. Chegou mesmo a voltar o rosto mais ou menos para Iago. Este se ergueu de modo decidido e estende a mão para ajudar Rodrigo a subir. Entrega-lhe o remo da gôndola para que bata com ele o lado da embarcação. O próprio Iago corre a esconder-se debaixo de uma das arcadas em frente à casa.

"Com as palavras de Rodrigo: 'Ei, Brabâncio! Ô! *Signor* Brabâncio, O!' tem início a cena da provocação do alarme. Deve ser representada cabalmente, sem pressa, mas de modo que cada coisa tenha justificação, e a gente possa mesmo acreditar que eles despertaram toda a casa adormecida. Isso não é nada fácil. Não tenham medo de repetir as frases muitas vezes. Entremeiem as frases com pausas (para alongar a cena) feitas de ruídos. Por exemplo,

236

Rodrigo batendo com o seu remo e o clangor das correntes chocando-se contra o poste de amarração. Rodrigo pode também mandar que o gondoleiro sacuda as correntes. Iago, sob a colunata, vai martelando a porta com uma daquelas aldravas que se costumava usar em vez de campainhas...

"*A cena do despertar da casa:* a) ouvem-se vozes distantes nos bastidores; uma janela aberta no segundo andar; b) um criado aperta o rosto contra uma vidraça, tenta olhar para fora e ver o que se passa; c) um rosto de mulher (a ama de Desdêmona) surge em outra janela, parece sonolenta, está em camisola de dormir; d) uma terceira janela é aberta por Brabâncio. Nas pausas entre os aparecimentos, os ruídos vão aumentando dentro da casa que desperta.

"Ao correr da cena, todas as janelas, gradualmente, vão-se enchendo de gente. Todos parecem sonolentos e estão apenas meio vestidos. Esta é a cena do *alarme na noite.*

"*O objetivo físico do conjunto* é o de fazer todos os esforços para olhar em torno e tentar compreender a causa do barulho.

"*O objetivo físico de Rodrigo, Iago e o gondoleiro* é fazer o maior barulho possível, assustar todo mundo e atrair a atenção de todos.

"Assim, o primeiro interlúdio de cena de conjunto ocorre antes de Brabâncio aparecer. O segundo é depois das palavras:

"BRABÂNCIO: Não. Quem és?

"RODRIGO: Rodrigo.

"Pausa. Cena de conjunto: indignação geral. Depois do que já se disse antes sobre a perseguição de Rodrigo a Desdêmona, e depois de sabermos que esse mesmo Rodrigo já foi alvejado com cascas de laranja e punhados de lixo para expulsá-lo, essa indignação geral é compreensível. De fato, que atrevimento é esse de um beberrão inútil, acordando a casa a essa hora da noite? É como se dissessem uns aos outros: Que tipo descarado! Que vamos fazer com ele?

"Brabâncio insulta Rodrigo e todos os outros julgam que o distúrbio é por causa de alguma insignificância. Muitos saem das janelas, o aglomerado se desfaz e algumas das janelas são fechadas. Isso leva Rodrigo e Iago a uma excitação ainda maior.

A CRIAÇÃO DE UM PAPEL

"Os criados que permanecem nas janelas repreendem Rodrigo, falando todos ao mesmo tempo. Mais um instante, e a casa estará fechada.

"Rodrigo está frenético porque Brabâncio já começou a fechar sua janela e vai se afastando. Mas antes de fechar completamente a janela, Brabâncio diz a sua fala que começa com as palavras:

"Podes ficar certo, porém, de que, com o meu ânimo e a minha influência...

"Vocês podem calcular o nervosismo, o ritmo e tempo de Rodrigo e Iago, enquanto fazem tudo que podem para reter Brabâncio.

"A fala de Iago começa: 'Pelo Santo Cristo! Sois daqueles que se negariam...' mas ele precisa encontrar algum meio extraordinário de pôr termo ao mal-entendido. Cuidadosamente, baixa a aba do chapéu para não ser reconhecido. Todos aqueles que ainda estão olhando nas janelas, e muitos que voltaram a elas, esticam o pescoço para descobrir quem poderia ser esse desconhecido sob a coluna ta...

"Após as palavras: 'E vós... um senador!', há um pequeno interlúdio e a cena de conjunto. O pessoal da casa, indignado com a ironia de Iago, precipita-se em defesa de Brabâncio mas este os interrompe logo com sua réplica.

"Rodrigo, com as palavras 'Pagarei por tudo, meu senhor...', começa a relatar, com extremo nervosismo e precisão, os acontecimentos da noite. Não faz isso para revelar o enredo ao público, e sim visando a pintar para Brabâncio o quadro mais terrível e escandaloso possível do rapto, e assim precipitá-lo a tomar providências enérgicas. Tenta apresentar o casamento sob o prisma de um rapto forçado, e sempre que pode carrega bem nas cores. Ou então fala com ironia, fazendo, em suma, tudo o que pode imaginar para atingir o objetivo que se propôs: *despertar a cidade toda, antes que seja tarde, e separar Desdêmona do mouro.*

"Depois das palavras: 'podeis mover a justiça do Estado contra mim', há uma pausa de consternação. *Essa pausa é uma necessidade psicológica.* Uma terrível convulsão interior está ocorrendo na alma dessas pessoas. Para Brabâncio, para a ama, e para o resto da casa, Desdêmona não passa de uma criança. É sabido que uma

AFERIÇÃO DO TRABALHO EXECUTADO E RESUMO

família nunca percebe exatamente quando uma meninazinha se transformou numa jovem mulher. Sentir estas coisas, passar a ver Desdêmona como uma mulher, casada não com um grande de Veneza, mas com um mouro sujo, de pele escura; vir a entender o horror da perda, a sensação de vazio dentro da casa; habituar-se à ideia de que a coisa mais preciosa que eles tinham foi roubada a seu pai, à sua ama; equilibrar todos esses novos horrores que lhes assaltam as almas e encontrar um novo *modus vivendi* — tudo isso exige tempo. Será uma catástrofe se os intérpretes de Brabâncio, da ama e dos criados particulares saltarem rapidamente neste momento, passando logo, apressados, para a cena dramática.

"Esta pausa é o degrau de transição que conduz os atores à cena dramática, se eles a sentirem lógica e consecutivamente, isto é, se visualizarem Desdêmona nos amplexos do diabo negro, o seu quarto de mocinha agora vazio, o efeito do escândalo que se abateu sobre a família, e suas repercussões em toda a cidade. Se Brabâncio se vir comprometido aos olhos do próprio Doge e de todos os senadores, se vir essas coisas e todas as outras, capazes de perturbar um homem e um pai... E quanto à ama, ela poderia ser posta na rua ou até mesmo arrastada ao tribunal.

"O objetivo dos atores é lembrar, compreender e decidir o que deveriam fazer numa hora dessas, de modo a poderem viver como se as coisas descritas na peça houvessem acontecido a eles, isto é, a seres humanos vivos, e não apenas a personagens de uma peça. Em outras palavras, o ator jamais *deve esquecer* que, principalmente nas cenas dramáticas, ele deve sempre viver *em sua própria pessoa, e não tomar seu papel como ponto de partida, senão na medida em que irá encontrar nele as circunstâncias determinadas dentro das quais deve ser representado.* Portanto, o objetivo a ser alcançado resume-se nisto: *responda cada ator, honestamente, à pergunta sobre qual ação física executaria, como agiria (não sentiria; a esta altura, pelo amor de Deus, nada de sentimento deve entrar em jogo) nas circunstâncias determinadas criadas pelo dramaturgo, pelo diretor da peça, pelo cenógrafo, pelo próprio ator, através de sua imaginação, do técnico de luz, e assim por diante.* Quando essas ações

A CRIAÇÃO DE UM PAPEL

físicas estiverem claramente definidas, tudo o que resta a fazer, para o ator, é executá-las. (Observem que eu digo executar as ações físicas, e não *senti-las,* porque se elas forem feitas com correção os sentimentos serão gerados espontaneamente.) Se trabalharem do modo oposto, se começarem pensando em seus sentimentos e tentando espremê-las de dentro de vocês mesmos, o resultado será distorcido e forçado, sua sensação de estar passando pela experiência do papel se transformará numa atuação teatral, mecânica, e seus movimentos serão distorcidos.

"Vou continuar discutindo um pouco mais esta importante pausa, depois das palavras: 'Podeis mover a justiça do Estado contra mim', e quero dar-lhes um pequeno estímulo, uma insinuação sobre o que faz uma pessoa como Brabâncio num momento desses: 1) procura compreender, na terrível notícia que lhe deram, tudo o que pode aceitar; 2) logo depois, quando o narrador da notícia chega ao ponto mais terrível de todos, se apressa em detê-lo, como se estivesse erguendo um escudo para afastar o golpe iminente; 3) olha em volta, buscando quem o auxilie; seus olhos sondam o coração de todos, para medir como recebem a notícia — aceitam? acreditam? — ou então suplica-lhes com os olhos, como implorando que digam que uma coisa dessas é infundada e absurda; 4) depois, volta-se em direção ao quarto de Desdêmona, tenta imaginá-lo vazio. Em seguida, seus pensamentos correm como rios pela casa inteira, tentando imaginar o futuro e buscando encontrar algum objetivo na vida. Volta-se então para algum outro lugar, vendo-o como um quarto desarrumado e, dentro dele, um diabo imundo, que sua imaginação já não pinta mais como um ser humano, e sim como uma besta-fera, um gorila. A tudo isso ele não pode resignar-se, e assim só resta uma saída: salvá-la o mais depressa possível, e a qualquer preço! Após sentir tudo isso, numa sequência lógica, Brabâncio, espontaneamente, irrompe com as palavras:

"'*Batam os fuzis! Acendam os fachos! Tragam-me um archote! Acordem todos em casa!...*'[1]

---

[1] *Otelo,* Ato I, Cena I.

"Após as palavras: 'Luzes! Já disse! Luzes!', há uma pausa, para o tumulto. Não se esqueçam de que essa agitação ocorre dentro da casa, de modo que os sons são amortecidos — é por isso que Iago pode falar contra esse fundo.

"Iago diz a fala: 'Adeus. Devo deixar-te...' muito depressa. Seria um desastre se ele fosse descoberto agora, pois isso revelaria a sua trama.

"Que faz uma pessoa quando dá suas últimas instruções com muita pressa? Fala com excepcional vivacidade, precisão, colorido e deliberação. É importante não engolir as palavras nem falar depressa demais, embora por dentro ele estremeça e tente escapar o mais rápido possível. Mas refreia os nervos e tenta parecer tão justo e claro quanto puder. Por quê? Porque sabe que não terá tempo de repetir coisa alguma.

"E agora, aviso ao intérprete de Iago que ele terá de atuar por sua própria conta, e executar o mais simples dos objetivos humanos, que consiste em explicar tudo com clareza e chegar a um acordo sobre as providências a serem tomadas imediatamente.

"A cena de conjunto, agora, é um interlúdio, para a reunião das forças. Às últimas palavras de Iago, quando a exposição foi claramente transmitida ao público, há dentro da casa uma nervosa movimentação das lâmpadas e lanternas, por trás das janelas. Esses lampejos de luz, nervosamente intermitentes, se forem bem ensaiados, poderão criar um clima de grande perturbação. Enquanto isso, embaixo, a grande tranca de ferro é puxada, rangem a fechadura e os gonzos metálicos, quando se abre a porta principal. Eles se precipitam para a colunata, ainda enfiando suas roupas e se abotoando. Uns correm para a direita, outros para a esquerda. Depois voltam e explicam uns aos outros detalhes que não tinham compreendido, e saem correndo outra vez. (Na verdade, esses extras voltam para dentro de casa e põem, digamos, alguns capacetes ou cotas de malha e armaduras, e assim transformados saem pela mesma porta, sem que o público os reconheça. Isso diminui o número de comparsas necessários.)

A CRIAÇÃO DE UM PAPEL

"Durante esse tempo, continua a sair da casa grande quantidade de pessoas, que se estão vestindo. Trazem alabardas, espadas, armas. Amontoam-se nas gôndolas que estão amarradas no ancoradouro (mas não na de Rodrigo), depositam nelas as coisas que trouxeram, voltam para dentro da casa e retornam trazendo novos objetos, enquanto vão completando como podem, na corrida, as suas toaletes.

"Pode-se ver um terceiro grupo no andar superior do palácio. Abriram todas as janelas, e é evidente que se estão vestindo, pondo malhas e gibões, e ao mesmo tempo gritando para o pessoal lá embaixo, numa troca de perguntas e instruções que ninguém pode ouvir por causa da algazarra. Repetem as perguntas, berram, estão zangados, excitados, brigam uns com os outros. A velha ama, em pânico e gritando de histeria, sai e corre para a colunata. Com ela está outra mulher, provavelmente uma criada, nas mesmas condições. Numa das janelas de cima, uma mulher está choramingando e espiando o que se passa lá embaixo. Talvez seja a mulher de um dos homens que vão sair — quem sabe se voltará? Afinal, vai haver luta...

"Após as palavras 'Desgraçada! Com o mouro, é o que disseste?', Brabâncio se adianta, armado de espada. Em tom prático, interroga Rodrigo, que está dando ordens e providenciando para que sua gôndola seja trazida a Brabâncio...

"Depois das palavras: 'Uns irão por aqui. Outros por ali', há uma pausa. Brabâncio está dando ordens. A 'Uns irão por aqui', ele aponta para o canal, a gôndola deve dirigir-se para o lado esquerdo da plateia, para fora do palco, e ao dizer 'Outros por ali' mostra a rua que vai pela esquerda, por trás da casa de Brabâncio.

"As gôndolas são desamarradas, as correntes fazem ruído.

"Em seguida às palavras: 'Se quiserdes seguir-me em companhia de uma escolta', Brabâncio vai rápido até um de seus criados numa gôndola e lhe diz qualquer coisa. O criado salta do barco e desce correndo pela rua à direita, ao longo da casa de Brabâncio.

"Com as palavras: 'Por favor, vai na frente', Brabâncio junta-se a Rodrigo em sua gôndola.

242

AFERIÇÃO DO TRABALHO EXECUTADO E RESUMO

"Durante a fala: 'Armem-se todos!', os soldados de sua gôndola escolhem e apresentam piques e alabardas.

"Na fala: 'E que vão chamar os oficiais de Guarda', a criada que estava com a ama sai correndo pela rua da direita.

"Na última fala da cena: 'E a ti, meu bom Rodrigo, não saberei como recompensar-te', a gôndola de Rodrigo, transportando Brabâncio, e a gôndola cheia de soldados começam a retirar-se."

— A primeira cena de *Otelo* — disse-nos Tortsov — já está agora suficientemente preparada para que vocês a representem, e o façam visando a obter a sensação da vida, tanto do espírito como do corpo, de seus papéis, de acordo com a linha que experimentamos. Quando a repetirem, procurem incluir nela, cada vez mais, a sua própria vida, tentem explorar cada vez mais sua própria natureza.

"Mas o que nos interessa tanto não é propriamente a atuação. Escolhemos *Otelo* para estudar métodos e técnicas aplicáveis aos papéis. De forma que, tendo agora concluído nossas experiências com a primeira cena, vamos tentar compreender o método e o princípio em que foi baseada essa cena de alarme e perseguição. Digamos que passaremos à teoria, a fim de saber o que foi que a nossa prática teve por base.

"Vocês se lembram de que, para começar, eu lhes confisquei todos os exemplares da peça, e os fiz prometer que, por enquanto, não tornariam a consultá-la.

"Mas, para meu espanto, verifiquei que vocês, sem o texto, não conseguiam relatar o conteúdo de *Otelo*. Apesar disso, alguma coisa da peça deve ter permanecido com vocês, a despeito de seu infeliz primeiro contato com ela. E realmente, restava em sua memória qualquer coisa como um oásis num deserto, retalhos brilhantes que vocês recordavam de várias partes de *Otelo*. Procurei acentuá-los e estabelecê-los mais firmemente.

"Depois disso, a peça toda foi lida para vocês, a fim de lhes refrescar a memória. Essa leitura não criou novas áreas de luz, mas serviu para esclarecer o fio geral da tragédia. Vocês todos evocaram certos fatos, e depois certas ações na sua ordem lógica e consecu-

A CRIAÇÃO DE UM PAPEL

tiva. Isso vocês anotaram, depois de fazerem uma narração aceitável do conteúdo de *Otelo*, e em seguida interpretaram a primeira cena, de acordo com os fatos fornecidos e em termos de ações físicas. Mas não havia veracidade em suas atuações, e a parte mais difícil do trabalho foi a criação dessa veracidade.

"O que consumiu mais atenção e trabalho foram as coisas mais simples e familiares da vida real: andar, olhar, ouvir e assim por diante. Vocês as personificaram, no palco, melhor do que muitos profissionais, mas não conseguiram fazê-lo como seres humanos. Foi preciso estudar coisas com as quais estão perfeitamente familiarizados fora de cena. Como foi difícil! Mas finalmente conseguiram, levaram a cena ao ponto da veracidade total, de início apenas em certos trechos, mas depois em toda a sua extensão. Quando não podiam abarcar um grande bocado de verdade, pedaços menores surgiam, fundindo-se depois em unidades maiores. Junto com a verdade vinha a sua acompanhante infalível: a fé na realidade das ações físicas e em toda a entidade física de seus papéis. E assim criamos uma das duas naturezas inerentes a cada personagem da peça. Graças às constantes repetições dessa entidade física, ela se fortaleceu: 'o difícil tornou-se habitual, e o habitual, fácil'. Por fim, vocês se tornaram senhores da parte física de seus papéis, e as ações físicas indicadas a vocês pelo dramaturgo e pelo diretor da peça transmudaram-se em ações suas, de vocês mesmos. Foi por isso que as repetiram com tanta satisfação...

"Não é de surpreender que tenham logo sentido necessidade de empregar palavras, e como não dispunham do texto do escritor, tiveram de usar as que lhes ocorriam. Precisavam delas não só para ajudá-los a realizar os seus objetivos externos, mas também para expressar pensamentos e transmitir as experiências que iam brotando dentro de vocês. Essa necessidade os obrigou a recorrerem novamente à peça, para com ela formarem trechos de pensamentos e também — sem o notarem — de sentimentos. Sem que percebessem, eu os fui enxertando em vocês, numa ordem lógica e consecutiva, por meio de sugestões, de repetições frequentes, e martelando a linha da cena. Até que, finalmente, vocês tomaram

AFERIÇÃO DO TRABALHO EXECUTADO E RESUMO

posse de toda a primeira cena, como foi ensaiada. Agora, as ações alheias determinadas pelo autor, e efetivamente a vida espiritual de seus papéis, passaram de fato a pertencer-lhes e vocês as absorvem com satisfação.

"Mas teríamos obtido esse resultado se, lado a lado com a entidade física, não houvesse crescido a entidade espiritual de seus papéis?

"Então surge, inevitavelmente, a pergunta: pode a primeira existir sem a segunda, ou a segunda sem a primeira?

"Mais ainda, ambos esses aspectos da vida são extraídos da mesma fonte, a peça *Otelo*. Logo, um não pode ser estranho ao outro, por sua própria natureza. Pelo contrário, o seu parentesco e sua congruência são imperativos. Dei ênfase especial a essa lei porque ela é a base da nossa psicotécnica.

"Essa lei tem grande importância prática para nós, porque nos casos em que o papel não cobra vida espontaneamente, intuitivamente, torna-se necessário construí-lo por meios psicotécnicos. Por sorte, esta psicotécnica é prática e acessível. Em caso de necessidade, podemos até mesmo alcançar a vida espiritual de um papel por ato reflexo, através de sua vida física. É este um valioso recurso da atuação criadora.

"Mas a maior vantagem de nosso método refere-se aos pensamentos, palavras e dicção do papel.

"Vocês se recordam de que, quando os obriguei a usar suas próprias palavras para exprimir os pensamentos de seus papéis, eu lhes recordei muitas vezes, ou sugeri o pensamento que vinha logo em seguida. Vocês se agarravam às minhas sugestões com crescente entusiasmo, porque iam ficando cada vez mais habituados à lógica dos pensamentos que o próprio Shakespeare colocou em sua peça.

"A mesma coisa, exatamente, se deu com as palavras de seus papéis. A princípio, vocês escolheram, como o fariam na vida real, as palavras que lhes vinham à cabeça e à língua, o que quer que melhor lhes servisse para executar o objetivo pretendido. Desse modo, sua linguagem e seu papel se desenvolveram em condições normais, com atividade e eficiência. Mantive-os nessas condições

A CRIAÇÃO DE UM PAPEL

durante muito tempo, aliás, até que toda a partitura de seus papéis ficasse estabelecida, e o fio certo de objetivos, ações e pensamentos estivesse bem martelado.

"Só depois desse preparo é que nós lhe devolvemos o texto impresso da peça. Vocês tiveram pouquíssimo trabalho com suas falas, porque já há algum tempo eu lhes vinha sugerindo as próprias palavras de Shakespeare, quando vocês precisavam delas, quando buscavam por elas para a realização verbal de um objetivo ou outro. Vocês as agarravam vorazmente, porque o texto do autor exprimia um pensamento ou executava uma determinada ação melhor que o de vocês. Vocês se lembravam das palavras de Shakespeare porque se apaixonaram por elas e elas se tornaram necessárias a vocês.

"E, em resultado disso, que foi que aconteceu? As palavras de uma outra pessoa passaram a lhes pertencer. Foram enxertadas em vocês por meios naturais, sem nenhuma imposição forçada, e só por isso conservaram sua qualidade mais importante: a vivacidade. Agora, vocês não disparam seus textos como matracas, mas agem por meio das palavras, para executar um objetivo fundamental da peça. É justamente por isso que nos dão a peça.

"Por favor, pensem cuidadosamente, e depois me digam: vocês acham que se tivessem começado seu trabalho esforçando-se como escravos para aprender as falas, como se faz na maioria dos teatros do mundo, conseguiriam realizar o que conseguiram com o nosso método?

"Posso dizer-lhes desde já que a resposta é não. Vocês se teriam obrigado a decorar o texto mecanicamente, teriam treinado os músculos de seus órgãos vocais para reproduzirem os sons de palavras e frases. Nesse processo, o pensamento contido em papéis se haveria evaporado e o texto se separaria dos objetivos e ações.

"Comparemos agora o nosso método com o que se faz em qualquer teatro comum. Aí, eles leem a peça, entregam os papéis, com o aviso de que no terceiro ou no décimo ensaio todo mundo deverá saber de cor a sua parte. Começam a leitura e depois todos sobem para o palco e representam, com o texto na mão. O diretor mostra-lhes o jogo de cena que deverá ser feito, e os atores o re-

AFERIÇÃO DO TRABALHO EXECUTADO E RESUMO

cordam. No ensaio previsto, retiram-lhes os textos e eles dizem suas falas com a presença de um 'ponto', até saberem ao pé da letra seus papéis. Assim que está tudo em ordem — e eles se apressam, pois não querem desgastar seus papéis nem suas falas — o primeiro ensaio geral é marcado, e os anúncios são publicados. Depois, há o espetáculo — um sucesso com os críticos. Depois disso, desaparece o seu interesse na peça, e eles repetem suas atuações como coisa de rotina."

— Em suma: o principal, nas ações físicas, não está propriamente nelas, mas naquilo que elas evocam: condições, circunstâncias propostas, sentimentos. O fato de o herói de uma peça matar-se não é tão importante quanto a razão interior de seu suicídio. Se esta não aparece ou tem pouco interesse, a sua morte, como tal, passará sem deixar impressão. Há um elo inquebrável entre a ação em cena e a coisa que a precipitou. Em outras palavras, há completa união entre a entidade física e a entidade espiritual de um papel. É isto que invariavelmente usamos em nossa psicotécnica. É isto que estávamos fazendo ainda agora.

"Com o auxílio da natureza — nosso subconsciente, instinto, intuição, hábitos, e assim por diante —, evocamos uma série de ações físicas entrelaçadas umas com as outras. Por seu intermédio, tentamos compreender as razões interiores que lhes deram origem, os momentos individuais de emoções que experimentamos, a lógica e coerência dos sentimentos nas circunstâncias determinadas da peça. Quando conseguimos descobrir esse fio, ficamos cônscios da significação interior de nossas ações físicas. Esta percepção tem origem não intelectual, mas emocional, porque compreendemos com nossos próprios sentimentos uma parte da psicologia de nosso papel. Entretanto, não podemos representar essa psicologia, por si mesma, nem seus sentimentos lógicos e consecutivos. Por isso, nos mantemos no terreno mais firme e acessível das ações físicas, atendo-nos rigorosamente à sua lógica e coerência. E como o seu traçado está inextricavelmente ligado àquele outro traçado interior

A CRIAÇÃO DE UM PAPEL

de sentimentos, podemos, por meio delas, atingir as emoções. Esse traçado passa a fazer parte integrante da partitura do papel.

"A esta altura, vocês já experimentaram essa interação. É o ataque partido do exterior para o interior. Deem firmeza a esse elo, repetindo muitas vezes o padrão que traçaram para a entidade física de seu papel. Isso confirmará as ações físicas, mas ao mesmo tempo reforçará a ressonância emocional a elas. Algumas delas, com o tempo, adquirirão um caráter consciente. Então poderão utilizá-las como quiserem, para evocar ações físicas que estão naturalmente ligadas a elas. Mas há muitos estímulos interiores que vocês nunca poderão aprender plenamente. Não o lastimem. A conscientização poderia destruir a sua eficácia.

"Ainda assim, permanece a questão: quais são os apelos interiores que podemos apreender, e quais os que não devemos tocar?

"Vocês não devem levantar esse problema. Entreguem-no à natureza. Só a natureza pode abrir caminho dentro desse processo, que não é acessível à nossa consciência.

"O que vocês têm a fazer é buscar auxílio no método que lhes descrevi. Quando atingirem o momento da criação, não procurem o caminho do estímulo interior — seus sentimentos sabem mais o que devem fazer do que vocês lhes poderiam ensinar — mas atenham-se, antes, à entidade física do papel."

TERCEIRA PARTE *O inspetor geral*, de Gogol

O último dos três estudos deste volume foi escrito por volta de 1934. Como atestam as frequentes referências a trechos de *A preparação do ator,* esta última obra já estava terminada, e seu manuscrito, segundo o desejo de Stanislavski, encontrava-se nos Estados Unidos para ser publicado pela primeira vez. *A construção da personagem* estava tão realizada quanto Stanislavski poderia desejar. Portanto, esta seção não só vem culminar as explorações de Stanislavski em *A criação de um papel,* como também serve de ponte natural entre este volume e as duas publicações anteriores.

O COORDENADOR EDITORIAL (NORTE-AMERICANO)

CAPÍTULO VIII Das ações físicas à imagem viva

— Eis como abordo um novo papel — disse Tortsov. — Sem qualquer leitura, sem qualquer conferência sobre a peça, os atores são convocados para ensaiá-la.

— Como é possível? — foi a reação perplexa dos alunos.

— E tem mais. Pode-se ensaiar uma peça que ainda não foi escrita.

Nem sequer pudemos achar palavras para exprimir nossa reação ante essa ideia.

— Não me acreditam? Façamos a prova. Tenho uma peça na cabeça. Vou contar-lhes o enredo em episódios, e vocês o interpretarão. Observarei o que disserem e fizerem em sua improvisação, e anotarei as coisas mais acertadas. De modo que, unindo nossos esforços, escreveremos e logo interpretaremos uma peça que ainda não existe. Os lucros serão equitativamente compartilhados por nós.

Isso deixou os estudantes ainda mais atônitos, sem saber de que se tratava.

— Vocês todos já estão familiarizados, por experiência própria, com o que um ator sente, no palco, quando está no que nós chamamos de "estado criador interior". Ele reúne num só todo todos os elementos que o alertam e orientam rumo ao trabalho criador.

"Pode parecer que esse estado, por si só, bastaria para permitir-lhe abordar uma peça e um papel novos, e estudá-los detalhadamente. Mas não basta. Para estudar e vir a conhecer o essencial na obra de um dramaturgo, formar ideias sobre ela, ainda falta alguma coisa, alguma coisa de que o ator precisa para agitar e pôr em ação suas forças interiores. Sem essa coisa, sua análise da peça e do papel será puramente intelectual.

A CRIAÇÃO DE UM PAPEL

"Nossa mente pode ser posta em ação a qualquer hora. Mas não basta. Precisamos da cooperação ardente e direta de nossas emoções, desejos, e de todos os outros elementos de nosso estado criador interior. Com o auxílio deles, temos de criar dentro de nós a própria vida de nosso papel. Depois disso, a análise da peça decorrerá não só do intelecto, mas de todo o ser do ator.

— Desculpe, por favor — disse o nosso polêmico Gricha. — Mas como é que isso pode ser? Pra sentir a vida de um papel, a gente tem de conhecer o texto da peça, não vê que tem? Temos de estudar esse texto. E, no entanto, o senhor afirma que não devemos estudá-lo sem primeiro senti-lo.

— Sim — confirmou Tortsov —, você tem de conhecer o texto, mas não deve, de modo algum, abordá-lo friamente. *Deve, de antemão, despejar em seu estado criador interior, já preparado, os próprios sentimentos da vida de seu papel, não só os espirituais, mas também as sensações físicas.*

"Assim como o levedo causa a fermentação, também a sensação da vida de seu papel comunica a espécie de calor interior, a ebulição necessária ao ator no processo da experiência criadora. Só quando atingiu esse estado criador é que ele pode pensar em atacar uma peça ou um papel."

— Como é que a gente encontra o verdadeiro sentimento espiritual e físico da vida de um papel? — perguntaram vários estudantes, que as observações de Tortsov haviam surpreendido.

— A aula de hoje será consagrada a essa questão. Kóstia, você se recorda do *Inspetor geral,* de Gogol? — disse, de repente, voltando-se para mim.

— Sim. Mas somente um esboço, um resumo.

— Tanto melhor. Suba ao palco e represente para nós a entrada de Khlestakov, no segundo ato.

— Como posso representá-la, se não sei o que tenho de fazer? — observei, em tom de surpresa e objeção.

— Não sabe tudo, mas sabe algumas coisas. Portanto, represente o pouco que sabe. Em outras palavras, execute, retirando-os

DAS AÇÕES FÍSICAS À IMAGEM VIVA

da vida do papel, aqueles pequenos objetivos físicos que você pode fazer sinceramente, verdadeiramente, e em seu próprio nome.

— Não posso fazer nada, porque não sei nada!

— Que está dizendo? — objetou Tortsov. — A peça diz: "Entra Khlestakov". Então você não sabe entrar num quarto de estalagem?

— Sei.

— Pois então, entre. Depois Khlestakov repreende Ossip, porque este estava mandriando, refestelado na cama. Você não sabe repreender?

— Sei.

— Depois, Khlestakov quer forçar Ossip a sair para ver se arranja comida. Não sabe como se aborda um assunto difícil com outra pessoa?

— Isso eu sei também.

— Então interprete o que lhe é acessível, as coisas em cuja veracidade você acredita, aquilo em que você mesmo pode crer.

— Que é que nos está acessível num novo papel, logo de início? — indaguei, numa tentativa de esclarecimento.

— Muito pouca coisa. Podemos transmitir os aspectos exteriores do enredo com seus episódios, com seus objetivos físicos mais simples. A princípio, é só isso que se pode executar com sinceridade. Se tentarmos alguma coisa a mais, daremos com objetivos acima de nossa capacidade, e então correremos o risco de nos extraviarmos, de exagerar nossa atuação e violentar nossa natureza. Cuidado com os objetivos muito difíceis logo no começo — você ainda não está preparado para penetrar profundamente na alma de seu papel. Mantenha-se estritamente nos limites das ações físicas, pesquise a sua lógica e consecutividade, e procure encontrar o estado de "eu sou".

— O senhor diz: "transmita o enredo e as ações físicas mais simples" — argumentei. — Mas o enredo transmite-se por si mesmo, ao desenrolar da peça. O enredo foi feito pelo escritor.

— Sim, por ele, e não por você. Conserve o enredo dele. O que é preciso é a sua atitude em relação a ele. Vá para o palco e

A CRIAÇÃO DE UM PAPEL

comece com a entrada de Khlestakov. Leão representará Ossip para nós, e o Vânia será o garçom da taverna.

— Com todo prazer — responderam Leão e Vânia, em uníssono.

— Mas eu não sei as palavras, não tenho nada para dizer — continuei com minha teimosia.

— Você não sabe as palavras, mas sem dúvida se lembra do sentido geral da conversa, não lembra?

— Sim, mais ou menos.

— Então diga-nos isso com suas próprias palavras. Eu irei apontando a ordem dos pensamentos do diálogo. Além disso, você logo captará sua lógica e consecutividade.

— Mas eu não sei qual é a imagem que tenho de mostrar!

— Mas assim mesmo conhece uma regra importante: qualquer que seja o papel interpretado por um ator, ele deve sempre atuar por sua própria conta, sob sua própria responsabilidade. Se não se encontrar a si mesmo em seu papel, acabará matando a personagem imaginária, pois a terá privado de sentimentos vivos. Esses sentimentos vivos, só o próprio ator pode dar à personagem que criou. Portanto, represente todos os papéis por sua própria conta, nas circunstâncias que lhe forem determinadas pelo dramaturgo. Desse modo, você, antes de mais nada, se sentirá como você mesmo no papel. Isso feito, não será difícil ampliar o papel todo em você mesmo. Sentimentos humanos vivos, verdadeiros — eis o terreno propício à realização de seu propósito.

Tortsov mostrou-nos como demarcar um quarto de estalagem. Leão se deitou no divã e eu fui para os bastidores e preparei-me para surgir, como é de costume, com o aspecto de um jovem gentil-homem semimorto de fome. Entrei devagar, entreguei a Leão minha bengala e cartola imaginárias — em outras palavras, repeti todos os bons velhos clichês que já se incrustaram nesse papel.

— Não compreendo. Quem é você? — perguntou Tortsov, depois que terminamos.

— Eu... era eu, eu mesmo.

DAS AÇÕES FÍSICAS À IMAGEM VIVA

— Não se parecia com você. Na vida real, você é muito diferente daquilo que era ainda agora no palco. Não é assim que você mesmo entraria num quarto.

— Então, como?

— Com alguma coisa na cabeça, com um objetivo lá dentro, com curiosidade, não vazio como você estava. Fora de cena, você tem consciência plena de todos os períodos e fases da comunicação natural. Você me deu a entrada de um ator em cena, mas o que eu quero é a entrada de um ser humano dentro de um quarto. Fora de cena, há outros estímulos para a ação. Encontre-os agora em cena. Se você entrasse com um objetivo, ou — como sucede com Khlestakov — sem nenhum objetivo, só porque não tem o que fazer, quais seriam as ações mais capazes de estimular o estado interior correspondente?

"Sua entrada ainda agora foi teatral, feita 'em geral'. Em seus movimentos não havia lógica nem consecutividade. Você omitiu uma porção de pontos necessários. Por exemplo, na vida real, onde quer que vá, uma pessoa tem, antes de mais nada, de se orientar, de descobrir o que se está passando ali, de decidir qual a conduta que deve adotar. Mas você nem sequer olhou para Ossip ou para a cama, antes de dizer: 'Já está aí outra vez, refestelado em minha cama?' E também bateu a porta como fazem no teatro, quando os cenários são feitos de tela. Não recordou nem transmitiu o peso da porta. Tratou a maçaneta como se fosse um brinquedo. Todas essas pequenas ações físicas requerem uma certa dose de atenção e tempo. Depois de já ter trabalhado tanto em ações com objetos imaginários* você devia realmente envergonhar-se de deixar escapar tais erros.

— Foram causados pelo fato de eu não saber de onde vinha — disse eu, tentando desculpar-me, em meu embaraço.

— Não diga! Como é que você, em cena, pode não saber de onde veio e aonde chegou? É uma coisa que, indispensavelmente, tem de saber. No teatro nunca se deve fazer entradas vindo 'do espaço exterior'.

---

*Ver *A preparação do ator,* pág. 70 etc.

A CRIAÇÃO DE UM PAPEL

— Bem, de onde é que eu vim?

— Essa é boa! Como é que eu vou saber? Isso é com você. Além de tudo, o próprio Khlestakov diz onde esteve. Mas como você não se lembra, tanto melhor.

— Melhor por quê?

— Porque assim você poderá atacar o papel como você mesmo, segundo a vida, e não segundo as instruções do autor, não de acordo com todos os carimbos convencionais. Isso lhe permitirá ter ideias independentes quanto à imagem a projetar. Se fosse guiar-se apenas pelas instruções impressas, você não estaria executando o objetivo que lhe dei, pois estaria fazendo cegamente o que o autor disse, estaria apostando tudo nele, papaguearia suas falas, macaquearia suas ações, que não têm afinidade com as suas próprias — tudo isso em vez de tornar a sua própria imagem análoga à que o autor criou.

"Envolva-se nas circunstâncias determinadas da peça, e depois responda sinceramente a esta pergunta: que é que você mesmo (e não Khlestakov, que você não conhece) faria, se tivesse de safar-se de uma situação desesperada?

— Ah, é mesmo. Quando a gente tem de sair de uma situação por si mesmo, sem seguir o autor cegamente, é preciso pensar um bocado.

— Aí você falou bem — disse Tortsov.

— Mas esta é a primeira vez que me transponho para a situação e as circunstâncias em que Gogol colocou suas personagens. Para o público, sua situação é cômica, mas para Khlestakov e Ossip, é desesperada. Isto eu senti hoje pela primeira vez, e no entanto quantas vezes já li e vi representar *O inspetor geral*!

— Isto se deu porque você adotou a atitude certa. Você transportou a situação e as circunstâncias, determinadas por Gogol para essas personagens, para seus próprios termos. Isso é importante. É esplêndido! Nunca force sua entrada num papel. Não comece a estudá-lo com um senso de compulsação. Você mesmo deve escolher e executar até as pequeninas frações do papel, que de início lhe são acessíveis. Faça isso agora, e você, pelo menos um pouco, *se sentirá no papel*.

DAS AÇÕES FÍSICAS À IMAGEM VIVA

"Diga-me agora, como é que você, na vida real, aqui, hoje, sairia da situação em que Gogol o colocou?"

Fiquei calado, pois me sentia meio confuso.

— Tente pensar. Como passaria o seu dia? — insistiu Tortsov.

— Levantei-me tarde. A primeira coisa é que eu persuadiria Ossip a procurar o proprietário da estalagem e providenciar um chá. Depois, haveria muita lufa-lufa, com a minha toalete, higiene, escovando as roupas, me vestindo, me arrumando, tomando chá. Depois... eu andaria pela rua. Não ficaria sentado no quarto sem ar. Tenho a impressão de que durante o meu passeio o meu ar citadino chamaria a atenção dos provincianos.

— E principalmente das provincianas — disse Tortsov, em tom de brincadeira.

— Tanto melhor. Tentaria travar conhecimento com alguém e extorquir um convite para jantar. Depois, visitaria as lojas e o mercado.

Enquanto eu dizia essas coisas, comecei de repente a sentir-me um pouquinho como Khlestakov.

— Sempre que possível, eu não poderia resistir a provar algum bocado tentador exposto no tabuleiro de um vendedor, perto das lojas ou no mercado. É claro que isso não me saciaria, mas antes aguçaria o meu apetite. Depois eu iria ao correio perguntar se não chegou para mim uma ordem de pagamento.

— Não chegou, não — grasnou Tortsov, e me instigou. A esta altura, estou exausto e com o estômago vazio. Não tenho outro recurso senão voltar à estalagem e ver se ainda uma vez mando Ossip lá embaixo para me providenciar o jantar.

— Agora, é isso que você traz consigo quando faz a sua entrada no segundo ato — interrompeu Tortsov. — Para entrar em cena como um ser humano e não como um ator, você tinha de descobrir quem é, o que lhe aconteceu, em que circunstâncias você está vivendo aqui, como passou o seu dia, de onde veio, e muitas outras circunstâncias supostas, que você ainda não inventou, mas que influenciam suas ações. Em outras palavras, só para entrar

A CRIAÇÃO DE UM PAPEL

em cena já é necessário ter noção da vida da peça e da relação que você tem com ela.

Tortsov continuou seu trabalho comigo, no papel de Khlestakov.

— Agora você sabe o que precisa ter antes de fazer sua entrada — disse. — Estabeleça devidamente o processo natural de comunicação para poder executar suas ações, não para entreter o público, mas em função do objeto de sua atenção, e depois prossiga com seus objetivos físicos.

"Pergunte a si mesmo o que significa para você entrar em seu quarto de hotel depois da infrutífera caminhada pela cidade. Em seguida, faça outra pergunta: que faria, no lugar de Khlestakov, depois de voltar? Como trataria Ossip quando descobrisse que ele andou se deitando outra vez na cama? Como o convenceria a procurar o hoteleiro para extrair-lhe o jantar? Como esperaria o resultado dessa manobra, e o que faria nesse entretempo? Como aceitaria essa comida trazida? Etc., etc.

"Em suma procure lembrar cada episódio do ato. Imagine de que ações cada um deles consiste; siga até o fim a lógica e a continuidade de todas essas ações.

Desta vez, quando repeti a cena, não perdi sequer o mais ínfimo detalhe secundário, e assim provei que compreendia a natureza de cada uma das ações físicas planejadas. Desse modo, pude reabilitar-me do meu insucesso de ontem.

Tortsov relembrou nossas primeiras tentativas de ações sem objetos de cena, memorável para mim, porque ele primeiro me fizera contar, em vez de dinheiro, ar puro.

— Quanto tempo gastamos, então, só com esse trabalho? — disse Tortsov. — E hoje vocês fizeram tão depressa uma tarefa análoga.

Depois de uma pequena interrupção, ele disse:

— Agora que captaram a lógica e a consecutividade destas ações físicas, e também sentiram a veracidade delas e estabeleceram a fé que vocês depositavam no que faziam em cena, já não lhes será difícil repetir essa mesma sequência em diferentes circunstâncias

DAS AÇÕES FÍSICAS À IMAGEM VIVA

determinadas, que a peça estabelecerá para vocês, e que serão ampliadas e acentuadas por suas próprias imaginações.

"Portanto, agora, o que é que você faria aqui, agora, hoje, neste suposto quarto de hotel, se tivesse voltado a ele depois de uma infrutífera expedição pela cidade? Comece, mas por favor não represente. Simplesmente e com franqueza, decida e diga o que você faria.

— Por que não atuar? Seria mais fácil para mim.

— Claro. É sempre mais fácil representar nos velhos modos estereotipados do que movimentar-se com veracidade.

— Mas eu não me referia a clichês.

— Por enquanto, é o único modo em que sabe falar. Eles já vêm prontos. Mas a ação verdadeira, a ação com um propósito útil, despertada por impulsos interiores, tem primeiro de *viver,* e é isto que você tenta alcançar.

Leão deitou-se na cama, Vânia começou a se aprontar para fazer sua entrada como garçom da estalagem.

Em seguida, Tortsov me pôs em cena e obrigou-me a falar comigo mesmo em voz alta:

— Lembro-me das circunstâncias determinadas de meu papel, o passado, o presente — disse eu para mim mesmo. — Quanto ao futuro, isto se relaciona comigo e não com o meu papel. Khlestakov não pode saber o futuro, mas eu sou forçado a sabê-lo. Como ator, tenho a obrigação de preparar esse futuro desde a primeira cena que representar. Quanto mais desesperadora for minha situação neste horrível quarto de hotel, mais inesperada, extraordinária, incrível, será minha mudança para a casa do prefeito, as complicações, os arranjos do casamento.

"Vou recordar todo o ato de acordo com os episódios."

Em seguida, enumerei todas as cenas e rapidamente as baseei em circunstâncias inventadas por mim. Concluído esse trabalho, concentrei nele a minha atenção, e depois fui para os bastidores. A caminho, me dizia:

— Que faria eu se, voltando para meu quarto no hotel, ouvisse atrás de mim a voz do proprietário?

A CRIAÇÃO DE UM PAPEL

Mal havia pronunciado o "se" mágico e senti como se alguma coisa me tivesse atingido pelas costas. Comecei a correr, mal sabia o que estava fazendo, e de repente me achei dentro do meu quarto de hotel imaginário.

— Isso foi original! — riu-se Tortsov. — Agora repita a ação dentro de novas circunstâncias determinadas — ordenou.

Encaminhei-me vagarosamente para os bastidores, e após uma pausa em que me preparei, abri a porta e ali permaneci numa agonia de indecisão, sem saber se entrava ou se descia para a sala de jantar. Mas entrei e meus olhos ficaram procurando alguma coisa em meu quarto ou pela fresta da porta. Quando compreendi o que estava buscando, adaptei-me à situação e saí do palco.

Pouco depois, voltei, num estado de espírito caprichoso, difícil, como uma criatura mimada. Durante algum tempo, olhei nervosamente ao meu redor. Depois, pensando e outra vez me adaptando à situação, saí do palco.

Fiz toda uma série de entradas até que, afinal, disse para mim mesmo:

— Agora tenho a impressão que já sei o que eu traria comigo quando entrasse, se eu estivesse no lugar de Khlestakov.

— Como é que você chama a isso que andou fazendo? — perguntou Tortsov.

— Eu estava me analisando, estava estudando a mim mesmo, Kóstia Nazvanov, nas circunstâncias determinadas em que está situado Khlestakov.

— Agora, espero que você compreenda a diferença que existe entre abordar e avaliar um papel como você mesmo e avaliá-lo como outra pessoa. Entre enxergar um papel com os seus próprios olhos e vê-lo com os do autor, do diretor ou de um crítico teatral.

"Como você mesmo, você vive o papel; como outra pessoa, você apenas brinca com ele, como quem representa uma peça. Como você mesmo, você aprende o papel com seu cérebro, seus sentimentos, seus desejos, e todos os elementos de seu ser interior, ao passo que na pessoa de outra criatura, na maioria das vezes, a

DAS AÇÕES FÍSICAS À IMAGEM VIVA

gente só o faz com o cérebro. O que precisamos num papel não é de uma análise e compreensão puramente raciocinadas.

"Temos de nos apoderar da personagem imaginada com todo o nosso ser, espiritual e físico. Esta é a única forma de abordagem que estou disposto a aceitar."

— Que é que eu posso fazer? — disse Tortsov pensativamente, quando chegou hoje à aula, como se estivesse discutindo alguma coisa com ele mesmo. — A transmissão oral é cacete, seca, não é convincente numa questão prática. Seria melhor que eu os mandasse fazer e sentir coisas por vocês mesmos, em vez de lhes dar explicações. Mas infelizmente, vocês ainda não estão bastante versados na técnica de lidar com objetos imaginários para poderem fazer o que eu julgo necessário. Terei de subir ao palco, eu mesmo, e mostrar-lhes como, a partir dos objetivos e ações mais simples, vamos adiante para criar *a vida física do papel,* e daí mais uma vez avançamos, criando a vida espiritual do papel, e como, juntas, elas geram dentro de nós o verdadeiro *senso de vida na peça e no papel,* o que, por sua vez, se transmuda no estado criativo interior, com o qual vocês já estão familiarizados.

Tortsov subiu ao palco e desapareceu nos bastidores. Houve uma longa pausa, durante a qual ouvimos o som da voz de *basso* de Leão. Ele estava discutindo onde era melhor viver: em São Petersburgo ou no campo.

De repente, Tortsov entrou em cena correndo. Uma entrada assim, para Khlestakov, era tão súbita e inesperada que eu cheguei a estremecer. Tortsov bateu a porta e depois ficou espiando o corredor pela fresta. Evidentemente, pensava que tinha fugido do proprietário do hotel.

Não posso afirmar que gostei muito desse novo ângulo. Mas não há dúvida que ele fez sua entrada com sinceridade. E então Tortsov começou a refletir em voz alta sobre o que tinha feito.

— Exagerei! — confessou para si mesmo. — Devia ter sido feito com mais simplicidade. Além disso, será que estava certo para

A CRIAÇÃO DE UM PAPEL

Khlestakov? Afinal, ele, como cidadão de São Petersburgo, se sentia superior a qualquer pessoa da província.

"Que foi que me sugeriu essa entrada? Que lembranças? Não posso imaginar. Será que, nessa mistura de fanfarronice com covardia e insensibilidade juvenil, se encontra a chave da personalidade interior de Khlestakov? Onde fui arranjar as sensações que experimentei?

Depois de pensar nisso um momento, Tortsov nos disse:

— Que fiz eu ainda agora? Analisei o que senti e o que fiz acidentalmente, em consequência desses sentimentos. Analisei minhas ações físicas nas circunstâncias determinadas do papel. Mas não fiz essa análise unicamente com o meu frio cérebro. Todos os elementos em mim contribuíram. Fiz a análise com o meu corpo e a minha alma.

"Vou desenvolver agora meu trabalho de análise e dizer-lhes o que me impeliu. A lógica insinuou: se Khlestakov é um fanfarrão e um covarde etc., consequentemente, no íntimo, tem medo de encontrar o proprietário, mas por fora quer mostrar coragem e estar calmo. Chega a exagerar sua calma, embora sinta nas costas o olhar do inimigo e tenha calafrios na espinha.

Tortsov foi então para os bastidores, preparou-se, e depois executou brilhantemente a proposição que acabara de fazer. Como o conseguiu? Será que, só por sentir a veracidade de suas ações físicas, tudo o mais, isto é, as emoções, seguiu-se naturalmente? Em tal caso, o seu método deve ser considerado miraculoso.

Tortsov permaneceu ali durante muito tempo, e depois começou a falar:

— Vocês viram que eu não fiz isto por meio de uma análise puramente intelectual, mas me estudei nas condições determinadas pelo papel, e com a participação direta de todos os elementos interiores humanos, com o seu impulso natural para a ação física. Não levei a ação até o fim porque tive receio de cair em clichês. Porém, o ponto principal não está na ação propriamente, mas na evocação natural de impulsos para agir.

DAS AÇÕES FÍSICAS À IMAGEM VIVA

"Da minha vida e experiência humana quotidianas, procuro selecionar objetivos físicos e ações. Para crer em sua validade, tenho de dar-lhes uma base interior e de justificá-los nas circunstâncias determinadas pela peça. Quando encontro e sinto essa justificação, meu ser interior até certo ponto se funde com o do meu papel."

Tortsov fez então passar pelo mesmo processo cada pedaço da cena: persuadir Ossip a providenciar-lhe o jantar, o monólogo depois que Ossip se retira, a cena com o garçom e com o jantar.

Depois de realizar tudo isso, Tortsov encerrou-se em si mesmo, e parecia estar revendo mentalmente o trabalho executado. Por fim, disse:

— Sinto que fizemos um pálido esboço dos impulsos para a física nas circunstâncias da vida e nas condições propostas pelo papel! Agora devemos registrá-las por escrito, exatamente como fizemos depois da cena de inação dramática.* Lembram-se como atribuímos tudo aquilo à fisiologia? Farei o mesmo com esta cena de Khlestakov.

Tortsov começou a evocar todos os impulsos para agir que observara em si mesmo e eu os anotei. A essa altura, Gricha encontrou um motivo para fazer objeção a uma das ações anotadas.

— Desculpe-me, por favor, mas isso é uma ação puramente psicológica e de modo algum física!

— Pensei que tínhamos combinado que não discutiríamos por causa de palavras. Além disso, você sabe, nós decidimos que em todo ato psicológico há muito de físico, e no físico muito de psicológico. Desta vez, estou repassando o papel em termos de ações físicas. Por isso é que só elas entram na lista. O resultado disto veremos proximamente.

E Tortsov voltou ao registro interrompido. Uma vez concluído, explicou:

— Pode-se também fazer uma lista de objetivos físicos tirados do título da peça. Se compararmos as duas listas, veremos que em alguns trechos elas coincidirão (onde o ator e o papel se fundem

---

*Ver *A preparação do ator,* págs. 161-62.

A CRIAÇÃO DE UM PAPEL

naturalmente), e em outros serão divergentes (isto se dá quando há erro ou quando a individualidade do ator irrompe em formas que divergem do seu papel).

"A tarefa seguinte cabe ao ator e ao diretor: acentuar os momentos em que o ator se funde com o seu papel e trazê-lo de volta nos lugares em que diverge dele. Mais tarde, falaremos detalhadamente sobre isto. Por enquanto, o importante são apenas os pontos em que o ator se funde com o seu papel. Esses contatos vivos atraem o ator para dentro da peça. Ele já não se sente alheio à vida dela, e certos trechos de seu papel aproximam-se muito de seus sentimentos.

"Percorrendo esta lista", explicou Tortsov, "submeto, por assim dizer, meus objetivos à prova de um denominador comum, perguntando-me a mim mesmo: por que fiz isso ou aquilo?

"Depois de analisar e somar o que fiz, chego à conclusão de que o meu objetivo e ação fundamentais eram: eu queria arranjar alguma coisa para comer, para aplacar minha fome. Por isso vim aqui, por isso adulei Ossip, usei meu melhor comportamento com o garçom, e depois briguei com ele. No futuro, todas as minhas ações nestas cenas serão dirigidas a um único objetivo: conseguir algo para comer.

"Agora vou repetir todas as ações confirmadas nesta lista", decidiu Tortsov. "E para não criar hábitos de rotina (ainda não preparei minhas ações com conteúdo, propósito e veracidade), irei simplesmente passando de um objetivo e ação adequados para os imediatos, sem executá-los em termos físicos. Por enquanto, vou limitar-me a despertar impulsos interiores para a ação e fixá-los pela repetição.

"Quanto às ações propriamente ditas, elas se desenvolverão por si mesmas. A miraculosa natureza se encarregará disto."

Em seguida, Tortsov repetiu muitas vezes a sequência de suas ações físicas, ou antes, despertou repetidamente os seus impulsos interiores necessários a esse tipo de ação. Procurou não fazer qualquer movimento, mas transmitiu o que se passava dentro dele pelos

DAS AÇÕES FÍSICAS À IMAGEM VIVA

olhos, pela expressão facial e pelas pontas dos dedos. Repetia que as ações se desenvolveriam espontaneamente, e aliás não poderiam mesmo ser coibidas depois que tivéssemos estabelecido os impulsos interiores para a ação.

Eu acompanhava a lista que tínhamos anotado e advertia-o de qualquer omissão.

— Sinto — disse ele, sem interromper seu trabalho — que as ações individuais, separadas, estão se reunindo para formar períodos maiores, e que desses períodos vai emergindo todo um fio de ações lógicas e consecutivas. Vão investindo, criando movimento, e esse movimento está engendrando uma vida interior mais verdadeira. Sentindo esta vida, percebo a sua veracidade, e a verdade engendra a fé. Quanto mais eu repito a cena, mais forte se torna essa linha, mais poderoso o movimento, a vida, sua verdade, e minha crença nela. Recordem-se de que nós chamamos a esta linha ininterrupta de ações físicas *a linha do ser físico*.

"Isso não é pouca coisa, mas é apenas a metade (e não a metade mais importante) da vida de um papel."

Após uma pausa bastante demorada, Tortsov continuou:

— Agora que criamos o ser físico do papel, temos de pensar na tarefa mais importante: a criação da entidade espiritual do papel.

"Parece, entretanto, que ela começou a existir em mim por sua própria conta, e independente da minha vontade e consciência. A prova está no fato de que eu, como vocês mesmos confirmaram, executei ainda agora as minhas ações físicas, não seca e formalmente, não sem vida, mas com vivacidade e justificação interior.

"Como foi que isso aconteceu? Naturalmente: o elo entre o corpo e a alma é indissolúvel. A vida de um gera a da outra, e vice-versa. Em *toda ação física,* a não ser quando é puramente mecânica, acha-se oculta alguma *ação interior,* alguns sentimentos. Assim é que são criados os dois planos da vida de um papel, o plano interior e o exterior. Estão entrelaçados. Um propósito comum os aproxima ainda mais e reforça o elo inquebrável que há entre os dois.

A CRIAÇÃO DE UM PAPEL

"Na improvisação que fizeram sobre o tema do louco,* por exemplo, o seu esforço primordial para se salvarem e a sua ação verdadeira ao longo da linha da autoconservação eram inseparáveis e se desenvolveram paralelamente. Mas imaginem um esforço de autopreservação, e o outro, simultaneamente, tenderia a aumentar o perigo, isto é, a dar livre acesso no quarto ao louco violento. Será por acaso possível reunir duas linhas de ação interior e exterior tão mutuamente destrutivas? Terei acaso de provar-lhes que isso é impossível, porque o elo entre o corpo e a alma é indivisível?

"Vou prová-lo em minha própria pessoa, repetindo a cena de *O inspetor geral*, não mecanicamente, mas sim completamente justificada quanto à entidade física do papel."

Tortsov começou a representar e ao mesmo tempo a explicar os seus sentimentos.

— Enquanto atuo, vou me escutando e sinto que, paralelamente à linha ininterrupta de minhas ações físicas, corre outra linha, a da vida espiritual de meu papel. É engendrada pela linha física e corresponde a ela. Mas esses sentimentos ainda são transparentes, não são muito provocadores. Ainda é difícil defini-los ou ter interesse neles. Mas isso não é um infortúnio. Estou satisfeito, porque sinto dentro de mim o começo da vida espiritual de meu papel — disse Tortsov. — Quanto mais vezes revivo a vida física, mais definida e firme vai se tornando a linha da vida espiritual. Quanto mais frequentemente sinto a fusão dessas duas linhas, mais fortemente acredito na veracidade psicofísica desse estado, e mais firmemente sinto os dois planos de meu papel. A entidade física de um papel é um bom terreno para que nele cresça a semente da entidade espiritual. Espalhemos mais sementes destas.

— Que quer dizer com "espalhar"? — perguntei.

— Criar mais "se" mágicos, circunstâncias determinadas, ideias imaginativas. Elas imediatamente cobrarão vida e se fundirão com a entidade física de seu papel, ao mesmo tempo evocando e dando base a novas ações físicas.

---

*Ver *A preparação do ator*, págs. 71-3.

DAS AÇÕES FÍSICAS À IMAGEM VIVA

Tortsov repetiu muitas vezes as ações físicas que tinha anotado. Não tive de corrigi-lo nem de "soprar", pois ele já as sabia na devida ordem de sequência.

Ao executar esse trabalho, Tortsov não parecia compreender o quanto suas ações verdadeiras, cheias de propósito, produtivas, não só físicas mas também psicológicas, estavam ganhando forma interior através da sua expressão facial, de seus olhos, seu corpo, da entonação de sua voz e dos expressivos gestos de seus dedos. A cada repetição, a veracidade do que ele fazia tornava-se mais acentuada, e portanto também a sua crença nessa veracidade. Por causa disso, sua atuação foi-se tornando cada vez mais convincente.

Fiquei assombrado com os seus olhos. Eram os mesmos, e no entanto não eram os mesmos. Eram estúpidos, caprichosos, ingênuos, piscando mais que o necessário por causa da miopia — não enxergava nada que estivesse além da ponta do seu nariz. Não fazia gestos. Só seus dedos se agitavam involuntária e muito expressivamente. Não emitia palavras, mas vez por outra algumas inflexões engraçadas lhe escapavam, e eram também expressivas.

Quanto mais vezes ele repetia essa sequência de supostas ações físicas — ou, para ser mais preciso, os estímulos interiores para a ação — mais aumentavam os seus movimentos involuntários. Começou a andar, a sentar-se, a ajeitar a gravata, a admirar suas botas, suas mãos, a limpar as unhas.

Assim que ele se dava conta de qualquer dessas coisas, logo a eliminava, temendo cair numa rotina.

Lá pela décima repetição, seu jogo de cena assumiu o aspecto de estar bem-acabado, cabalmente sentido e, graças à escassez de movimentos, muito comedido. Ele criara a vida, com suas ações verdadeiras, produtivas, intencionais. Fiquei fascinado com esse resultado, e não pude deixar de aplaudir. Todos os outros me acompanharam.

Isso deixou Tortsov sinceramente espantado. Parou de atuar e perguntou:

— O que há? O que aconteceu?

A CRIAÇÃO DE UM PAPEL

— O que aconteceu é que o senhor nunca representou o papel de Khlestakov, nunca ensaiou esse papel, mas subiu ao palco e não só representou como viveu o papel — expliquei.

— Estão enganados. Eu não senti coisa alguma. Não interpretei e nunca interpretarei Khlestakov, pois é um papel que está inteiramente fora de minhas possibilidades. No entanto, posso executar corretamente os estímulos interiores para agir e inventar ações verdadeiras, produtivas, intencionais, nas circunstâncias propostas pelo autor. E até mesmo esse pouco já lhes dá uma sensação de vida real em cena.

"Se a companhia toda estivesse assim preparada, seria possível, no segundo ou terceiro ensaio, abordar a verdadeira análise e estudo dos papéis — não a elucubração intelectual de cada palavra e movimento, que tira a vida do papel, mas o sentimento cada vez mais real de vida na peça, isso que sentimos com o corpo bem como com a alma."

— Mas como é que o senhor faz isso?

Todos os alunos se interessavam em ouvir.

— Por meio de exercícios de ações sem objetos de cena, constantes, sistemáticos e absolutamente válidos.

"Vejam a mim, por exemplo. Há muitos anos estou no teatro. Pois mesmo assim, todo santo dia, inclusive hoje, dedico dez ou vinte minutos a esses exercícios nas circunstâncias mais variadas que posso imaginar, e sempre os faço como eu mesmo, sob minha responsabilidade, por assim dizer. Se não fosse isso, quanto tempo vocês acham que eu teria de gastar para vir a entender a natureza e as partes componentes das ações físicas daquela cena de Khlestakov?

"Se o ator fixar constantemente esse tipo de exercício, virá a conhecer praticamente todas as ações humanas do ponto de vista das partes que as compõem, da sua consecutividade e sua lógica. Mas esse trabalho deve ser feito diariamente, constantemente, como a vocalização de um cantor ou os exercícios de um bailarino.

"Pelo que lhes mostrei hoje, devem compreender que isso é importantíssimo. Não é à toa que insisto em que vocês deem a esses exercícios sua especial atenção. Quando tiverem elaborado uma

DAS AÇÕES FÍSICAS À IMAGEM VIVA

técnica semelhante à que se desenvolveu em mim, devido ao meu longo treino, então poderão fazer o que eu fiz. E quando conseguirem isso, a mesma vida criadora interior, além do âmbito da sua consciência, agitar-se-á espontaneamente em vocês. Seu subconsciente, suas intuições, suas experiências tiradas da vida, o hábito de manifestar qualidades em cena, tudo isto trabalhará por vocês, no corpo e na alma, e *criará* para vocês.

"Então, suas atuações serão sempre novas, vocês terão um mínimo de clichês em suas interpretações e um máximo da verdade.

"Repassem deste mesmo modo toda a peça, todas as circunstâncias determinadas, todas as cenas, as unidades, os objetivos, tudo o que de início lhes for acessível. Vamos supor que encontrem em si mesmos ações correspondentes; depois, habituem-se a executá-las com a lógica e a consecutividade dos papéis, por toda a extensão da peça, desde o começo ate o fim, e assim terão criado a entidade física exterior de seus papéis.

"A quem pertencerão então essas ações? A vocês ou a seu papel?"

— A mim!

— A entidade física é de vocês, os movimentos também, mas os objetivos, as circunstâncias determinadas, são comuns a ambos. Onde é que vocês acabam e onde começa a personagem?

— É impossível dizer — exclamou Vânia, que estava todo confuso.

— Mas não se esqueça de que essas ações que vocês encontraram não são simplesmente externas; são justificadas interiormente pelo seu sentimento, são reforçadas pela fé que você tem nelas, são vivificadas pelo seu estado de "eu sou". Além disso, dentro de vocês e correndo paralelamente à linha de suas ações físicas, criou-se naturalmente uma linha contínua de momentos emocionais que desce até seu subconsciente. Entre essas linhas, há uma correspondência total. Vocês sabem que não podem agir sinceramente, diretamente, e sentir, dentro de vocês, alguma coisa totalmente diferente.

"A quem pertencem esses sentimentos? A vocês ou ao seu papel?"

Vânia limitou-se a erguer os braços, em desespero.

A CRIAÇÃO DE UM PAPEL

— Está vendo? Você ficou inteiramente zonzo. Isso é bom, porque vem mostrar que muita coisa que está em seu papel e muita coisa que está em você ficaram de tal modo entrelaçadas, que você já não pode distinguir facilmente onde começa o ator e onde termina a sua personagem. Nesse estado, você se aproxima cada vez mais de seu papel, sente que ele está dentro de você, e que você mesmo está dentro dele.

"Se elaborar desse modo todo o papel, terá uma noção da vida dele, não de um modo puramente intelectual ou formal, mas sim realisticamente, física e psiquicamente, porque uma coisa não pode existir sem a outra. Não faz mal que esta vida seja a princípio superficial, rasa, por preencher, ainda assim contém carne e sangue, e um pouco de alma viva, palpitante, a alma do ser humano-ator-personagem.

"Se adotar essa atitude para com a sua personagem, você poderá referir-se à vida dessa personagem na primeira pessoa, e não na terceira. Isto é muito importante para o prosseguimento do trabalho sistemático e detalhado com seu papel. Em consequência dela, tudo o que você adquirir encontrará logo o lugar certo, sua própria prateleira, seu próprio cabide, em vez de ficar vagando sem sentido em sua cabeça, como acontece com os atores que são meros comedores de palavras. Em outros termos, você tem de cuidar-se de modo a nunca abordar sua personagem abstratamente, como o faria com uma terceira pessoa, mas sim concretamente, como se dirigiria a si mesmo. Quando tiver alcançado a sensação de que está dentro de seu papel, e este dentro de você, quando ele espontaneamente fundir-se com o seu estado criador interior, limítrofe com o subconsciente, então vá em frente, com toda segurança.

"Escreva a lista das ações físicas que você executaria se se encontrasse na situação da sua personagem imaginária. Faça o mesmo com o papel textual, isto é, escreva a lista das ações que a sua personagem executa de acordo com o enredo da peça. Depois compare as duas listas, ou, por assim dizer, superponha uma à outra, como se coloca um risco em papel transparente sobre um desenho para verificar os pontos em que as linhas coincidem.

DAS AÇÕES FÍSICAS À IMAGEM VIVA

"Se a obra do dramaturgo for escrita com talento, e se ele tiver tirado a sua peça das fontes vivas da natureza humana e da experiência e sentimentos humanos, então haverá muitos pontos de coincidência nas duas listas, sobretudo em todos os trechos fundamentais e principais. Estes serão para você momentos de aproximação com seu papel, momentos ligados por sentimentos. Sentir que você, embora apenas parcialmente, está em seu papel, e que o seu papel está em você, ainda que parcialmente — já é uma grande realização! É o primeiro passo para fundir-se com o seu papel e viver com ele. Mesmo para as outras partes do papel, nas quais o ator ainda não se sente ele mesmo, já haverá algumas manifestações da natureza humana, por que, se o papel for bem escrito, será humano como nós o somos, e um ser humano pressente outro."

Tortsov falou-nos hoje, outra vez, sobre sua psicotécnica para criar a *vida espiritual* de um papel por intermédio da *entidade física*. Como de costume, explicou seus pensamentos com um exemplo pitoresco:

— Vocês já viajaram? Se viajaram, já sabem das mudanças que ocorrem durante o trajeto, tanto por dentro como por fora do viajante. Já repararam que até mesmo o trem se transforma, por dentro e por fora, dependendo dos países por onde vai passando?

"Logo que sai da primeira estação, está novo e reluzente no ar frio da geada. Seu teto está coberto de neve branca, como uma toalha de mesa novinha. Mas por dentro está escuro, porque a luz do inverno dificilmente atravessa as vidraças geladas. Os adeuses daqueles que os levaram à estação afetam seus sentimentos. Ideias tristes povoam-lhes o espírito. Vocês pensam nas pessoas que deixaram.

"O balanço do trem, a pulsação das rodas, produzem o efeito de uma canção de berço. A gente se inclina para dormir.

"Passam-se um dia e uma noite. Estamos viajando para o sul. Lá fora, tudo vai mudando. A neve já se fundiu. Outro cenário risca nosso olhar. Mas dentro do vagão está abafado, pois ainda não desligaram o aquecimento de inverno. Todos os passageiros são diferentes. Falam com diferentes sotaques, e suas roupas são dife-

A CRIAÇÃO DE UM PAPEL

rentes. Só os trilhos da estrada de ferro permanecem os mesmos. Vão correndo sempre, sempre, para o infinito.

"Mas o que lhes interessa, como viajantes, não são os trilhos, e sim o que há em volta de vocês, dentro e fora do trem. Deslocando-se ao longo da ferrovia, chegam sempre a novos lugares, recebem, cada vez mais, novas impressões. Vocês as experimentam, elas os elevam a um grau de entusiasmo ou mergulham na tristeza. Excitam, e por um momento alteram a disposição do viajante, alterando-o também.

"O mesmo se dá no palco. Que é que substitui os trilhos? Como nos deslocamos neles de uma extremidade à outra da peça?

"Parece, a princípio, que o melhor material para se usar seriam os sentimentos genuínos, vivos. Que eles nos conduzem. Mas as coisas do espírito são evanescentes, é difícil fixá-las com firmeza. Com elas, não podemos fazer trilhos sólidos, precisamos de alguma coisa mais 'material'. O mais adequado, para este fim, são os objetivos físicos, pois são executados pelo corpo, que é incomparavelmente mais sólido que nossos sentimentos.

"Depois que vocês tiverem lançado seus trilhos de objetivos físicos, subam no trem e partam para novas terras — em outras palavras, a vida da peça: vocês estarão em movimento e não parados num só lugar, ou pensando nas coisas com o seu intelecto. Vocês entrarão em *ação*.

"Essa linha ininterrupta de ações físicas, firmadas em seu lugar por objetivos fortemente fixados, em vez de dormentes e parafusos, nos é tão necessária quanto os trilhos para o viajante. Também como ele, o ator atravessa muitas terras, que são as várias circunstâncias determinadas, vai através dos 'se' mágicos e outras invenções da imaginação. Também como ele, nos deparamos com mudanças de condições que evocam em nós os mais variados estados de alma. Na vida da peça, o ator encontra novas pessoas — as outras personagens que contracenam com ele. Ingressa numa vida em comum com elas e isso também agita seus sentimentos.

"E assim como o viajante pouco se interessa pelos trilhos propriamente ditos, mas só se interessa pelos novos países e lugares

DAS AÇÕES FÍSICAS À IMAGEM VIVA

que eles atravessam, assim também o impulso criador do ator não fica absorvido pelas ações físicas por si mesmas, mas antes pelas condições e circunstâncias interiores que apresentam justificação para a vida exterior de seu papel. Nós precisamos das belas ficções de nossa imaginação, que dão vida às personagens que estamos interpretando, isto é, dos sentimentos que se erguem no coração do ator criativo. Precisamos de objetivos atraentes que assomam diante de nós, enquanto vamos atravessando toda a extensão de uma peça."

A esta altura, Tortsov parou de falar. Houve uma pausa. De repente, em meio ao silêncio, ouvimos a voz resmungona de Gricha:

— Muito bem. Agora já sabemos tudo sobre os problemas de transporte na arte — rosnou quase inaudivelmente.

— Que é que você está dizendo? — perguntou-lhe Tortsov.

— Só estou dizendo, não vê, que os verdadeiros artistas não ficam por aí rodando no chão em vagões de estradas de ferro, eles voam mais alto que as nuvens, em aviões! — disse Gricha com muito calor e emoção, quase declamando.

— Gosto de sua comparação — disse Tortsov, com um leve sorriso. — Falaremos disso em nossa próxima aula.

— Então o nosso trágico precisa de um avião para subir além das nuvens, e não de um vagão de estrada de ferro viajando cá embaixo, na superfície da terra — disse Tortsov a Gricha, ao entrar na sala de aula.

— Sim, pois não vê? Um avião! — repetiu o "trágico".

— Apesar disso, infelizmente, antes do avião alçar voo, tem de percorrer, na firme superfície da pista, uma extensão determinada — observou Tortsov. — Portanto, como vê, até mesmo para alçar voo não se pode dispensar a terra. Os pilotos de avião precisam dela tanto quanto nós, atores, precisamos de uma linha de ações físicas antes de decolarmos para regiões mais elevadas.

"Ou, quem sabe, você é capaz de voar direto para as nuvens em vertical, sem usar a pista de decolagem? Dizem que a mecânica está tão desenvolvida que se pode fazê-lo, mas a nossa técnica de

A CRIAÇÃO DE UM PAPEL

ator ainda não está ciente de nenhum meio de penetração direta no reino do subconsciente. De fato, se você for arrastado num vendaval de inspiração, ele poderá levar o seu 'avião criativo' acima das nuvens, em linha vertical, sem fazer manobra prévia na pista, mas infelizmente esses voos inspirados não dependem de nós, e não podemos fazer regras para eles. A única coisa que está em nosso poder é preparar o terreno, lançar nossos trilhos, isto é, criar nossas ações físicas reforçadas pela verdade e pela fé.

"Com o avião, o voo começa quando a máquina decola do chão. Conosco, a elevação começa quando termina o realístico, ou até mesmo o ultranaturalístico."

— Como foi que o senhor disse? — perguntei, para ter tempo de anotar tudo por escrito.

— O que eu quero dizer — explicou Tortsov — é que emprego a palavra ultranaturalístico para definir o estado de nossas naturezas espiritual e física, que nós consideramos *inteiramente natural* e *normal,* e no qual acreditamos sinceramente, organicamente. Só *quando estamos nesse estado é que nossa fonte espiritual abre-se completamente,* e emanações quase imperceptíveis desses mananciais alcançam a superfície: insinuações, nuanças, o aroma daquele sentimento verdadeiro, orgânico, criativo, que é tão tímido e tão fácil de assustar.

— Quer dizer que esses sentimentos só são engendrados quando o ator acredita sinceramente na normalidade e justeza das ações de sua natureza física e espiritual? — perguntei.

— Sim! Nossos profundos mananciais espirituais *só se abrem de todo quando os sentimentos interiores e exteriores do ator correm de acordo com as leis fixadas para eles, quando não há absolutamente nenhuma coerção, nenhum desvio da norma, quando não há nenhum clichê nem qualquer espécie de atuação convencional. Em suma, quando tudo é fiel aos limites do ultranaturalismo.*

"Mas se você violentar a vida normal de sua natureza, isso bastará para aniquilar todas as intangíveis sutilezas da experiência subconsciente. Por isso é que até mesmo os atores experientes e de psicotécnica bem desenvolvida receiam, quando estão em cena, a

DAS AÇÕES FÍSICAS À IMAGEM VIVA

menor escorregadela para o sentimento falso ou para a falsidade nas ações físicas.

"A fim de não assanhar seus sentimentos, esses atores não concentram o cérebro em suas emoções interiores, mas antes concentram a atenção em sua *entidade física*.

"Por tudo que eu já disse", concluiu Tortsov, "deve estar bem claro que a veracidade das nossas ações físicas e nossa crença nessas ações não nos são necessárias por causa do realismo e do naturalismo, mas antes para que afetem, de maneira reflexa, os nossos sentimentos interiores em nossos papéis, e para evitar que assustemos ou forcemos nossas emoções, a fim de preservar-lhes a qualidade incorrupta, sua instantaneidade e pureza, a fim de transmitir em cena a essência espiritual viva e humana da personagem que interpretamos.

"É por isso que lhe recomendo que não se esqueça da terra, antes de fazer seus voos para o empíreo, não abandone suas ações físicas quando velejar pelo seu inconsciente" — disse Tortsov a Gricha, para encerrar a discussão entre os dois.

— Não é bastante subir às alturas, precisamos também nos orientar lá em cima" — prosseguiu Tortsov. — Lá, nas regiões do subconsciente, não há estradas, trilhos, sinais. É fácil perder o caminho ou entrar na curva errada. Como é que nos orientamos nessa região desconhecida? Como poderemos dirigir nossos sentimentos, se nossa consciência, ali, não penetra? Na aviação, emitem, de terra, ondas de rádio para guiar aeroplanos que voam em esferas inacessíveis, sem piloto. Em nossa arte, fazemos coisa parecida. Quando nossos sentimentos se alçam a uma região inacessível à nossa consciência, trabalhamos obliquamente com nossas emoções, com o auxílio de estímulos, iscas. Eles contêm qualquer coisa semelhante às ondas do rádio, que afeta a intuição e provoca ressonâncias em nossos sentimentos.

A aula de hoje foi dedicada a uma discussão da experiência de Tortsov com o papel de Khlestakov.

Tortsov deu a seguinte explicação:

A CRIAÇÃO DE UM PAPEL

— As pessoas que não compreendem a linha da entidade física num papel riem quando lhes explicamos que uma série de simples ações físicas, realísticas, tem a capacidade de engendrar e criar a vida mais elevada de um espírito humano em um papel. O caráter naturalístico deste método as perturba. Mas se essas pessoas se apegassem à derivação da palavra, de "natureza", perceberiam que não há nenhum motivo para se preocuparem.

"Além disso, como eu já lhes disse, o essencial não está nessas pequenas ações realísticas, e sim em toda a sequência criativa que é efetivada graças ao impulso dado por essas ações físicas. O que é essa sequência é o que eu quero discutir hoje com vocês.

"Para isso, usarei as experiências que fiz com o papel de Khlestakov.

"Vocês viram que nem eu nem o Kóstia conseguimos entrar em cena como seres humanos, nem como atores, enquanto não encontramos previamente uma justificação para o nosso simples ato físico, em toda uma série de circunstâncias imaginárias, de 'se' mágicos. Vocês viram, também, que essas simples ações exigiram que partíssemos as cenas em unidades e objetivos. Tivemos de desenvolver uma lógica, uma coerência, em nossas ações e sentimentos, tivemos de procurar pela verdade neles, de estabelecer nossa fé em relação a eles, nosso senso de "eu sou". Mas, para realizar tudo isso, não ficamos sentados a uma mesa com a cabeça enfiada num livro, não dividimos o texto da peça com um lápis na mão. Ficamos no palco e atuamos. Procuramos em nossa ação, em nossa própria vida natural, o que quer que fosse que nos faltava para promover nosso objetivo.

"Em outras palavras, não analisamos nossas ações com a razão, friamente, teoricamente, mas as atacamos pela prática, do ponto de vista da vida, da experiência humana, dos nossos próprios hábitos, do nosso sentido artístico e outros, de nossa intuição, de nosso subconsciente. Nós mesmos procurávamos o que quer que fosse necessário para nos ajudar a cumprir nossas ações; a nossa própria natureza vinha em nosso auxílio e nos guiava. Pensem nesse processo e compreenderão que se tratava de uma análise *interior e*

DAS AÇÕES FÍSICAS À IMAGEM VIVA

exterior de nós mesmos, como seres humanos nas circunstâncias da vida do nosso papel.

"O processo de que estou falando é executado simultaneamente por todas as forças, intelectuais, emocionais, espirituais e físicas de nossa natureza. Isso não é uma pesquisa teórica, e sim prática, visando a um objetivo autêntico, que atingimos por meio de ações físicas. Absorvidos nas ações físicas imediatas, não pensamos nem temos consciência do complexo processo interior de análise que, natural e imperceptivelmente, vai ocorrendo dentro de nós.

"Portanto, o novo segredo e a qualidade nova de meu método para criar a entidade física, o ser físico, de um papel, consiste no fato de que a mais simples ação física, ao ser executada por um ator em cena, obriga-o a criar, de acordo com seus próprios impulsos, toda a sorte de ficções imaginárias, circunstâncias propostas e 'se'.

"Se, para executar a mais simples ação física, é necessário um esforço tão tremendo de imaginação, logo para a criação da entidade física de um papel inteiro torna-se necessária uma longa e ininterrupta série de ficções imaginativas e circunstâncias propostas, para toda a peça. Estas só podem ser preparadas com a ajuda de uma análise minuciosa, levada a efeito por todas as forças interiores da natureza criadora. Meu método chega a essa análise por meios naturais.

"O que eu quero realçar é esta nova e feliz qualidade de uma autoanálise induzida naturalmente."

Tortsov não teve tempo de concluir seu exame da experiência com o papel de Khlestakov, e por isso prometeu fazê-lo em nossa próxima aula.

Entrando hoje na aula, Tortsov anunciou:

— Continuarei com o exame de meu método para a criação da entidade física de um papel.

"Para responder à pergunta que me fiz (que faria eu se me encontrasse na situação de Khlestakov?), tenho de chamar em meu auxílio *toda a natureza interior do ator, bem como sua natureza*

A CRIAÇÃO DE UM PAPEL

física. É isso que ajuda não só a entender, mas a sentir, se não a peça toda de uma vez, pelo menos o seu espírito geral, seu clima.

"Por que meios podemos induzir nossa natureza criadora a pôr mãos à obra com inteira liberdade de ação? Também nisso o meu método pode ajudar.

"À medida que somos *atraídos* para as ações físicas, somos *afastados para longe* da vida de nosso subconsciente. Desse modo, o deixamos livre para agir, e o induzimos a trabalhar criativamente. Essa ação da natureza e seu subconsciente é tão sutil e profunda que a pessoa que está efetuando a criação não a percebe. Assim, quando fazia minha experiência com Khlestakov e comecei com as ações físicas como meio para criar a entidade física de meu papel, eu não tinha noção daquilo que se estava processando dentro de mim. Tive a ingenuidade de pensar que estava criando as ações físicas, que as estava administrando. Mas na realidade, verificou-se que elas eram apenas os reflexos externos do trabalho criativo que — além do alcance do meu consciente — ia sendo executado dentro de mim pelas forças subconscientes de minha natureza.

"Não está no âmbito da consciência humana a execução desse trabalho oculto e, assim sendo, o que está além de nossos poderes é realizado pela própria natureza em lugar de nós. E o que leva a natureza a fazer esse trabalho? Meu método de criar a vida da entidade física de um papel. *O meu método induz a agir, por meios normais e naturais, as mais sutis forças criativas da natureza, que não estão sujeitas ao cálculo.* Esta é uma qualidade nova de meu método, e quero salientá-la."

Os alunos, e eu entre eles, compreenderam a explicação de Tortsov, mas mesmo assim não sabiam como aplicá-la a eles próprios. Rogamos-lhe que nos desse uma explicação técnica, mais concreta.

A este pedido, Tortsov deu a seguinte resposta:

— Quando estiver no palco, executando certas ações físicas, adaptando-se ao objeto de sua atenção de acordo com as condições da peça, concentre toda a mente em projetar o que você tem a transmitir, da forma mais vívida, real e plástica. Imponha-se firmemen-

DAS AÇÕES FÍSICAS À IMAGEM VIVA

te a tarefa de fazer com que a pessoa que está contracenando com você pense e sinta como você, veja as coisas de que você fala com os mesmos olhos que você, ouça-as com os seus ouvidos. Se vai ou não conseguir fazê-lo, já é outro assunto. O importante é que você o deseje sinceramente, e acredite na possibilidade de atingir seu objetivo. Se assim fizer, sua atenção ficará plenamente concentrada nas ações físicas que você preparou. Enquanto isso, sua própria natureza, libertada da supervisão, fará por você o que nenhuma psicotécnica pode realizar conscientemente.

"Agarre-se com mais firmeza às ações físicas. Elas são a chave da liberdade para essa artista maravilhosa — a natureza criadora — e protegerão seus sentimentos contra qualquer imposição.

"Pense só: você prepara, com lógica e coerência, uma linha simples e acessível para a entidade física de seu papel, e o resultado é que, de súbito, você sente dentro de si a vida de um espírito humano. Sentir em você a mesma espécie de material humano que o autor extraiu da vida, da natureza humana de outras pessoas, quando escreveu seu papel — não é mesmo uma mágica maravilhosa?

"Tal resultado se torna ainda mais importante porque, no tipo de trabalho criativo que fazemos aqui, não estamos em busca de material convencional e teatral, e sim de material genuinamente humano. E isso só se pode encontrar na alma do ator criativo.

"E vocês notaram que, quando comecei a sentir impulsos internos para agir no papel de Khlestakov, ninguém estava exercendo sobre mim qualquer pressão, quer externa quer internamente, ninguém me dirigia? Mais ainda, eu mesmo estava me esforçando para livrar-me das velhas incrustações tradicionais que se amontoaram em torno da representação deste papel clássico.

"Eu estava, além disso, tentando proteger-me, provisoriamente, contra a influência do autor, e de propósito não consultei o texto da peça. Isto para permanecer desinibido e independente, para perseguir minha própria experiência humana.

"Ao correr do tempo, quando for me aprofundando mais em meu papel, pedirei muitas informações, e das mais variadas, sobre a peça. Todo conselho e informação, tudo que possa ser aplicado

A CRIAÇÃO DE UM PAPEL

praticamente para resolver a questão proposta ou para realizar a ação projetada, tudo isso eu aceitarei agradecido, e utilizarei imediatamente, desde que não seja contrário aos meus sentimentos. Mas em minha primeira abordagem, enquanto não tiver criado uma espécie de base firme, de onde possa agir com segurança, tenho medo de qualquer coisa que possa me distrair e complicar indevidamente o meu trabalho.

"Lembrem-se da importância deste fato, de que, inicialmente, é o próprio ator que, por suas próprias precisões, necessidades, impulsos, procura o auxílio e as instruções de outros, e esse auxílio não lhe é *imposto*. No primeiro caso, ele conserva sua independência. No segundo, perde-a. Qualquer material criativo, recebido de outra pessoa e não experimentado em nossa própria pessoa, é frio, intelectual, não é orgânico.

"De outro modo, o nosso material próprio logo se coloca no lugar certo e começa a operar. Tudo que o ator extrai de sua própria experiência de vida, aquilo que lhe desperta ressonância interior, jamais lhe será estranho. Não precisa ser produzido artificialmente. Já se encontra ali, brota espontaneamente, implora para ser manifestado em ações físicas. Não tenho de repetir que todos esses sentimentos 'próprios' do ator precisam ser análogos aos sentimentos inerentes ao seu papel.

"Para melhor avaliar o método que recomendo, comparem-no com a maneira de abordar um novo papel na maioria dos teatros do mundo inteiro.

"Neles, o diretor da peça estuda-a em seu escritório e chega ao primeiro ensaio com um plano já estabelecido. Aliás, muitos deles não a estudam com nenhuma seriedade, confiando em sua própria experiência. Com um aceno da mão, por puro hábito adquirido, esses direitos 'experientes' traçam a linha que a peça deverá seguir.

"Outros diretores, mais sérios, de inclinações literárias, costumam formular uma linha intelectual, após um minucioso estudo na tranquilidade de seus escritórios. Será uma linha fiel, mas sem atração, e portanto inútil para um ator criativo.

DAS AÇÕES FÍSICAS À IMAGEM VIVA

"Finalmente, há o diretor de talento excepcional, que mostra aos atores como devem representar seus papéis. Quanto mais talentosa for sua demonstração, quanto mais funda a impressão que ele fizer, tanto maior será a escravização do ator. Depois de ver seu papel tratado com tanto brilhantismo, o ator quererá representá-lo exatamente como lhe foi demonstrado. Jamais poderá libertar-se da impressão recebida, será impelido a imitar desajeitadamente o modelo. Mas nunca poderá reproduzi-lo, pois esse objetivo está além de seus poderes naturais. Após uma demonstração desse gênero, o ator é despojado da liberdade e de sua própria opinião sobre seu papel.

"Cada ator deve produzir o que pode, sem correr atrás daquilo que está além de sua capacidade criadora. Uma cópia ruim de um bom modelo é pior do que um bom original de traçado medíocre.

"Quanto aos diretores, só podemos aconselhá-los a não impingirem nada a seus atores, a não lhes oferecer tentações fora do alcance de suas capacidades, mas entusiasmá-los e levá-los a pedir espontaneamente a informação de que precisam para executar ações físicas simples. O diretor deve saber como estimular no ator o apetite por seu papel.

"Agora, portanto, já lhes expliquei o que se faz na maioria dos teatros, e também o segredo particular de meu método, que *preserva a liberdade do artista criador.*

"Comparem e escolham."

Hoje houve uma conversa interessante na sala dos artistas. Foi uma discussão entre alguns atores experientes sobre o novo método de Tortsov. Parece que certo número de membros da companhia não aceita a sua atitude para com a arte.

— Acho mais fácil falar com vocês, atores já firmados, começando pelo fim e indo de trás para diante — disse Tortsov. — Vocês já estão muito familiarizados com os sentimentos de um ator criativo num papel cabalmente executado, bem-acabado. São sensações que os principiantes desconhecem. Agora, se vocês mergulharem em vocês mesmos, em seus pensamentos, seus sentimentos, e evocarem

A CRIAÇÃO DE UM PAPEL

qualquer um de seus papéis, que já tenham representado muitas vezes, um papel que esteja firmemente estabelecido, digam-me: com que se preocupam, para que se preparam, o que preveem, que objetivo, que atividade os atrai, quando saem de seus camarins e entram em cena para interpretar um papel familiar? Não estou falando com atores que compõem a partitura de seus papéis usando apenas tarimba, truques e *tours de force* especiais. Falo com atores sérios, criativos.

— Penso em meu primeiro objetivo, quando entro em cena — disse um dos atores. — Uma vez realizado esse objetivo, o segundo vem espontaneamente. Interpretado o segundo, penso no terceiro, no quarto, e assim por diante.

— Eu começo com a linha direta de ação. Ela se desenrola diante de mim como uma estrada interminável, ao fim da qual vejo a cúpula reluzente do superobjetivo — acrescentou outro ator, mais velho.

— Como tenta atingir sua meta final, ou aproximar-se dela? — perguntou Tortsov.

— Executando, logicamente, um objetivo após o outro.

— Você age, e por meio da ação vai se aproximando cada vez mais da sua meta final? — insistiu Tortsov, para que ele desse maiores explicações.

— Sim, naturalmente, como se faz com qualquer partitura.

— Qual é o seu conceito dessas ações num papel familiar? São difíceis, complexas, intangíveis? — inquiriu Tortsov.

— Costumavam ser, mas finalmente se resolveram em cerca de dez ações muito claras, realísticas, compreensíveis e acessíveis. O que se poderia chamar de o canal demarcado para a peça e o papel.

— Que são elas? Ações psicológicas sutis?

— Claro que têm essa natureza. Mas graças à repetição frequente e ao elo invisível entre elas e a vida do papel, a sua psicologia, em grande parte, ganhou corpo, e por seu intermédio podemos chegar à essência íntima dos sentimentos.

— Diga-me, por que se dá isso? — insistiu Tortsov.

DAS AÇÕES FÍSICAS À IMAGEM VIVA

— Suponho que por ser natural. A carne é tangível, acessível. A gente só tem de agir com lógica e coerência, e o sentimento vem por sua própria conta.

— Então — disse Tortsov, captando a sua expressão —, você acaba mesmo é ficando com a simples ação física, e é com isso que nós começamos. Você mesmo diz que a ação exterior, o ser físico, é o mais acessível. Então não seria melhor começar seu trabalho criativo num papel com o que é acessível, isto é, as ações físicas? Você diz que o sentimento acompanha a ação, num papel acabado, bem preparado. Entretanto, no começo, mesmo antes de o papel ser criado, o sentimento também segue o fio das ações lógicas. Então, por que não levá-lo a manifestar-se desde o primeiro início, quando você toma suas primeiras providências? Por que ficar meses a fio sentado diante de uma mesa tentando extrair à força seus sentimentos adormecidos? Por que tentar forçá-los a cobrar vida separados das ações? Seria melhor que você subisse ao palco e começasse logo a agir, isto é, a fazer o que lhe for acessível na ocasião. Acompanhando a ação, tudo aquilo que na hora for acessível a seus sentimentos surgirá naturalmente, em harmonia com seu corpo.

Como estudante, pareceu-me estranho que os atores mais velhos tivessem dificuldade em apreender uma verdade tão simples, normal, natural.

— Como é possível? — perguntei a um deles.

— O ritmo de trabalho, o lançamento das peças, o repertório, os ensaios, as representações, servir de suplente em certos papéis, substituições, recitais extraordinários, trabalho semipreparado — tudo isso atravanca a vida do ator. Em tudo isso, é tão difícil ver o que se faz no campo da arte como enxergar através de uma cortina de fumaça. Ao passo que vocês, seus felizardos, estão mergulhados nela — foi o que me disse um jovem pessimista, que tem grande atividade no repertório do teatro.

E assim mesmo nós, estudantes, o invejamos!

— Façamos um sumário de nosso trabalho de investigação sobre meu método.

A CRIAÇÃO DE UM PAPEL

"Deve-se buscar o resultado no estado criativo que se forma no ator depois que ele criou a linha da entidade física e espiritual de seu papel. Muitos de vocês, quer acidentalmente, quer com o auxílio da psicotécnica, já conseguiram estabelecer um verdadeiro *estado criativo interior no palco*. Mas, como já assinalei, isso não basta. Vocês têm de ser capazes de verter no seu estado criativo interior *um genuíno senso da vida de seu papel, de acordo com as circunstâncias determinadas da peça*. Isso produz uma transformação miraculosa nos sentimentos do ator, uma transfiguração ou metamorfose.

"Agora ouçam isto aqui: quando jovem, eu me sentia fascinado pela vida da Antiguidade. Lia a respeito, conversava com os especialistas, colecionava livros, gravuras, desenhos, fotografias, cartões-postais, e parecia-me não só estar familiarizado com esse período, mas também senti-lo verdadeiramente.

"E então... cheguei a Pompeia. Lá, andei nas mesmas ruas que as pessoas da Antiguidade, vi com meus próprios olhos os pequenos becos estreitos da cidade, penetrei em lares ainda intactos, sentei-me nas lajes de mármore onde descansaram velhos heróis, minhas mãos tocaram objetos que eles outrora haviam manuseado, e por toda uma semana estive profundamente cônscio dessa vida passada, tanto espiritual como fisicamente.

"Por causa disso, todos os meus livros e informações esparsas se ajustaram em seu devido lugar, cobraram vida de um modo diferente, numa existência comum, integrada.

"Então compreendi de fato qual era a grande diferença entre a natureza e os cartões-postais, entre uma percepção emocional da vida e uma compreensão livresca, intelectual, da mesma, entre uma imagem pensada e o contato físico.

"Quase o mesmo se dá quando abordamos um papel pela primeira vez. Um conhecimento superficial com ele apenas proporciona um pálido resultado, no que se refere à percepção emocional, nada mais do que nos pode dar um livro, a visão de uma época vista por olhos alheios.

DAS AÇÕES FÍSICAS À IMAGEM VIVA

"Depois de nosso primeiro contato com a obra de um dramaturgo, nossas impressões continuam vivendo em nós, assim como retalhos, momentos isolados, muitas vezes vividos, inesquecíveis, colorindo todo o nosso trabalho ulterior com a peça. Mas esses pontos separados e distintos, que não têm nenhuma correlação a não ser a correlação exterior da peça, que carecem de coesão interna, não nos fornecem o sentido da peça inteira.

"Quando atingimos o ponto além do conceito intelectual da peça, quando executamos ações físicas análogas ao nosso papel, em circunstâncias determinadas análogas às que foram estabelecidas pelo autor, então, e somente então, podemos compreender e sentir a vida latejante da nossa personagem, e fazê-lo com a plenitude de nosso próprio ser.

"Se sustentarmos a linha da entidade física por toda a extensão de nosso papel, e se, graças a isso, sentirmos o espírito vivo que há nele, então todos os conceitos e sensações isolados e distintos se integrarão em seus devidos lugares, adquirindo um novo e autêntico sentido.

"Esse estado forma um sólido alicerce para o trabalho criativo.

"Quando vocês tiverem obtido esse alicerce, todas as informações recebidas de fora, de seu diretor ou de outras fontes, já não ficarão rolando em sua cabeça e em seu coração como alguns abastecimentos supérfluos num armazém abarrotado. Cada uma cairá em seu lugar predeterminado ou será rejeitada.

"Essa tarefa não é feita somente pelo intelecto, mas por todas as suas forças criativas, todos os elementos de seu estado criativo interior no palco, aliados ao seu sentido real da vida da peça.

"Ensinei-lhes a criar, em vocês mesmos, um sentido físico, e também um sentido espiritual da vida de uma peça. Esse sentimento adquirido funde-se espontaneamente, em vocês, com o estado criativo interior já existente e, unidos, formam o *estado criativo secundário para trabalho*. Só nesse estado é que vocês podem empreender a análise e o estudo de seu papel, com a participação de todas as suas forças criativas espirituais e físicas, e não apenas as do intelecto.

A CRIAÇÃO DE UM PAPEL

"Considero isso muito importante: seus primeiros passos, ao abordarem uma nova peça, devem ser dados menos com seu cérebro do que com seus sentimentos, enquanto seus subconscientes e intuições, tanto de atores como de seres humanos, ainda estão frescos e livres. A alma do seu papel será moldada com os pedaços de sua própria alma viva, seus desejos, as suas personagens viverão em cena e terão suas respectivas cores individuais.

"Quando estava demonstrando Khlestakov, eu mesmo sentia, às vezes, que estava dentro da própria alma de Khlestakov. Esse sentimento alternava-se com outro, em que eu achava em mim uma parte da alma do papel. Isto sucedeu também ao Kóstia, quando ele sentiu que de fato poderia furtar do tabuleiro de um quitandeiro um pedaço de qualquer coisa para comer. Foi esse um momento em que ele de fato se fundiu completamente com seu papel, descobrindo em si mesmo alguns dos instintos de Khlestakov. Sondando mais fundo, fui encontrando novos pontos de contato em condições da vida externa e da vida interior, semelhantes às da minha personagem. Esses momentos de congenialidade foram-se tornando cada vez mais frequentes, até que formaram toda uma linha contínua, tanto de vivência física como espiritual. Agora que passei por esse período criativo preliminar, posso afirmar que, se acaso me achasse na situação de Khlestakov, agiria na vida real exatamente como ele faz na entidade física que criei para ele.

"Quando me sinto assim, estou muito próximo do estado de 'eu sou', e nada me assusta. Assim plantado numa base firme, posso manipular tanto a minha natureza física quanto a espiritual, sem receio de ficar confuso e perder o terreno. E se de fato deslizar para um rumo falso, posso facilmente retroceder e dirigir-me outra vez pela estrada certa. Nessa mesma base, quando estou em cena posso assumir a minha caracterização externa com o auxílio de meus hábitos exercitados. E na estrutura da circunstância determinada e dos sentimentos lógicos posso usar o material interior que adquiri para produzir qualquer caracterização interna desejada. Se ambas as caracterizações, a externa e a interna, se basearem na verdade, não poderão deixar de mesclar-se, criando uma imagem viva.

DAS AÇÕES FÍSICAS À IMAGEM VIVA

"Assim, o meu método de criar uma entidade física analisa, automaticamente, uma peça. Automaticamente, induz a natureza orgânica a pôr em ação suas importantes forças criadoras, para impelir-nos à ação física. Automaticamente, evoca, de dentro de nós, material humano vivo para nosso trabalho. Ajuda, quando estamos dando nossos primeiros passos em direção a uma nova peça, a apreender seu clima e estado de espírito geral. São todas estas as possibilidades novas e importantes do meu método.

Apêndices

I. SUPLEMENTO PARA *A CRIAÇÃO DE UM PAPEL*

UM PLANO DE TRABALHO

1. *Contem o enredo* (sem detalhes excessivos).

2. *Representem o enredo exterior* em termos de ações físicas. Por exemplo: entrem num quarto. Mas como não podem entrar a menos que saibam de onde foi que vieram, para onde vão e por quê, procurem os fatos externos do enredo, a fim de que estes lhes deem base para ações físicas. Tudo isso deve ser feito a grosso modo, e constitui a justificação de um esboço de *circunstâncias* determinadas (apenas toscas, exteriores). As ações são tiradas da peça. O que faltar será inventado de acordo com o espírito da peça: que faria eu se aqui, hoje, neste mesmo instante, me visse em situação análoga à do enredo?

3. *Representem improvisações versando sobre o passado e o futuro* (o presente ocorre em cena): de onde foi que eu vim, aonde é que estou indo, o que aconteceu entre os períodos em que eu estava em cena?

4. *Contem a história* (com mais detalhes das ações físicas do enredo da peça). Apresentem circunstâncias propostas e "se" mágicos mais sutis, mais detalhados, e com bases mais profundas.

A CRIAÇÃO DE UM PAPEL

5. *Redijam uma definição* provisória do superobjetivo, em termos aproximativos, bem como um *primeiro esboço* do mesmo.

6. Baseando-se no material adquirido, esbocem, aproximadamente, uma *linha direta de ação*, dizendo sempre: que faria eu, "se"...?

7. Com este fim dividam a peça em *grandes unidades físicas* (não existe peça alguma que não tenha estas grandes unidades físicas, grandes ações físicas).

8. *Executem* (representem) essas ações físicas esboçadas em estado bruto, baseadas na pergunta: que faria eu, se...?

9. Se as unidades maiores forem muito difíceis de abarcar, *dividam-nas, provisoriamente, em unidades de extensão média, ou mesmo, se necessário, em unidades cada vez menores. Estudem a natureza dessas ações físicas.* Obedeçam estritamente à *lógica* e *consecutividade* das grandes unidades e de suas partes componentes, e as combinem em grandes ações completas, sempre sem objetos de cena.

10. *Formem uma linha lógica, consecutiva, de ações físicas orgânicas.* Anotem-nas por escrito e as fixem firmemente por meio de repetições frequentes. Libertem-na de tudo que for supérfluo — cortem noventa por cento! Repassem essa linha até que ela chegue ao ponto de ser bastante fiel para merecer crédito. A lógica e a consecutividade dessas ações físicas conduzirão à *veracidade* e à *fé*. Mas isso se obtém sendo lógico e coerente, e não tentando alcançar a verdade em função da verdade.

11. A lógica, a consecutividade, a verdade, a fé colocadas na situação de estar "aqui, hoje, neste mesmo instante", acham-se agora mais fundamentadas e fixadas.

12. Tudo isso, resumido, produz o estado de "eu sou".

APÊNDICES

13. Quando vocês tiverem alcançado o "eu sou", terão também chegado à *natureza orgânica* e seu subconsciente.

14. Até agora vocês têm usado suas próprias palavras. Agora, têm a *primeira leitura do texto*. Agarrem-se às palavras e frases isoladas de que tiverem necessidade. Escrevam-nas e acrescentem-nas a seus próprios textos livres.

Quando chegarem à segunda leitura e às seguintes, tomem mais notas, recolham mais palavras para incluir no texto que vocês mesmos inventaram para seus papéis. Assim, gradualmente, com pedacinhos, e depois com frases completas, o papel passa a ser suprido com as palavras do próprio escritor. As lacunas logo são preenchidas com o texto exato da peça, de acordo com o estilo, a linguagem e a dicção da mesma.

15. Estudem o texto, fixem-no em sua mente, mas evitem dizê-lo em voz alta, para não tagarelar mecanicamente, ou construir uma série de acrobacias verbais. Repitam muitas vezes e fixem firmemente a sua linha de ações físicas lógicas e consecutivas, verdade, fé, "eu sou", verdades orgânicas, e o subconsciente. Dando a essas ações uma base de justificação, vocês farão com que sempre lhes venham à mente circunstâncias determinadas, frescas, novas, mais sutis, e terão um senso mais profundo, amplo e totalmente abrangente de ação concertada. Enquanto executam este trabalho, reexaminem muitas e muitas vezes, cada vez mais minuciosamente, o conteúdo da peça. Imperceptivelmente, vocês adquirirão uma base para suas ações físicas, que será psicologicamente mais sutil, por causa de suas circunstâncias propostas, da linha direta de ação e do seu superobjetivo.

16. Continuem a representar a peça de acordo com as linhas ora estabelecidas. Pensem nas palavras, mas ao representarem substituam-nas por *sílabas rítmicas* (trá-lá-lá-lá).

A CRIAÇÃO DE UM PAPEL

17. Agora o verdadeiro traçado interior da peça já foi estabelecido pelo processo de justificação de suas ações físicas. Fixem-no mais firmemente ainda, de modo que o texto falado se subordine a ele e não seja tagarelado mecânica e independentemente dele. Continuem a representar a peça usando as sílabas rítmicas. *Repassem com suas próprias palavras (de vocês):* 1) o esquema de ideias; 2) o esquema de visualização da peça; 3) expliquem ambos aos colegas com quem vocês estiverem contracenando, a fim de estabelecer intercomunicação com eles, e também para estabelecer um esquema de ação interior. Esses esquemas básicos formam o subtexto de seus papéis. *Fundamentem-se o mais firmemente que puderem e mantenham-nos constantemente...*

18. Depois de fixado esse padrão, enquanto ainda estiverem sentados ao redor da mesa, *leiam a peça com as palavras do próprio autor e, sem sequer mover as mãos, transmitam o mais exatamente possível aos que contracenam com vocês os padrões elaborados, as ações, todos os detalhes da partitura da peça.*

19. *Façam a mesma coisa, ainda sentados ao redor da mesa, mas com as mãos e os corpos livres, usando uma parte do jogo de cena marcado para produção provisória.*

20. *Repitam isso no palco, com o jogo de cena tal como foi marcado provisoriamente.*

21. *Desenvolvam e fixem o plano dos cenários no palco (dentro de quatro paredes).* Deve-se perguntar a cada pessoa que lugar ela escolheria para estar e representar (em que cenário)? Que cada um sugira seu próprio plano. O plano para os cenários será tirado do consenso de planos propostos pelos atores.

22. Elaborem e registrem o jogo de cena. Arrumem o palco de acordo com o plano estabelecido de comum acordo, e façam entrar nele os atores. Perguntem aos atores o lugar que escolheriam para fazer

APÊNDICES

uma declaração de amor; onde prefeririam agir sobre o comparsa com quem contracenam, para convencê-lo a ter uma conversa de coração aberto etc.; onde seria mais conveniente cruzar o palco a fim de esconder algum embaraço? Deixem que os atores cruzem a cena e executem suas ações físicas segundo as necessidades da peça: procurem livros nas estantes, abram janelas, acendam uma lareira, e assim por diante.

23. *Ponham à prova o esquema das marcações, abrindo arbitraria-mente qualquer uma das quatro paredes.*

24. Sentem-se a uma mesa e façam uma série de discussões sobre o aspecto literário, político, artístico e outros da peça.

25. *Caracterização.* Tudo o que se fez até agora promoveu a carac-terização interior. Enquanto isso, a caracterização externa deveria ter aparecido espontaneamente. Mas o que se deve fazer quando isso não ocorre? Vocês devem repassar o que já foi feito, mas acres-centem uma perna manca, a fala seca e concisa, ou então arrastada, certas atitudes de braços ou pernas, a posição do corpo concor-dando com certos maneirismos, hábitos. Se a caracterização exter-na não surge espontaneamente, é preciso enxertá-la, de fora.

II. IMPROVISAÇÕES SOBRE *OTELO*

Estes dois pequenos estudos sobre *Otelo* saíram na edição russa de *A criação de um papel.* Vão aqui impressos devido ao seu interes-se, embora seu contexto tenha menos relação com o que se discute neste volume do que com o assunto de *A preparação do ator* (págs. 308 ss). Assim, Paulo, aqui, representa o papel de Iago, como o fez em *A preparação do ator,* e a cena que se discute é, como naquele livro, a terceira cena do terceiro ato, e não, como neste volume, a cena inicial da peça. (Nota da Editora Norte-Americana.)

A CRIAÇÃO DE UM PAPEL

Objetivos — Linha Direta de Ação — O Superobjetivo

Hoje Tortsov decidiu voltar ao trabalho com as improvisações e fazer-nos representar para ele todo o nosso repertório de *sketches*.

Mas como alguns dos alunos não puderam vir, tivemos de começar com as improvisações do *Otelo*.

A princípio, eu me recusei a representar sem preparação, mas depois concordei em fazê-lo, porque de fato estava com vontade.

Eu estava tão excitado que não sabia o que fazia. Não podia me conter.

O comentário de Tortsov foi:

— Você me faz pensar numa motocicleta disparando pela estrada abaixo e berrando: "Me segurem, senão sofro um acidente!"

— Quando me excito, fico tão enervado que não consigo me controlar — disse eu, tentando me defender.

— Isso é porque lhe faltam objetivos criativos. Você representa a tragédia "em geral". E qualquer generalidade, em arte, é perigosa — disse Tortsov, convicto. — Seja franco, o que pretendia hoje? — inquiriu.

"O melhor — prosseguiu —, em qualquer papel, é limitar-se a um único superobjetivo, que contém em si todos os outros objetivos e unidades, grandes e pequenos. Mas provavelmente só um gênio tem esse alcance. Sentir num superobjetivo todo o complexo conteúdo espiritual de uma peça não é coisa fácil! Está além da capacidade dos mortais comuns. Se pudermos limitar o número de nossos objetivos a cinco em cada ato, com um total de vinte ou vinte e cinco para a peça toda, e se eles, unidos, contiverem a essência de toda essa peça, isto já é o melhor resultado que podemos esperar.

"O nosso caminho criativo é como uma estrada de ferro, com as suas grandes e pequenas estações, sinais de parada — os nossos objetivos. Temos nossas capitais de província e nossas cidades provincianas, indo decrescentemente até os arraiais de um só cavalo, exigindo maior ou menor atenção, paradas mais demoradas ou mais curtas. Podemos passar zunindo por todas essas estações, com a

APÊNDICES

rapidez de um expresso, ou arrastadamente, como um trem postal. Podemos parar em todas as estações ou só nas maiores. Podemos fazer paradas maiores ou menores. Hoje você foi zunindo como um expresso rápido, sem fazer parada em nenhum dos objetivos intermediários. Eles passavam por nós chispando, como outros tantos postes telegráficos. Você nem os notava, e eles não lhe interessavam, porque você, na verdade, não sabia para 'onde estava indo'."

— Eu não sabia porque o senhor nada nos disse sobre isso — declarei, justificando-me.

— Não falei sobre isso porque ainda não estava na hora. Mas falei hoje, porque já é tempo de vocês saberem.

"Antes de mais nada, temos de fazer com que a meta que nos propomos seja clara, verdadeira e bem definida. Deve estar apoiada numa base sólida. É a primeira coisa em que se deve pensar. Para ela temos de dirigir todos os nossos desejos e esforços. De outro modo, sairemos dos trilhos, como você fez hoje.

"Não basta que a meta ou o objetivo seja definido, deve também ser atraente, excitante. O objetivo é uma isca viva que nossa vontade criadora persegue como um peixe. A isca deve ser apetitosa. Da mesma forma, o objetivo precisa ter substâncias e encanto. Sem eles, não conseguirá atrair sua atenção. A vontade é impotente até ser inspirada por desejos apaixonados. O que a estimulará é um objetivo excitante. Ele é uma poderosa força motiva, impulsionando nossa vontade criadora; é o seu maior ímã.

"Mais ainda, é importantíssimo que o objetivo seja verdadeiro. Esse tipo de objetivo desperta desejos verdadeiros, e isto, por sua vez, pede um esforço verdadeiro, e o esforço verdadeiro acaba em ação verdadeira.

"Shchepkin disse que a gente pode representar bem ou mal — isso não importa. O que é importante é representar com verdade. Para representar verdadeiramente, temos de seguir a senda dos objetivos verdadeiros. Eles são como sinais que nos mostram o caminho.

"Antes de fazer qualquer outra coisa, temos de corrigir o seu erro. Portanto, faça o favor de representar outra vez a cena. Mas antes, vamos dividi-la em unidades e objetivos grandes, médios e pequenos.

A CRIAÇÃO DE UM PAPEL

"Para não se atolar em detalhes faça sua cena de acordo com as maiores das suas unidades e objetivos. Quais são os de Otelo e quais os de Iago?"

— Iago provoca os ciúmes do mouro — disse Paulo.

— Que faz ele para isso? — perguntou Tortsov.

— Usa astúcia, calúnia, perturba-lhe a tranquilidade — respondeu Paulo.

— E o faz, naturalmente, de modo que Otelo acredite nele — acrescentou Tortsov. — Agora vá e realize esse objetivo do melhor modo que puder, e convença não a Otelo, porque ele ainda não está aqui, mas a este vivíssimo Kóstia, que está sentado diante de você. Se conseguir fazer isto, nada mais lhe pediremos — disse Tortsov com firmeza. — E qual é o seu objetivo? — perguntou Tortsov, voltando-se para mim.

— Otelo não acredita nele — respondi.

— Em primeiro lugar, Otelo ainda não existe. Você não o criou. Até agora só existe Kóstia — corrigiu-me Tortsov. — Em segundo lugar, se você não vai acreditar no que Iago lhe diz, não haverá tragédia. Haverá, em vez disso, um final feliz. Não pode pensar em alguma coisa mais condizente com a peça?

— Eu procuro não acreditar em Iago.

— Em primeiro lugar, isso não é um objetivo, e em segundo lugar, você não tem de fazer nenhum esforço. O mouro está tão certo sobre Desdêmona que sua reação natural é acreditar na esposa. Por isso é que Iago tem tanta dificuldade em destruir sua confiança nela — explicou Tortsov. — Para você, é difícil até mesmo entender o que o vilão está dizendo. E se tivesse ouvido a terrível notícia de qualquer outra fonte que não Iago, que você considera o mais honesto e dedicado de todos os homens, teria escarnecido o narrador, e o teria escorraçado como intrigante, encerrando-se o incidente.

— Nesse caso, talvez a intenção do mouro seja tentar entender o que Iago está dizendo — disse eu, propondo um novo objetivo.

— Claro — aprovou Tortsov. — Antes de poder acreditar, você tem de tentar entender essa coisa improvável que está sendo dita

APÊNDICES

ao confiante mouro sobre sua esposa. Só depois de ter considerado a calúnia é que ele é tomado pela necessidade de provar a falsidade da acusação, a pureza da alma de Desdêmona, a injustiça da opinião de Iago, e assim por diante. Portanto, para começar, tente apenas compreender o *que* e *com que fim* Iago está dizendo essas coisas.

"E, assim", disse Tortsov, resumindo, "deixe que Paulo procure preocupá-lo e, quanto a você, tente compreender o que ele está lhe dizendo. Se vocês dois executarem esses dois objetivos, eu ficarei muito satisfeito.

"Tomem cada um dos objetivos secundários, auxiliares, e encaixem-no em um propósito geral, que vamos chamar de a *linha direta de ação,* e no fim, como um fecho, ponham o superobjetivo que estão procurando alcançar. Quando conseguirem fazer isso, o seu *sketch* terá homogeneidade, beleza e poder."

Depois destas explicações, Tortsov nos fez representar o *sketch* mais uma vez, como ele disse, de acordo com *objetivos,* com uma *linha direta de ação,* e em consonância com o *superobjetivo.* Depois que acabamos de representar, ouvimos uma crítica e algumas explicações. Desta vez, Tortsov disse:

— Sim. Vocês representaram o *sketch* de acordo com os objetivos, passando o tempo todo na linha direta de ação e no superobjetivo. Mas... pensar ainda não significa agir em função de uma meta fundamental. Vocês não podem atingir o superobjetivo por meio de seus pensamentos, seu cérebro. O superobjetivo requer uma entrega total, desejo ardente, ação inequívoca. Cada trecho, cada objetivo isolado, é necessário para nos aproximar do propósito fundamental da peça, isto é, do superobjetivo. Aí, vocês têm de ir direto à sua meta sem tomar jamais outros rumos, ou se desviarem de sua linha direta.

"Criar significa lançar-se ao seu superobjetivo com paixão, esforço, intensidade, propósito e justificação.

"Quanto aos objetivos subsidiários, é claro que eles devem ser preenchidos cuidadosa e completamente, mas somente na medida

A CRIAÇÃO DE UM PAPEL

necessária e útil ao superobjetivo e à linha direta de ação, e nunca como hoje, tomando cada objetivo isoladamente.

"Procurem entender e fixar em sua mente, o melhor que puderem, esta linha: do superobjetivo ao desejo, ao esforço, à linha direta de ação e de volta ao superobjetivo."

— Mas como é possível — exclamamos, perplexos. — Do superobjetivo, a gente volta no fim outra vez para ele?

— Sim. É exatamente isso — explicou Tortsov —, o superobjetivo que exprime a essência principal, fundamental, da peça, deve despertar o desejo criador do ator, seus esforços e ação, de modo que, no final, ele domine o superobjetivo, que, para começar, deu início ao seu processo criador.

Pelo Texto, Chegar ao Subtexto

— Agora que sabem o principal segredo de nossa criatividade, quero vê-los representar um trecho de *Otelo* — disse-nos hoje Tortsov.

Paulo e eu subimos ao palco e começamos a interpretar uma cena entre Iago e Otelo.

Quanto tempo se passara desde que Tortsov repetira comigo esta cena e a corrigira? De qualquer maneira, eu não acreditava que seu trabalho tivesse sido em vão. Mas foi. Mal comecei a dizer minhas falas, e lá fui outra vez pelo mesmo velho caminho.

Porque, enquanto atuava, e sem ter consciência desse fato, eu tinha em mente alguns objetivos antigos e casuais, que, para falar a verdade, não chegavam a ser mais que a representação de uma imagem fixa. Isso resultou em exagero e eu fiz o possível para justificá-lo, inventando circunstâncias determinadas e ações.

Quanto às palavras e ideias, eu as enunciava mecanicamente, inconscientemente, assim como cantamos uma canção enquanto estamos trabalhando ou puxando uma barca. Poderia isso coincidir com as intenções do autor?

O texto pedia uma coisa, meus objetivos pediam outra. As palavras impediam a ação e a ação interferia nas palavras.

Num minuto, Tortsov nos interrompeu.

APÊNDICES

— Você está apenas se contorcendo, não está vivendo — disse.

— Eu sei! Mas o que posso fazer? — respondi com voz histérica.

— O quê? — exclamou Tortsov. — Você pergunta o que deve fazer? E isso depois que lhe revelei o principal segredo de nossa criatividade?

Fiquei calado, obstinadamente, furioso comigo mesmo.

— Responda-me a isso — começou Tortsov. — Onde estavam seus sentimentos ainda agora? Eles reagiram instantaneamente, intuitivamente, ao seu desafio criador?

— Não — confessei.

— Se não reagiram, que é que você devia ter feito? — disse Tortsov, apertando seu interrogatório.

De novo, calei-me e emburrei.

— Quando os sentimentos não reagem espontaneamente a uma provocação criadora, devemos deixá-los em paz, porque eles não se curvam à força — respondeu Tortsov à sua própria pergunta. — Em tais casos, você tem de recorrer aos outros membros do triunvirato, sua vontade e sua mente. A mais acessível é a mente. Portanto, comece por ela.

Não falei, nem me movi.

— Com que é que você trava conhecimento com uma peça pela primeira vez? — disse Tortsov, paciente e persuasivamente. — Você começa com uma cuidadosa leitura do texto. Ali está ele, em branco e preto, em forma permanente, e representa, neste caso, uma obra de arte maravilhosa. A tragédia de *Otelo* é um esplêndido material para a atuação criativa. Será razoável não utilizar esse material, e será possível não ficar fascinado com um tema desses? Você sabe que você mesmo seria incapaz de inventar alguma coisa melhor do que aquilo que Shakespeare criou. Ele era um escritor nada mau. Não era pior que você. Por que se recusa a experimentá-lo?

"Não seria mais simples, mais natural, começar seu trabalho usando o texto dessa peça de um gênio? Ele traça para você o caminho criativo certo, com clareza e beleza, e assinala os objetivos e ações necessários. Ele lhe fornece as indicações corretas para

A CRIAÇÃO DE UM PAPEL

armar as circunstâncias propostas, e sobretudo pôs em suas palavras a essência espiritual da peça.

"Comece, portanto, pelo *texto,* e aplique o seu *cérebro* à tarefa de ler as profundidades desse texto. Seus sentimentos não vacilarão em unir-se a seu cérebro e conduzi-lo cada vez mais fundo no *subtexto,* onde o escritor ocultou os motivos que o levaram a criar a peça. E assim o texto dá à luz o subtexto, a fim de fazer com que este recrie o texto."

Depois dessas explicações, Paulo e eu deixamos de atuar e começamos a repetir os versos. Naturalmente, tudo o que fazíamos era repetir as palavras, sem nos darmos tempo de penetrar sua significação latente.

Tortsov não tardou em pôr termo a isso.

— Eu lhes sugeri que recorressem ao cérebro e ao pensamento, para através deles atingirem seus próprios sentimentos e o subtexto — disse. — Mas onde está o cérebro, onde está o pensamento nisso que estão fazendo? Vocês não precisam deles para esparramar as palavras por aí como um punhado de ervilhas. Para isso, só precisam de uma voz, lábios e língua. A mente e o pensamento nada têm em comum com esta ação mecânica.

Depois desse sermão, começamos a obrigar-nos a penetrar no sentido das palavras que estávamos pronunciando. O cérebro não é tão melindroso como os sentimentos e admite uma pressão mais direta.

— Senhor... — começou Paulo, num tom calculado.

— Que dizes tu, Iago? — respondi, com uma expressão de profunda meditação.

— Quando vós cortejáveis a senhora, já dos vossos amores Miguel Cássio acaso estava a par? — perguntou-me Paulo, olhando para mim como se estivesse tentando resolver um quebra-cabeça.

— Inteiramente a par... — repliquei, com pausas calculadas como falamos quando estamos traduzindo uma língua estrangeira.

Aí Tortsov interrompeu nosso árduo labor.

— Não creio em nenhum dos dois. Você nunca tentou conquistar a mão de Desdêmona e nada sabe sobre seu próprio passado —

APÊNDICES

disse-me. — Quanto a você — voltou-se para Paulo —, você tem mesmo muito pouco interesse nas perguntas que está fazendo. Na verdade, não precisa das respostas. Você faz uma pergunta e nem sequer escuta a resposta de Otelo.

Ao que parece, não tínhamos compreendido a simples verdade de que cada palavra que é dita tem de ter a sua base, sua justificação em alguma circunstância determinada, em algum "se" mágico.

Nós já tínhamos feito esse tipo de trabalho mais de uma vez, preparando objetivos e ações, mas esta era a primeira vez que nos pediam para fazê-lo em conjunção com as palavras exatas de uma outra pessoa. Além disso, em nossas improvisações, quando atuávamos, usávamos quaisquer ideias e palavras que surgissem. Elas pulavam em nosso cérebro e escorregavam de nossa língua como parte daquele determinado objetivo e ação, sempre que as palavras se tornavam necessárias.

Mas uma coisa é usarmos as próprias palavras e pensamentos, e outra, muito diferente, é adotar os de um outro, que estão permanentemente fixados, como que moldados em bronze, em formas claras, fortes. São inalteráveis. A princípio, parecem-nos alheios, estranhos, remotos, e muitas vezes até mesmo incompreensíveis. Mas têm de nascer outra vez, têm de ser transformados em qualquer coisa vitalmente necessária, nossa, fácil, desejada — palavras que não modificaríamos, extraídas de nosso próprio ser.

Pela primeira vez, nos defrontávamos com o processo de assimilar as palavras de uma outra pessoa. E nosso tagarelar amador de sons inanimados, que era o que Paulo e eu fazíamos com as palavras magníficas de *Otelo,* certamente não podia contar.

Compreendi que tínhamos chegado a uma nova fase em nosso trabalho — a criação da palavra viva. As raízes disso mergulham na alma da gente, alimentam-se com nossos sentimentos. Mas a haste sobe até o consciente, onde lança uma luxuriante folhagem de eloquentes formas verbais, transmitindo todas as profundas emoções das quais extraem a sua vitalidade.

Senti-me excitado e embaraçado ante a importância dessa ocasião. Num tal estado, é difícil recolher nossas atenções e pensamentos, acender nossa imaginação para que produza uma longa série de circunstâncias determinadas, justificando e insuflando vida em cada pensamento, cada frase, em todo o texto verbal do dramaturgo.

No desarvoramento em que nos vimos, eu me sentia incapaz de enfrentar o problema que me foi proposto. Por isso, pedimos a Tortsov que adiasse nosso trabalho para a aula seguinte, para termos tempo e oportunidade de refletir sobre ele e fazer preparativos em casa, isto é, inventar todas as fantasias necessárias, as circunstâncias determinadas que justificariam e vitalizariam os versos, que até agora tinham sido outras tantas palavras inertes.

Tortsov concordou.

Esta noite Paulo veio ver-me, e juntos pensamos em várias circunstâncias que justificariam as palavras de nossos papéis em *Otelo*.

Em obediência à prescrição de Tortsov, lemos primeiro a peça toda, e depois disso dirigimo-nos ao estudo cuidadoso dos pensamentos contidos em nossa cena.

Desse modo, atrelamos à nossa tarefa, como nos fora ensinado, o membro mais convocável de nosso triunvirato criativo: nossa mente. Lemos:

IAGO: Senhor...

OTELO: Que dizes tu, Iago?

IAGO: Quando vós cortejáveis a senhora,
    já dos vossos amores Miguel Cássio
    acaso estava a par?

Quanta fantasia temos de pôr em jogo para dar ao mouro ocasião de evocar o passado. Sabemos alguma coisa de sua vida pregressa, o período de seu primeiro encontro com Desdêmona, como se enamora, o rapto, tudo isso está nos primeiros atos e na fala de Otelo perante o Senado. Mas quanta coisa mais o autor deixou por dizer sobre o que acontece antes da peça começar, e também nos intervalos entre as cenas, ou ao mesmo tempo que a ação, porém fora de cena.

O que Shakespeare deixou por dizer foi que Paulo e eu tratamos de preencher.

APÊNDICES

Não tenho tempo nem paciência para anotar aqui todas as muitas combinações e permutações de imaginação que concebemos sobre como, com o auxílio de Cássio, foram planejados encontros secretos com Desdêmona. Muitas das coisas que inventamos nos excitaram e pareciam aos nossos olhos poéticas e belas. Para rapazes jovens como nós, ansiosos por amar, esses temas são sempre estimulantes emocionalmente, por maior número de formas que possam assumir.

Também conversamos demoradamente sobre o tema dos sentimentos de Otelo para com a mulher que não menosprezou o amor, os beijos, os secretos amplexos desse escravo negro.

A essa altura, interrompemos nosso trabalho, pois já passava de uma hora. Nossas cabeças estavam cansadas, e nossas pálpebras, pesadas.

Separamo-nos com a satisfação de saber que tínhamos construído o que poderíamos chamar de um sólido começo para a cena, erguido em um alicerce de circunstâncias propostas.

Hoje, novamente, na véspera de nossa aula com Tortsov, Paulo e eu nos reunimos para prosseguir nosso trabalho de inventar circunstâncias propostas para a nossa cena de *Otelo*. Paulo exigiu que trabalhássemos o seu papel, pois nada tinha para mostrar a Tortsov, ao passo que, para o meu, eu já havia imaginado umas poucas coisas.

Sim, eram apenas umas poucas coisas, e estavam longe de ser o bastante, pois eu esperava construir toda a minha cena sobre uma base de circunstâncias propostas. Torna-se tão mais agradável trabalhar em cena quando se tem essa base. Enfim, não havia outra coisa a fazer senão trabalhar Iago.

Outra vez convocamos nossa *mente* ao trabalho. Em outras palavras, percorremos o texto cuidadosamente, o analisamos e decidimos que queríamos sondar o passado desse clássico vilão shakespeariano. Pouco se diz sobre ele na peça. Isso, entretanto, tinha o seu lado auspicioso, pois deixava o campo livre para a nossa imaginação.

Não tenho a intenção de registrar qualquer coisa que não tenha tido influência direta em meu papel. Por que o faria? Mas tudo

A CRIAÇÃO DE UM PAPEL

o que realmente afeta minha personagem imaginária eu assumi o compromisso de anotar neste diário.

Sinto uma grande vontade de ver Iago com um aspecto exterior atraente, de modo algum uma pessoa repulsiva. Sem isso, seria impossível explicar a confiança que eu, como Otelo, tenho de depositar nele. Para conseguir isso, é preciso que haja uma base visual para tomar Iago — o vilão autêntico — por um homem de coração simples. Se ele me aparece com o aspecto de um vilão de ópera, com olhos viperinos, e faz caretas, que é como geralmente o interpretam, eu seria forçado a afastar-me dele com determinação ou me sentiria numa posição de idiota.

O problema é que Paulo, por natureza, é uma pessoa capaz de desculpar ou perdoar qualquer coisa. Nesse caso, ele se inclina a desculpar e perdoar Iago. Para fazê-lo procura atribuir-lhe ciúmes de sua mulher, Emília, com Otelo, que, segundo consta, mantém um caso com ela. De fato, há no texto insinuações sobre isso. Tomando-as como ponto de partida, pode-se, de certo modo, usá-las para justificar a maldade, o ódio, a sede de vingança, e todas as demais qualidades malévolas de que está impregnada a alma de Iago. Entretanto, essa sombra lançada sobre Otelo não me serve. Não se enquadra em meus planos. O meu herói de conto de fadas — puro como uma pomba. Tem de ser inocente de relações com mulheres. As suspeitas de Iago devem ser falsas. Não podem ter nenhum fundamento nos fatos.

Portanto, se Paulo acha que isto é necessário, deixemos que Iago se enfureça de ciúmes. Mas exijo que o intérprete do papel me oculte hábil e persistentemente quaisquer sinais externos capazes de revelar esses maus sentimentos que lhe apodrecem na alma.

Preciso também sentir que Iago, com todo o seu grande cérebro, é bastante simples. Senão, como poderei rir do que aparentemente são suspeitas ingênuas? Quero ver em Iago um soldado grandão, inabalável, rude, ingênuo, leal, a quem perdoamos tudo por causa de sua dedicação. É fácil esconder um vilão sob o exterior rude e bem-disposto de um soldado simples de espírito, e eu teria dificuldade em desmascará-lo.

APÊNDICES

Penso que convenci Paulo, pelo menos em parte, neste ponto de vista.

Começava a me despir para deitar-me quando a seguinte pergunta surgiu em meu espírito: antes, em todas as nossas improvisações sem as falas da peça, começávamos pelas circunstâncias propostas, e depois chegávamos aos objetivos físicos, ou então fazíamos o contrário, dos objetivos chegávamos às circunstâncias. Hoje agimos de modo muito diferente: começamos com o texto do próprio autor e finalmente chegamos às circunstâncias propostas, do mesmo jeito. Será que isto significa que todos os caminhos levam a Roma? E, assim sendo, fará alguma diferença o extremo que tomamos como ponto de partida — a partir do objetivo ou a partir do *texto*? Da *mente* ou da *vontade*?

Fui hoje para a aula de Tortsov sem ter exatamente asas nos pés, pois sentia que estava muito longe de me achar devidamente preparado.

Ele primeiro chamou Paulo e a mim, mas não nos apressou, isto é, deu-nos tempo de aprontar-nos, de repassar mentalmente o traçado de circunstâncias propostas que tínhamos preparado.

Como devíamos fazer, apelamos para nosso intelecto, como o mais reativo de nossos três poderes motivos. Ele apresentou os fatos, os pensamentos encaixados nas vidas, as circunstâncias da vida de Otelo e de Iago, todas as coisas que Paulo e eu tínhamos repassado em nossas duas sessões. Isso logo nos colocou em nossos trilhos, e forneceu-nos um meio direto e natural de abordar o que jaz sob o texto.

Senti-me à vontade. Era agradável estar no palco, e eu também sentia que tinha o direito de estar ali, de dizer as palavras e fazer o que me vinha naturalmente do desenrolar da faixa de circunstâncias propostas e do próprio texto. Antes, quando interpretava Otelo em nossas improvisações, eu só ocasionalmente me sentia assim. Agora, estava perfeitamente à vontade, e por muito mais tempo.

A CRIAÇÃO DE UM PAPEL

O ponto essencial é que, quando isso aconteceu antes, foi coisa puramente inconsciente, acidental. Agora era acarretado conscientemente com o auxílio de uma técnica interior e de um método sistemático de ataque. Então, não é o que se chama um sucesso?

Tentarei descrever os encantos dessa sensação, e quais foram os passos que me levaram a ela.

Para começar, Paulo, como Iago, teve muita habilidade em assumir a aparência exterior de uma criatura de espírito simples. Pelo menos eu acreditei em sua transfiguração.

Iago diz:

Quando vós cortejáveis a senhora,
já dos vossos amores Miguel Cássio
acaso estava a par?

Enquanto eu ponderava essa pergunta, lembrei-me involuntariamente de minha casa em Veneza-Sebastopol-Nijni-Novgorod, nas margens do Volga. Lembrei-me de como vim a conhecer Desdêmona, seus modos encantadores, afetuosos, brincalhões, dos maravilhosos encontros secretos arranjados com o auxílio de Cássio, que estava "inteiramente a par" de nossos segredos.

Com estes pensamentos e imagens em meu espírito, respondi com alegria a Iago, pois tinha muita coisa para lhe contar. Alegrava-me que ele me interrogasse demoradamente. Era difícil conter o sorriso que, de alguma fonte interior, me subia aos lábios. Talvez eu não estivesse sentindo o que Otelo vivo sentiu, mas compreendia a natureza de seus pensamentos e sensações, e acreditava neles.

Isso é a grande coisa em cena: a crença nos pensamentos e nos sentimentos.

Também dá grande satisfação dizer frases e pensamentos que cobrem uma multidão, uma linha ininterrupta de visualizações interiores, desenrolando-se como um filme.

Para transmitir tudo isso a qualquer outra pessoa, temos de usar todas as formas de comunicação disponíveis, e acima de tudo palavras. As mais adequadas e expressivas acabam sendo as de

APÊNDICES

Shakespeare. Primeiro, porque ele é um poeta de gênio, e segundo porque aquilo que eu preciso saber agora encontro exatamente nessas mesmas palavras. O que poderia transmitir a sua própria essência interior senão elas mesmas? Em tais circunstâncias, as palavras de um outro me são necessárias, caras e próximas, tornam-se minhas. Saem espontaneamente, naturais.

Palavras que até agora tinham sido ocas, estavam preenchidas com uma invenção artística e com quadros imaginários nos quais eu podia acreditar. Em suma, eu sentia a essência espiritual da peça, ela me provocava um sentimento de afinidade e exigia, mais uma vez, as suas próprias formas para tornar-se manifesta.

Que notável processo! E como se avizinha dos processos criativos da própria natureza!

Realmente, era como se eu tivesse arrancado uma semente de uma fruta madura, e com ela tivesse criado frutas exatamente iguais àquela de onde ela se originara. Eu havia tirado do texto do dramaturgo a substância-cerne, e depois a exprimira de novo, em seu frescor, com as palavras dele, que eram agora minhas. Tinham-se tornado uma necessidade para mim, não porque desta vez eu estivesse decidido a atingir-lhes o cerne, mas porque eu precisava dar forma verbal a essa essência. O texto havia gerado o subtexto e o subtexto ressuscitara o texto.

Isso é o que aconteceu durante todo o início da bem preparada e bem imaginada cena que Paulo e eu trabalhamos em meu apartamento. Que iria acontecer agora com a parte que ainda não conseguira preencher e justificar com um número suficiente de circunstâncias propostas?

Concentrei toda a minha atenção a fim de compreender todas as falas de Iago. Eu tinha noção da vilania que sublinhava suas perguntas envenenadas. Compreendia, quero dizer, sentia, o seu poder diabólico, a irresistibilidade de sua lógica e consecutividade, conduzindo inevitavelmente à catástrofe. Eu podia sentir o que podem ser a calúnia e a intriga nas mãos de um *virtuose*.

Pela primeira vez podia acompanhar e sentir como, por meio de perguntas inteligentemente formuladas, e de toda uma série de

A CRIAÇÃO DE UM PAPEL

pensamentos logicamente tramados, o vilão, imperceptivelmente, retirava a terra firme de sob os pés de sua vítima, envenenava o ar puro, levando-a ao espanto e à perplexidade, à dúvida. Depois despertava suspeita, horror, mágoa, ciúme, ódio, execração e finalmente vingança.

Essa aterradora transformação espiritual de Otelo é narrada em apenas dez pequenas páginas impressas! A genialidade do traçado interior da obra-prima de Shakespeare me atingia agora pela primeira vez com toda a sua força.

Eu não sei se atuei bem ou mal, mas não tinha nenhuma dúvida quanto ao fato de que, pela primeira vez, olhava-o de perto e via o subtexto. Talvez minhas emoções não alcançassem tão longe, talvez fosse apenas a minha atenção. Talvez o estágio criador que eu sentia não fosse deveras viver o meu papel, mas apenas um pressentimento disso. Ainda assim, o fato indubitável era que, desta vez, as falas exatas da peça me fisgaram e arrastaram, logicamente, consecutivamente, para o fundo de sua alma.

Paulo e eu tivemos hoje um nítido e grande sucesso. Fomos louvados não só por Tortsov e Rakhmanov, mas também por nossos colegas de estudo.

O melhor índice é que nem mesmo Gricha fez objeções ou críticas. Era mais importante que o louvor. Senti-me feliz com isso.

Será possível que nosso êxito se tenha devido apenas às falas do autor?

— Sim — disse Rakhmanov, ao passar por mim —, hoje você acreditou em Shakespeare. Antes, você escondia as palavras dele, mas hoje não teve receio de saboreá-las. Shakespeare aguentou a mão. Pode ter certeza!

Eufóricos com o nosso êxito, Paulo e eu ficamos longo tempo sentados junto ao monumento a Gogol, e ensaiamos detalhadamente, passo a passo, tudo o que aconteceu hoje durante a nossa aula.

— Está bem — disse ele —, vamos começar pelo começo, quando Iago provoca Otelo, e minha fala é:

APÊNDICES

Eu estava pensando numa coisa.
Nada de mal.

— Ou — acrescentei, mais especificamente:

...Ora, essa! Até pareces o meu eco!
E dir-se-ia que ocultas
dentro de ti um monstro
horroroso demais para ser visto...

— É exatamente isso — concordou Paulo. — Pareceu-me —
prosseguiu ele — que justamente aí você se sentiu à vontade e des-
preocupado.
— Sim, é verdade — respondi, aceitando sua insinuação. — E
você sabe por quê? Foi graças a você. O que aconteceu foi que de
repente senti que você era o soldado de bom gênio que eu sempre
quis ver em Iago. Acreditei em você, e num instante tive aquela sensação de "ter direito a estar no palco". Depois, mais tarde, nas palavras:

...franzindo as sobrancelhas,
como se no teu cérebro ocultasses
um pensamento horrível...

Eu me senti alegre e disposto a fazer alguma piada, dizer alguma coisa para animar você e também a mim — confessei.
— Me diga mais uma vez — pediu Paulo, interessado. — Em
que ponto, exatamente, eu consegui fazer com que você deixasse
as piadas e ficasse sério?
— Eu comecei a ouvir suas palavras, ou melhor, a observar os
pensamentos de Shakespeare, no ponto em que você diz:

Os homens
deviam ser aquilo que parecem.
Ou pelo menos que não parecessem
aquilo que não são.

A CRIAÇÃO DE UM PAPEL

"E depois, mais tarde, quando você fala por enigmas:

Assim, pois, julgo Cássio homem de bem.

"Ou quando, fingindo nobreza, você parece estar tentando evitar um interrogatório:

Perdão, senhor. Conquanto em meus deveres
esteja preso à mais estrita obediência,
já não o estou naquilo em que os próprios escravos
— até eles! — são livres."

Nesses pontos, senti uma insinuação, já tingida de um veneno, e pensei: que serpente é esse Iago! Está fingindo que se ofendeu só para que lhe deem crédito mais facilmente! Além disso, compreendi que, embora uma resposta dessas não possa passar sem contestação, ainda assim, quanto mais aplicações forem exigidas, mais fundo a gente se atola na areia movediça de sua trama. E outra vez fiquei boquiaberto diante da genialidade de Shakespeare.

— Eu tenho a impressão de que você filosofou e ruminou sobre a peça mais do que a viveu — disse Paulo, dubitativamente.

— Creio que fiz as duas coisas — concordei. — Mas que mal havia nisso, quando eu estava à vontade ao interrogá-lo?

— E eu também, quando me desvencilhei de suas perguntas e o confundia — disse Paulo, aliviado. — Era esse o meu objetivo.

— Objetivo? — pensei. — Eureca! — exclamei de repente. — Escute com todo cuidado! Isto foi o que aconteceu conosco — e tentei encarniçadamente recobrar todas as sensações e pensamentos que ainda não conseguira esclarecer e ordenar. — Em todos os nossos exercícios e improvisações, como aqueles com o cão danado e acendendo a lareira, nós partíamos do *objetivo* que, espontaneamente, gerava pensamentos e palavras, uma espécie de *texto* acidental, que se tornava vital para nós na execução do objetivo dado.

"Hoje, nós partimos do *texto* do autor e chegamos ao nosso *objetivo*.

APÊNDICES

"Espero. Vamos retraçar esse itinerário: anteontem, quando estávamos trabalhando em meu apartamento, fomos do *texto* às *circunstâncias propostas*, não é? — perguntei pensativo. — Mas hoje, sem que tivéssemos consciência disso, partimos do texto, através das circunstâncias determinadas, e atingimos nosso objetivo criador!

"Vamos pôr isto à prova e ver como aconteceu."

Começamos a recordar nossas emoções induzidas, como se representássemos a cena. Verificou-se que Paulo, de início, estava apenas tentando *chamar minha atenção para ele*. Em seguida, quis que eu sentisse que ele era um soldado boa-praça, que era o que também eu desejava ver nele. Para conseguir isso, ele tentou *representar* a si próprio sob esse prisma, tanto quanto possível. Quando o conseguiu, pôs-se a "pingar" em meu espírito um pensamento após o outro, todos eles comprometedores para Cássio e Desdêmona. Enquanto isso, mantinha seu pensamento firmemente fixo no subtexto.

Quanto a mim, meus objetivos, evidentemente, foram os seguintes: a princípio, eu apenas fiz palhaçada, *caçoei* de mim mesmo e de Iago. Depois, quando ele me agitou, encaminhei a conversa para rumos sérios, queria adquirir uma compreensão maior das palavras, eu melhor, das ideias do vilão. Mais tarde, eu me lembro, tentei formar uma *imagem* mental de Otelo em sua solidão total, uma perspectiva sem alegria. Finalmente, quando, até certo ponto, consegui isso, compreendi que o mouro enganado, assustando-se com as visões evocadas, se apressaria em *livrar-se, em mandar embora* esse vil, venenoso Iago.

Todos esses eram objetivos engendrados pelo texto. Seguindo-o por toda a extensão da peça, chegamos a outras falas mais profundas, outras circunstâncias propostas e objetivas que natural, espontânea e inevitavelmente surgiam do texto e do subtexto. Nesse tipo de abordagem não há nenhuma possibilidade daquela divergência lamentável entre o texto e o subtexto, como ocorreu durante a primeira fase de meu trabalho com o papel de Otelo, quero dizer, durante a minha representação de exame.

A CRIAÇÃO DE UM PAPEL

Portanto — concluímos hoje — o processo certo, pode-se dizer clássico, de criatividade dá-se do *texto* para a *mente*; da mente para as *circunstâncias propostas*; das circunstâncias propostas para o *subtexto*; do subtexto para o *sentimento (emoções)*; das emoções para o *objetivo, desejo (vontade)*; e do desejo para a *ação,* revestir com palavras, gestos etc. o subtexto da peça e de seus papéis.

Amanhã, temos uma aula com Tortsov. Por isso, Paulo e eu trabalhamos mais um pouco nas circunstâncias propostas e nos objetivos de nossa cena de *Otelo*.

Não só conseguimos repassá-la do começo ao fim, mas também pudemos repetir o que havíamos feito antes. O resultado é que a linha de circunstâncias propostas e objetivos foi suficientemente preenchida.

Que trabalhão! Tortsov precisa vê-lo!

Será possível que a gente não consiga transmiti-lo quando representarmos para ele na aula?

Seria uma pena se todo esse trabalho desse em nada, e não pudéssemos esclarecer inteiramente essa coisa que temos a impressão de estar conseguindo apreender.

Não tivemos de pedir a Tortsov que nos deixasse representar. Ele mesmo sugeriu que repetíssemos a nossa cena de Otelo, e nós o fizemos.

Mas, para nossa total perplexidade, desta vez não tivemos nenhum êxito com a cena, apesar do fato de nos sentirmos com esplêndida disposição criativa enquanto atuávamos!

— Não se preocupem — disse Tortsov, quando lhe confessamos nossa imensa desilusão. — Isso aconteceu porque vocês sobrecarregaram o texto. Há muito tempo, na representação de exame de vocês, eu os repreendi porque vocês cuspiam fora o texto como se fossem pedacinhos de casca, desnecessários. Hoje, ao contrário, vocês sobrecarregaram o texto, tornaram-no pesado demais, por causa de um subtexto excessivamente complicado e minucioso.

"Quando uma palavra tem conteúdo interior substancial, fica pesada e se enuncia devagar. Isso sucede quando o ator começa a

APÊNDICES

frisar o texto para usá-lo como veículo transmissor da multidão de suas emoções interiores, seus pensamentos, visualizações, em suma, todo o conteúdo interior do subtexto.

"Uma palavra vazia chocalha como uma ervilha numa vagem seca. Uma palavra super-recheada roda devagar, como uma esfera cheia de mercúrio.

"Mas eu lhes repito: não se aborreçam com isso. Pelo contrário, isso deve lhes dar alegria", disse aprovadoramente para nós dois. "A coisa mais difícil que temos a fazer é criar um subtexto substancial. Isso fez com que vocês sobrecarregassem mas, com o tempo, a essência interior do texto se sedimentará."

O texto deste livro foi composto em Sabon,
desenho tipográfico de Jan Tschichold de 1964
baseado nos estudos de Claude Garamond e
Jacques Sabon no século XVI, em corpo 10/13,5.
Para títulos e destaques, foi utilizada a tipografia
Frutiger, desenhada por Adrian Frutiger em 1975.

A impressão se deu sobre papel off-white
pelo Sistema Digital Instant Duplex da Divisão Gráfica
da Distribuidora Record.